合併後新調査
龍山合併
京城市街全圖
明治四十四年三月發行

세상 사람의
조선여행

세상 사람의 조선여행

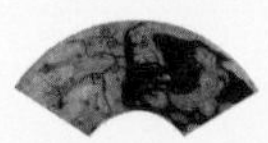

규장각한국학연구원 엮음
김수진 책임기획

글항아리

_규장각 교양총서를 발간하며

규장각은 조선왕조 22대 왕인 정조가 1776년에 창립한 왕실도서관이자 학술기관이며 국정자문기관입니다. 1910년 국권 상실과 함께 폐지되어 소장 도서는 총독부의 관할하에 들어갔고 학술기관으로서의 기능을 상실하게 되었습니다. 해방 후 규장각 도서는 서울대로 귀속되어 오늘날에 이르고 있습니다. 60여 년 전 한국전쟁 때는 일부 국보급 도서가 부산으로 소개疏開되는 등의 곡절을 겪기도 했습니다만, 규장각은 오늘날까지 우리 역사와 전통이 담긴 기록문화의 보고寶庫로서 굳건히 이어져오고 있습니다. 창설 230주년이 되는 2006년에는 규장각과 한국문화연구소가 통합하여 규장각한국학연구원으로 거듭 태어나 학술기관으로서의 전통을 되찾아가고 있습니다.

규장각한국학연구원은 조선왕조실록, 의궤, 승정원일기, 일성록 등 유네스코에 의해 세계문화유산으로 지정된 자료를 위시해 고도서와 고지도 등 수많은 기록문화재를 소장하고 있습니다. 이런 방대한 자료를 토대로 한국학 전문 연구자들이 이곳에 모여 최고 수준의 연구활동에 매진하고 있으며, 많은 연구 성과가 산출되고 있습니다. 또한 국내외 학자들이 규장각에 와서 연구할 수 있기를 희망하며, 본 연구원에선 이를 적극적으로 지원하고 있습니다. 명실상부하게 세계 한국학 연구를 선도하는 중심 연구기관으로 발돋움하고 있습니다.

아울러 전문 연구자만의 것이 아닌 시민과 함께하는 한국학을 발전시키고자 다양한 프로그램을 추진하고 있습니다. 기존의 특별전시회 외에 2008년부터 한국학 전반에 걸친 주제를 그 분야의 최고 전문가들이 직접 기획하고 강의하는 '금요시민강좌'를 김영식 전임 원장의 주도하에 개설하였습니다. 이 금요시민강좌는 그간 시민들의 깊은 호응을 받아왔으며, 2009년부터 관악구청의 지원을 받아 학관협력사업으로 개최되면서 지역 주민과 긴밀한 네트워크를 형성할 수 있는 계기가 마련되었습니다. 그리고 이 강좌에서 강의된 흥미로운 내용을 더 많은 시민과 공유하기 위해 쉬운 글과 다채로운 도판으로 편집한 '규장각 교양총서'를 발간하였습니다. 조선의 국왕, 양반, 여성, 전문가의 일생을 조명한 책과 조선 사람의 세계여행을 다룬 책은 이미 간행되어 널리 독자들의 반응을 얻고 있습니다. 앞으로도 매학기의 강의 내용을 책으로 엮어낼 예정입니다.

2009년부터 규장각에서는 '조선의 기록문화와 법고창신法古創新의 한국학'이라는 주제로 인문한국Humanities Korea 사업단이 출범하여 연구사업을 수행하고 있습니다. 이 사업단은 규장각에 넘쳐나는 조선시대의 다양한 기록을 통해 당시의 삶과 문화를 되살려내고, 그것이 현대를 살아가는 우리에게 주는 가치와 의미를 성찰해보자는 것을 연구 목적으로 하고 있습니다. 이런 취지를 효과적으로 실현시키기 위해 인문한국사업단의 연관사업으로 시민강좌와 교양총서를 함께 준비하게 되었습니다. 앞으로 인문한국사업단의 연구 성과와 기획 능력을 시민들의 더 나은 문화생활을 위해 활용함으로써, 규장각 교양총서는 쉽고 알찬 내용으로 시민들에게 다가갈 것입니다.

이 책에 담긴 내용은 일차적으로 규장각에 소장된 기록문화와 학자들의 연구 성과에서 나온 것입니다. 하지만 강좌를 수강한 시민 여러분의 참신한 아이디어와 바람을 최대한 반영하고자 노력을 기울였습니다. 이 책이 시민과 전문 연구자 사이를 이어주는 가교가 되기를 기대합니다. 앞으로도 여러분의 많은 관심과 성원을 바랍니다.

규장각한국학연구원 원장
노태돈

조선을 만난 세상 사람들의 시선과 기록

이 책은 조선 땅에 들어와 조선을 만난 세상 사람들의 이야기를 다룬다. 만남의 이야기, 이동의 이야기를 여행이라는 말로 표현했다. 여행은 정주지를 떠나 낯선 곳으로 이동하여 새로운 것을 보고 체험하는 경험이다. 이렇게 보면 여행은 동서고금에 누구나 한번쯤 경험하는 보편적인 현상으로 보이지만, 누가, 어떻게, 무엇을 위해 여행했을까를 생각해보면 설명하기가 간단한 일은 아니다.

오늘날 관광사회학에서는 전근대 시기와 근대 시기의 여행을 구별하기도 한다. 이에 따르면, 전근대 시기의 여행인 'travel'이 종교적 순례나 전쟁, 상업 교역 등을 위한 항해처럼 고생스러움을 무릅쓰고 소기의 목적을 달성하기 위해 낯선 곳으로 이동하는 것을 의미하는 반면, 근대 시기의 여행인 관광, 즉 'tourism'은 많은 사람이 안전하고 편안하며 편리하게 다닐 수 있는 시스템을 기반으로 소비되는 상품을 뜻한다고 한다. 이러한 구분은 교통수단과 대중매체의 발달, 그리고 숙박 시설과 관광상품 등이 시스템으로 구축된 현대 여행산업의 특징을 잘 표현하는 것이라 할 수 있다.

하지만 동아시아에서 여행과 관광이라는 말은 사실상 별다른 구분 없이 쓰여왔다. 이는 어원이 가진 의미가 연속되고 있기 때문이 아닐까 싶다. 동아시아에서의 전근대 시기에는 '여행'과 함께 '관광'이라는 용어가 널리 사용되었다. 『주역周易』에 "관국지광 이용빈우왕觀國之光利用賓于王", 즉 한 나라의 사절이 다른 나라를 방문하여 왕을 알현하고 그 나라의 우수한 문물을 관찰하는 것이 왕의 빈객으로 대접받기에 적합하다는 용례가 이미 발견된다. 실제로 앞선 문물이나 새로운 풍경을 살핀다는 점에서 여행과 관광은 연속적인 의미를 갖는 말이었다.

조선시대에는 이웃 나라 일본과 중국인조차 함부로 들어와 사는 것이 금지되었고, 합법적으로 우리 땅에 들어올 수 있는 사람의 범위도 제한되어 있었지만, 조선에 왔다 간 흔적을 남긴 사람들이 꽤 있었다. 중국을 중심으로 한 동아시아 문명권에서 외교와 문화 전파의 통로이기도 했던 중국의 칙사와 일본 통신사가 대표적이다. 『조선왕조실록』을 꼼꼼히 독해하여 명나라와 청나라 칙사들의 유형과 방문 행태, 그리고 조선 측의 접대 방식을 통시적으로 살펴봄으로써 중화 체제의 단면을 엿볼 수 있다면, 임진왜란 직후에 굳이 한양에 입성하겠다는 일본 사신 일행에 대해 책임지고 접대하는 모습에서 과거의 적국에 대해서도 예를 다하는 조선의 문화를 발견하게 된다.

이러한 합법적이고 평화적인 교류의 반대편에는 임진왜란처럼 적대적인 전쟁 상황에서 조선을 찾은 이방인의 모습이 있다. 임진왜란 때 명나라 군대로 티베트, 미얀마군까지 조선에 들어왔음을 알 수는 있으되 그들이 무엇을 보고 느꼈는지는 확인할 길이 없고, 적국의 군인 신분으로 조선 땅을 밟아 귀화한 김충선을 비롯한 일본인들에 대해서는 단편적인 이야기를 확인할 따름이지만, 그 행간에서 성리학적 화이론으로 묶인 동아시아 삼국 간의 전쟁이 갖는 복잡한 면모를 맛보게 된다.

17세기 이후에는 중국과 일본 이외의 이방인도 눈에 띈다. 방문 목적이 아닌 풍랑으로 인한 표류로 조선 땅을 밟게 된 하멜 일행이 대표적이다. 네덜란드 동인도 회사의 선원인 하멜 일행은 이를테면 조선인 최부 일행이 제주 바다를 못 넘어가고 중국 연안 방향으로 떠내려간 것과 반대로, 일본 나가사키를 향해 항해하다가 폭풍우에 휘말려 제주도로 떠내려왔다. 최부 일행이 왜구의 혐의를 벗고 한양으로 돌아오기까지 반년이 걸린 데 비해, 하멜 일행은 조선 정부의 감독과 관리를 받으며 고향으로 돌아가기까지 13년의 세월을 보내야 했고, 또한 최부 일행은 전원이 생존하여 귀향했으나 하멜 일행은 절반 정도만 귀향했다는 점이 다르다.

19세기 중엽 천주학이 금지된 조선에 죽을 각오로 몰래 들어온 프랑스 선교사들이 남긴 기록에서 우리는 자신과 다른 문화권에 비교적 오랫동안 머물면서 그 사회의 속살을 만난 이방인이 가질 수 있는 다층적인 시각을 엿볼 수 있다. 유럽 중심적인 시각에서 조선의 정치제도와 문화는 비판의 대상이었지만, 따뜻한 가족 사랑과 이웃의 정을 보여주는 이교도의 생활 풍습은 기독교도인 유럽인으로서 당혹스러운 자기 성찰의 계기였다.

1884년 조선이 세계 각국에 문호를 개방해 서양인의 입국과 거주가 허가된 뒤로는 다양한 직업을 가진 이방인들이 조선을 방문했다. 외교관은 물론이고 성직자, 기자, 기업인, 의사, 군인, 학자, 여행가, 사진가, 상인들이 저마다의 이유를 품고 서로 다른 깊이로 조선 사람과 문화를 만났다. 더욱이 일본에 강제병합된 후에는 조선으로 이주한 일본인은 물론이고 학생이나 문인, 지식인들이 앞다투어 조선을 다녀갔고, 식민 통치를 위한 각종 조사와 연구를 수행하고자 방문하기도 했다. 이렇듯 개항 이후부터 식민지 시기까지 조선을 다녀간 외국인은 상당수였고, 이들이 남긴 기록물 또한 방대하다. 백과사전류, 동양학서지, 여행안내서, 지도첩, 한국 방문자들의 전기, 선교활동, 선교문학 등 종류 또한 다양하다.

이 책에서는 개항 이후 조선에 온 이방인 중에서 이사벨라 비숍 여사처럼 일찍이 알려진 인물을 제외하고 다양한 배경과 여행 목적을 지닌 사람들의 이야기와 기록을 선별했다. 조선 정부가 채용한 최초의 서양인이자 거주가 허용된 최초의 서양인인 독일 사람 묄렌도르프의 사례를 통해 19세기 유럽을 강타한 동양학 열풍의 배경을 알게 된다. 동양 식민지와 주변부 국가는 중심부 엘리트들에게 새로운 일자리를 제공하는, 부와 명예와 출세를 보장하는 기회의 땅이었던 것이다.

1880년대부터 약 30년간 조선에 들어온 외국인들이 남긴 100권이 넘는 박물지적 저서 중 대표격은 카를로 로제티의 저서 『꼬레아 꼬레아니』이다. 그는 1902년 불과 8개월간 주한 이탈리아 총영사로 근무했을 뿐인데 수백 쪽에 달하는 한국 종합안내서를 발간했다. 이 『꼬레아 꼬레아니』를 통해 구본신참舊本新參의 근대화를 시도하려 했던 대한제국 정부가 남긴 여러 면모를, 그러나 오늘날 없어져 볼 수 없고 다른 건물에 묻혀버려 그 의미를 간파하기 힘든 대한제국 수도 서울의 풍경을 읽어볼 수 있다.

우리 땅에서 멸종하고 탈취된 식물과 동물의 종류와 모양 그리고 그들과 얽혀 산 조선의 풍습을 새롭게 발견하게 되는 것은 스웨덴 동물학자 스텐 베리만의 『한국의 야생동물지』에서다. 식민지와 미개발된 지역의 자연을 자신들이 기록하고 남겨야 한다는 사명감으로 조선총독부의 협조를 받아 관찰활동과 조사 연구를 수행하고, 수백 가지의 동식물 표본과 박제를 가지고 간 베리만의 활동은 제국주의적 박물학 연구의 생생한 사례다. 문화유산도 마찬가지다. 열다섯 권으로 이뤄진 방대한 문화유산 조사보고서인 『조선고적도보』를 남긴 일본의 건축사학자 세키노 다다시의 활동은 더욱 체계적이고 방대하다. 이 보고서는 1902년부터 1934년까지 30여 년에 걸쳐 조선 여행과 답사를 기록하는 성실한 조사의 결과이며 6300여 장의 사진을 실은 귀중한 자료의 보고寶庫이지만, "이 문화를 일구고 가꾼 사람에 대한 애정이 담겨 있지 않은 사진 (…) 다만 다스리게 된 땅의 '물건'을 재고 기록한 엄정한, 그렇지만 차가운 눈이 있을 따름"이라는 탄식이 절로 나올 만하다.

19세기 말 조선에 들어온 모든 서양인이 공유하던, 나아가 조선을 비롯한 중국, 일본의 개화지식인들까지 적극 동참한 시대정신은 다름 아닌 사회진화론이다. 잭 런던처럼 당대 체제에 가장 비판적인 지식인의 여행기에서 약소민족에 대한 연민은커녕 강자의 경멸어린 시선을 목격하게 되면, 보편적이고 과학적인 법칙의 차원으로 끌어올려진 뿌리 깊은 유럽 중심주의의 영향력을 새삼 확인하게 된다. 사회진화론은 나라를 잃어버린 한국의 '전통문화'에 주목하거나 그것을 근대화와 대조시키는 인식 틀에서도 작용한다. 강제병합 직후에 조선을 방문한 독일인 노르베르트 베버 신부는 일제의 동화 정책으로 말살되어가는 한국의 전통문화를 보존할 의도에서 글을 쓰고 다시 방문하여 무성영화까지 촬영했다. 베버 신부의 이러한 선의와 열정은 사라지는 것들에 대한 애도이긴 하지만, 식민지란 우승열패의 귀결일 뿐이라고 설파하는 제국주의적 논리에 대한 근본적인 비판은 아니었다.

이방인의 눈으로 조선을 관찰하는 행위는 글뿐만 아니라 그림과 지도, 사진 같은 시각 자료에 잘 구현되기 마련이다. 이 책에서는 그 사례로 일본과 중국에서 그린 조선 지도와 구한말부터 식민지 시기까지 발행된 여행 기념 사진엽서를 다뤘다. 줄기에 매달린 오이 형상에서 근대의 정교한 지도에 이르기까지 중국과 일본이 그린 조선 모습의 변천을 좇아가다보면 조선이 동아시아와 세계 전체라는 상상적 공간 속에서 부여받은 위치와 의미를 드러내는 심상지리의 역사를 알게 된다. 또한 19세기 말부터 20세기 초까지 조선의 풍속과 산하, 도시의 모습을 담은 사진엽서는 기록과 시선이 교차하는 이미지를 보여줄 뿐 아니라 그것이 대중적으로 향유·소유되며 영향력을 발휘하게 되는 메커니즘을 알려준다. 사진엽서는 그 탄생과 활용부터 조선을 미개한 사회로 보거나 호기심의 대상으로 보는 이방인의 시선 아니면 지배와 통치의 성과를 선전하는 의도를 담고 있었다. 역사적 맥락과 무관한 방식으로 피사체가 선택되거나 배제되고 때로는 연출이 작용하기도 하는 사진엽서 속의 사진은 그야말로 근대 초 조선이라는 이미지를 만들어내는 공장 같은 매체였다.

규장각 교양총서 여섯 번째 권으로 발간되는『세상 사람의 조선 여행』은 조선과 세계의 교류를 다룬 여행 시리즈의 두 번째 책이다. 여행에 관련된 연구가 전근대와 근대를 막론하고 적지 않게 이뤄졌지만, 조선시대부터 20세기 초까지 하나의 시야 속에서, 조선 사람과 세상 사람, 그리고 조선과 세계의 측면에서 시리즈로 나눈 이러한 접근법은 새로운 시도일 것이라 생각한다.

여행이라는 아이디어를 다듬기까지는 관련자 모두 머리를 맞대었다. 흔쾌히 참여하고 든든한 지원을 아끼지 않은 인문한국사업단의 전임연구진과 운영진께 감사드린다. 마지막으로 우리 인문학계의 연구 성과를 참신하고도 깊이 있는 교양의 언어로 갈무리해 주신 필자들의 노고에 마음 깊이 감사드리며 이 작은 결실의 기쁨을 함께 나누고 싶다.

2012년 1월
규장각의 추억을 모아
김수진 쓰다

차례

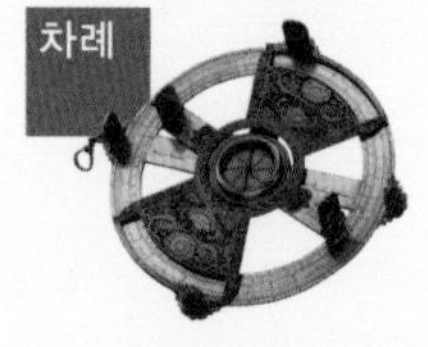

1장

권력과 자존심과 탐학의 여행길

⊙

중국 칙사들의 조선 사행

한명기

세종의 칙사 대접

1425년(세종 7) 2월 11일 세종 임금은 하루 종일 분주했다. 서울에 들어온 명나라 칙사들을 접대하는 일 때문이었다. 이날의 상황을 『세종실록』에서는 다음과 같이 기록하고 있다.

명나라 사신 윤봉尹鳳과 박실朴實이 서울에 들어오니 임금이 왕세자와 신하들을 거느리고 모화루慕華樓로 거둥하여 칙사勅使를 맞이했다. 창덕궁에 이르러 예를 행하기를 의식과 같이 하였다. 임금과 사신들이 두 번 절하고 다례茶禮를 거행했다. 채붕彩棚을 맺고 잡희雜戲를 행했는데, 궁궐의 문과 다리의 결채結彩는 전에 비해 더욱 성대하게 했다. 칙서에 "황제는 조선 국왕 모에게 칙서로 유시하노라. (…) 조선 국왕의 충성을 아름답게 여겨 (…) 내관 윤봉과 박실을 보내어 왕과 왕비에게 채폐彩幣를 하사하여, 그 가상함을 포장한다……"고 했다. 임금이 병시에 태평관太平館에 거둥하여 하마연下馬宴을 베풀고 신시에 궁으로 돌아왔다. 지신사 곽존중郭存中을 보내 두 사신에게 각각 옷 한

벌과 갓, 신발, 안장을 갖춘 말 등을 선사하고, 두목頭目, 지휘指揮, 천호千戶 이하에게 또한 각기 갓과 신발, 안장과 말을 선사했다.

『세종실록』에 따르면 세종은 모화관으로 직접 나아가 칙사를 맞이하여 창덕궁으로 인도했다. 모화관에서 창덕궁에 이르는 길에는 비단이나 색종이 등으로 화려하게 장식한 채붕綵棚(단을 만들고 오색 비단 장막을 늘어뜨린 나무 장식 무대)을 만들어 설치하고 광대들에게 잡희라는 공연을 벌이도록 하여 칙사들을 환영했다. 창덕궁에서 세종은 사신들과 두 번 맞절을 하고 차를 마신 뒤 황제의 칙서를 받았다. 그것으로 끝난 것이 아니었다. 세종은 얼마 있다

「경기감영도」, 조선시대, 호암미술관. 표시된 곳이 사신들을 맞았던 모화관이다.

가 사신들의 숙소인 태평관을 직접 다시 방문하여 그들에게 하마연이라는 연회를 베풀고 환궁했다. 그러고는 신하 곽존중을 태평관으로 다시 보내 칙사와 그 수행원들에게 선물을 준다.

위에서 묘사된 내용은 그야말로 칙사 대접의 실상을 잘 보여준다. 요즘도 사용되는 '칙사 대접'을 국어사전에서는 '칙사에게 베푸는 것처럼 극진하고 융숭한 대접'이라고 정의하고 있다. 조선의 지존인 세종이 중국 사신들과 두 번이나 맞절을 하고, 모화관과 태평관을 직접 방문하여 영접과 연회를 베풀고 다시 신하를 보내 문안하고 선물까지 주는 장면은, 오늘날의 상식과 감각으로는 이해하기 쉽지 않다. 세종은 왜 중국 사신들에게 칙사 대접을 했을까? 그 까닭을 이해하려면 조선시대의 한중 관계를 되돌아봐야만 한다.

중화인이 되려는 바람과 오랑캐에 대한 멸시

칙사 대접은 불평등한 조명朝明 관계에서 비롯되었다. 알다시피 조선은 1392년 건국 이후 중원의 대국인 명明을 '상국'이자 '천자국'으로 섬기며 정기적으로 조공하고 제후국으로서 자임했다. 나아가 명 황제의 책봉을 받고 그들의 역曆과 연호를 사용했다. 조선이 이렇게 사대事大의 자세를 취한 것은 강대국 명의 군사적, 정치적 위협에서 벗어나 국가의 생존을 도모하려는 현실적 판단에서 비롯한 것이었다. 명에 대한 사대의 바탕에는 또한 "오랑캐 원元의 중원 지배는 우주의 변괴이며, 그것을 종식시킨 명이야말로 진정한 천자국"이라는 명에 대한 긍정적인 인식이 자리 잡고 있었다.

하지만 14세기 말에서 15세기 초 조명 관계는 순탄하지 않았다. 그것은 조선에 대한 명의 이중적인 태도에서 비롯되었다. 명은 조선의 공순함을 인정하면서도 다른 한편 의구심을 품고 있었다. 특히 명 태조 주원장朱元璋은 조선이 요동遼東에 야심을 갖고 있는 것을 경계했고, 조선이 그곳의 여진족을 초무招撫하는 것에 신경질적인 반응을 보였다. 조선이 세워진 직후 '생흔 모만生釁侮慢'* '표전表箋 문제'* 등을 둘러싼 양국의 갈등은 그러한 배경에서 빚어졌다. 명은 요동에 대해 영토적 야심을 품고 있던 정도전을 묶어 보내라고 요구했으며, 심지어 조선을 정벌하겠다고 협박하기도 했다. 이성계와 정도전 등이 이에 반발해 요동 정벌을 시도하면서 양국 관계의 긴장은 최고조에 이르렀다.

1398년 '왕자의 난'이 일어나 정도전이 죽고 태종이 왕위에 오르고, 명에서도 '정난靖難의 역役'을 계기로 영락제永樂帝가 즉위하면서

* '생흔모만'이란 문자 그대로 '틈을 만들고 모멸감을 주었다'는 뜻이다. 1394년(태조 2) 명 태조 주원장은 사신을 조선에 보내 "조선이 명에 대해 세 가지 생흔生釁을 야기하고 두 가지 모만侮慢을 자행했다"며 격렬히 비난한 바 있다. '생흔'의 내용은 '조선이 요동에 대해 영토적 야심을 품고 요동의 지방관들을 포섭하거나 여진인들을 회유하고 있다'는 것을 지칭한 것이고, '모만'은 '조선이 명에 보낸 말 가운데 불량마不良馬가 많았던 것' '조선에 국호를 정해 주었음에도 사은謝恩하지 않은 것' 등을 들어 조선의 무성의하고 무례함을 책망한 것이다. 요컨대 '생흔모만'은 당시 조선이 요동에 대해 영토적 야심을 품고 명에 도전할 것을 우려했던 주원장의 의구심과 경계심이 표출된 사건이었다.

* '표전 문제는 '조선이 명에 보낸 국서 속에 명에 모멸감을 주거나 희롱하는 내용이 있다'고 하여 명이 조선을 비난하고 위협하면서 불거진 사태를 가리킨다. 명은 1395년 4월 조선의 하정사賀正使가 가져갔던 표문, 같은 해 11월 조선의 주청사奏請使가 가져갔던 표문, 1397년 조선의 천추사千秋使가 가져갔던 표문 등의 내용을 문제삼았다. 명은 표전을 작성한 정도전 등을 압송하라고 강요했는가 하면, 전말을 해명하기 위해 보낸 조선 사신을 억류했고, 심지어는 사신 정총을 처형하는 만행을 저지르기도 했다. 표전 문제 또한 생흔모만과 마찬가지로, 조선이 요동에 대한 영토적 야심을 품고 명에 도전하지나 않을까 우려했던 주원장의 의구심에서 비롯된 사건이었다.

양국 관계는 냉정을 되찾았다. 영락제는 팽창주의자였다. 그는 몽골에 대한 원정을 여러 차례 단행했고, 베트남을 공격하여 직할령으로 삼는 한편 요동의 여진족에 대해서도 적극적으로 초무에 나섰다. 그의 공세적인 요동 경략은 조선에 커다란 위협이었다. 이에 태종과 세종은 영락제와의 대결을 피하고 사안에 따라 실리를 도모하면서 명과의 관계를 안정시키려 노력했다. 세종은 특히 명에 대해 지성至誠으로 사대했다. 즉 지극한 사대로써 명의 의심과 위협을 누그러뜨리는 한편, 안으로는 자신에 대한 신료들의 충성을 이끌어내고 궁극적으로는 이상적인 유교국가 체제를 완성하고자 했다. 세종은 명에 대해 '저자세'를 취하면서도 서북의 여진족들을 초무하여 사군과 육진을 개척하는 수완을 발휘하기도 했다.

세종이 '지성사대'를 표방한 이후 명 또한 조선의 '충순함'을 인정하면서 조명 관계는 16세기 후반에 이르기까지 큰 난관 없이 순항했다. 양국 사이에는 종계변무宗系辨誣 문제 외에 별다른 현안이 없었다. 더욱이 16세기 들어 성리학의 화이론華夷論이 확산되면서 조선 지식인들의 존명의식 또한 극대화되었다. 16세기 중반 이래 초학자들의 필독서로 자리잡은 『동몽선습』에서 "위대하신 명나라가 하늘 가운데 솟아오르니 성스럽고 신령한 자손들이 계승하여 영원할 것大明中天 聖繼神承 於千萬年"이라고 축원했던 것은 그러한 인식을 웅변하는 대목이다. 또 지식인들 가운데는 명을 상국이자 천자국 차원을 넘어 '부모국'이자 '일가一家'로 인식하는 이도 있었다. 그들은 조선을 명과 동일시하면서 중국인보다 더 철저한 중화인中華人이 되기를 희구했고, 그 같은 지향을 바탕으로 일본이나 여진 등을 오랑캐로 비하하는 태도를 더 강하게 드러냈다.

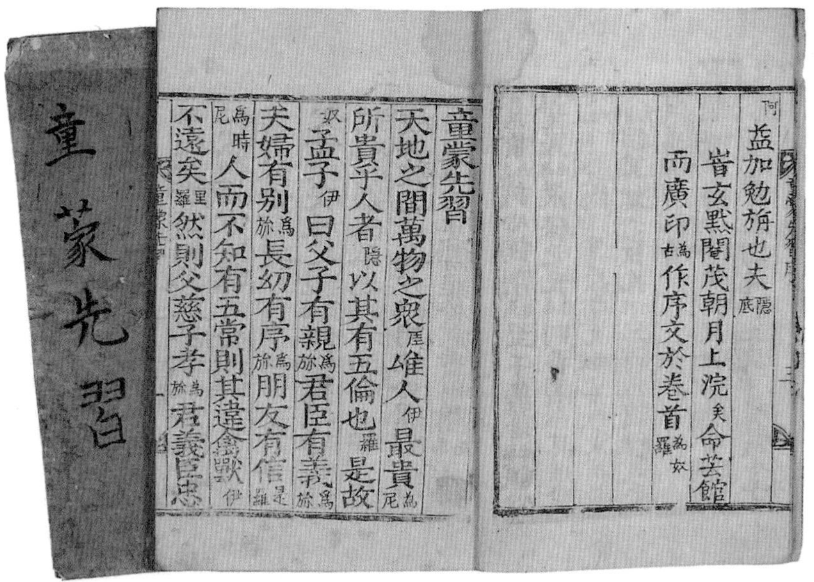

『동몽선습』, 29.2×18.9cm, 1891, 서울역사박물관. 조선시대 『천자문』을 익히고 난 후 초급 학습 교재로 쓰였던 이 책에도 명나라를 찬양하는 대목이 나온다.

외교 업무에서 탐학과 회유까지

세종대 이후 조명 관계가 안정 궤도에 오르자 두 나라 사이에는 사신이 자주 오갔다. 조선은 하정사賀正使, 성절사聖節使, 천추사千秋使 등 1년에 세 차례 보내는 정기적인 사신 이외에도 다양한 명목의 비정기 사절을 명에 파견했다. 특히 세종대에는 명에 사절을 파견한 것이 모두 131차례나 되었으니, 1년에 네 차례인 셈이다.

명 또한 조선에 여러 명목으로 사신을 파견했다. 황제나 황태자의 즉위와 책봉 사실을 알리고 부고를 전하기 위해, 조선 국왕이나 왕세자에 대한 책봉의식을 주관하기 위해, 인물이나 물품의 진

「의순관영조도義順館迎詔圖」, 46.5×38.5cm, 1572, 규장각한국학연구원. 선조 5년 명나라 신종황제의 등극을 알리는 중국 사신이 평안도 의주 압록강가에 있는 의순관에 도착하는 모습을 그린 것이다.

「항해조천도」, 40.8×68cm, 18세기 후반, 국립중앙박물관. 인조 2년 인조의 즉위를 알리기 위해 파견된 이덕형李德泂 일행이 바닷길을 통해 명에 다녀온 사행길을 기록한 것이다. 그림은 해로가 시작되는 곽산의 선사포 출항 장면.

自本浦
距椵島
八十里
郭山
旋槎浦
舊名宣沙
改以今名

헌을 요구하기 위해 이른바 칙서勅書를 소지한 사신들을 파견했다. 명에서 조선으로 사신을 파견했던 횟수가 얼마나 되는지는 아직 정확히 밝혀지지 않았다. 이현종 교수는 1392년부터 1634년까지 명이 사신을 파견했던 횟수를 188회라고 추정한다. 하지만 명이 1644년에 망했던 사실, 병자호란 직전인 1636년에도 감군監軍 황손무黃孫茂란 인물이 조선에 왔던 사실 등을 고려하면 정확한 통계라고 하기는 어렵다. 다만 세종대의 경우, 명은 모두 36차례 사신을 파견했으니 1년에 1.1번은 보낸 것이다.

조선은 황제의 명을 받아 조선에 왔던 명사들을 칙사, 조사詔使, 혹은 천사天使라고 불렀다. 명을 상국으로 받들던 처지에서 칙사들에 대한 영접이 융숭하고 극진한 것은 어쩌면 당연했다. 조선은 칙사가 압록강을 건너 의주에 도착하면 정승급 인물을 접반사接伴使로 임명하여 영접했다. 이어 칙사가 상경하는 도중 지나는 안주, 평양, 개성 등 주요 도시에도 고위급 신료들을 보내 문안했다. 칙사는 평양에 이르러 단군묘, 기자묘, 동명왕묘에 참배하기도 했다.

칙사가 입경하면 국왕은 모화관에 거둥하여 영접하고 궁궐로 인도하는 동안 채붕을 설치하고 잡희 등을 공연하여 환영했다. 경복궁이나 창덕궁에서 황제의 칙서를 맞이하고 저녁에는 칙사의 숙소인 태평관에서 하마연을 베풀어 입국과 상경까지의 노고를 위로했다. 이어 서울 체재 이튿날에는 익일연翌日宴이라는 연회를 베풀었다. 또한 공식 일정이 끝난 뒤에는 한강에 유람선을 띄워 접대하거나 그 과정에서 조선 문신들과 시문詩文을 수창酬唱하는 행사를 벌이기도 했다. 또 조선은 칙사들에게 수시로 예물과 예단을 증정하여 환심을 사려 했고, 칙사가 귀국할 때는 환송의 의미에서

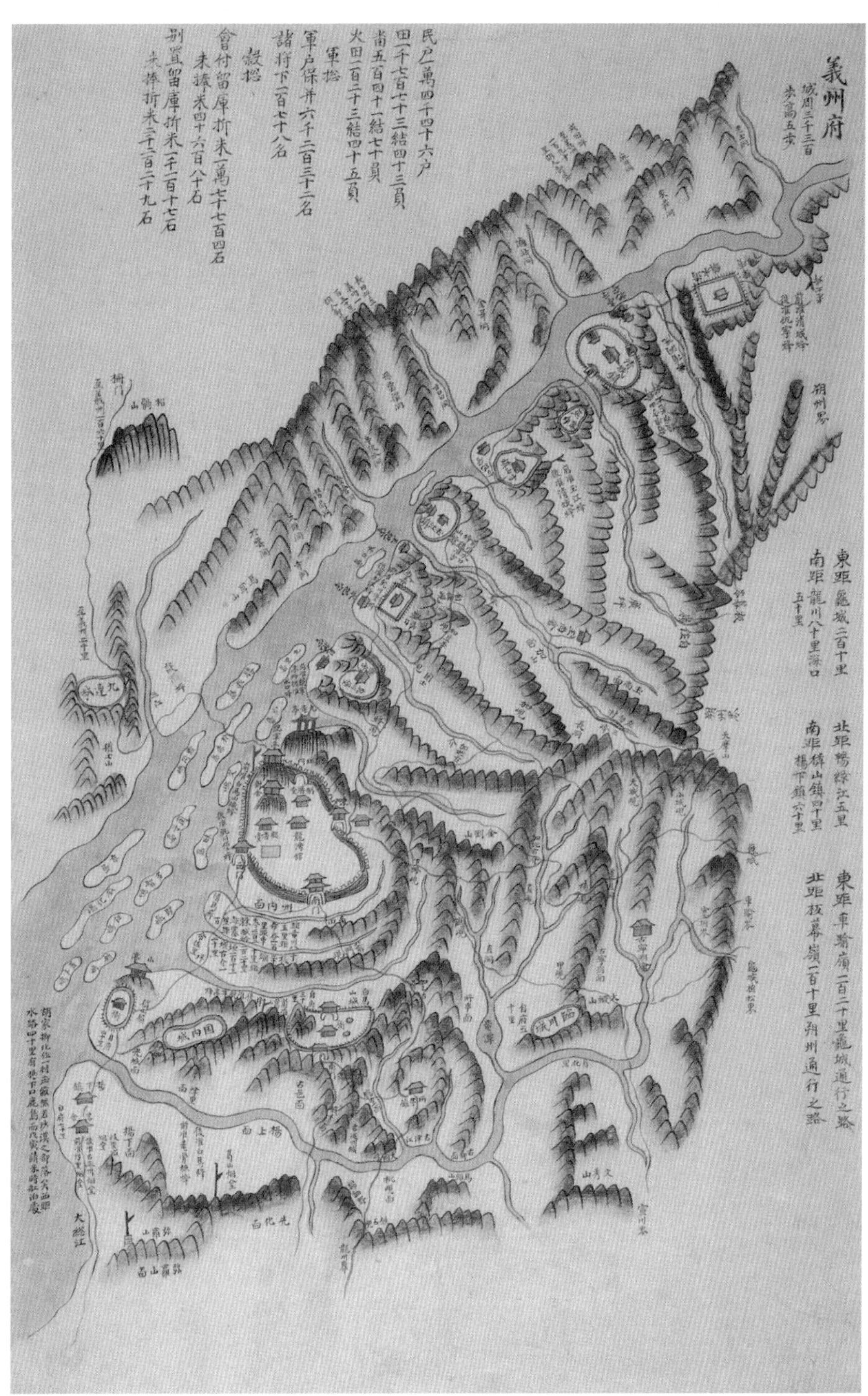

『해동지도』 중 '의주부', 조선시대, 규장각한국학연구원. 중국 황제의 명을 받은 칙사들은 압록강을 건너 의주에 당도하면 접반사로 부터 영접을 받았다.

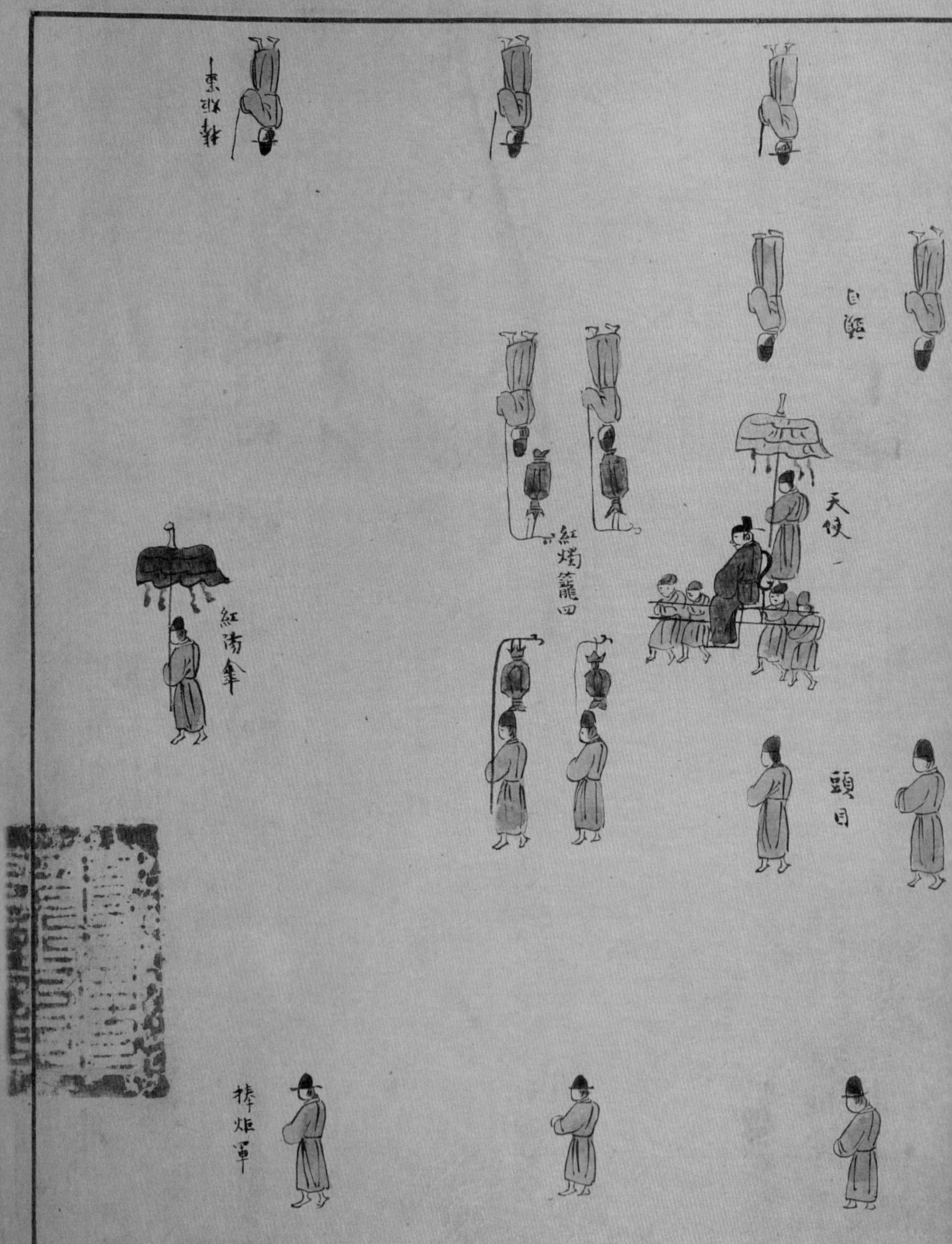

『영접도감사제청의궤』, 46×36.44cm, 1610, 규장각한국학연구원. 가운데에 천사天使의 모습이 그려져 있다.

상마연上馬宴이라는 고별잔치를 베풀었다. 나아가 칙사가 압록강을 건널 때까지 주요 거점에서 문안하는 것도 입경 시와 별반 다르지 않았다.

실제 칙사 영접은 국가의 대사였다. 칙사의 원활한 통행을 위해 임시로 길을 정비하려다가 백성들의 경작지를 손상했다는 지적이 나오기도 했다. 조선은 또한 칙사가 온다는 기별을 들으면 영접을 총괄하기 위한 임시 기구로 영접도감迎接都監을 설치했다. 영접도감은 칙사가 떠난 뒤, 영접 전 과정의 전말을 기록하여 『영접도감의궤迎接都監儀軌』라는 일종의 백서를 제작하기도 했다.

주목할 만한 것은 16세기까지 조선에 왔던 칙사들 중에는 환관이 많았다는 사실이다. 그 가운데 조선 출신의 화자火者(鼓子)들도 적지 않았다. 앞의 인용문에 나왔던 세종대의 윤봉이나 성종대의 정동鄭同 등이 대표적인 예이다. 이들 칙사는 탐학을 자행하고 갖가지 무리한 요구로 조선 조정을 괴롭혔다. 그들의 탐욕은 엄청난 것이어서 조선 조정은 골머리를 앓을 수밖에 없었다. 환관 출신 칙사들이 끼친 폐해의 심각성은 중국인들 자신도 인정하는 것이었다.

조선은 청淸의 전성기를 맞아서도 하루라도 청이 빨리 망하기를 바라지 않았던 날이 없었다. 더욱 기이한 것은 명이 조선에 보낸 사신들이 대부분 환관들—더욱이 다수가 조선 출신의 내시들—로서 (그들의) 주구誅求와 횡포가 너무 심하여 조선은 명나라 사신이 올 때 고개를 절레절레 흔들 만큼 근심했음에도 (명을) 조정으로 받들어 황제나 하늘처럼 섬겼다는 사실이다.

청말의 사학자 멍썬孟森(1869~1937)의 언급이다. 환관 출신 칙사들이 조선에서 일으킨 폐단은 뒷 시기까지도 상당한 파장을 남길 만큼 큰 것이었다.

15세기 명은 칙사들을 조선에 보내 처녀나 화자, 말, 해동청海東青(매) 등을 진헌하라는 요구를 하곤 했다. 조선은 명의 요구를 누그러뜨리기 위해서라도 칙사들을 회유해야 했다. 자연히 칙사들은 뇌물 등을 요구했다. 실제로 1429년(세종 11), 윤봉이 명으로 귀환할 때 챙겨갔던 물화는 200궤짝이나 되는 어마어마한 분량이었다. 궤짝 1개를 나르는 데 여덟 명의 인부가 필요했는데, 그가

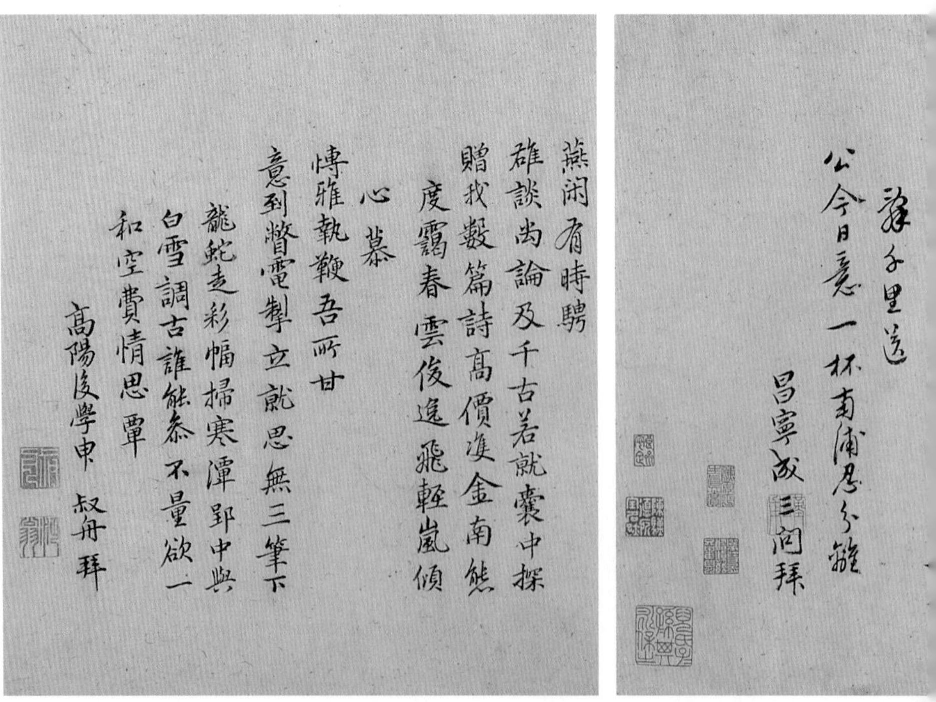

『봉사조선창화시권奉使朝鮮倡和詩卷』, 33×1600cm, 보물 제1404호, 1450, 국립중앙박물관. 세종 32년 조선에 온 한림학사 출신의 명나라 사신 예겸이 집현전 학자 정인지, 신숙주, 성삼문과 서로 시문을 주고받았던 것을 엮었다.

조선에서 챙긴 물자를 운반하는 행렬이 태평관부터 사현沙峴까지 이어질 정도였다고 한다.

서반序班, 두목頭目, 군관軍官 등 칙사의 수행원들이 자행하는 폐단 또한 만만치 않았다. 그들은 칙사의 위광을 등에 업고 갖가지 중국산 잡물을 강제로 매매했고 조선 상인들이나 민간인들로부터 물자를 약탈해 문젯거리가 되었다. 1431년 윤봉 휘하의 두목 심귀라는 자는 노상에서 견마꾼 차득생을 구타해 살해하기도 했다. 칙사들을 회유하여 명과 원만한 관계를 이어나가려던 조선 조정은 이들의 작폐를 제어하기 어려웠다.

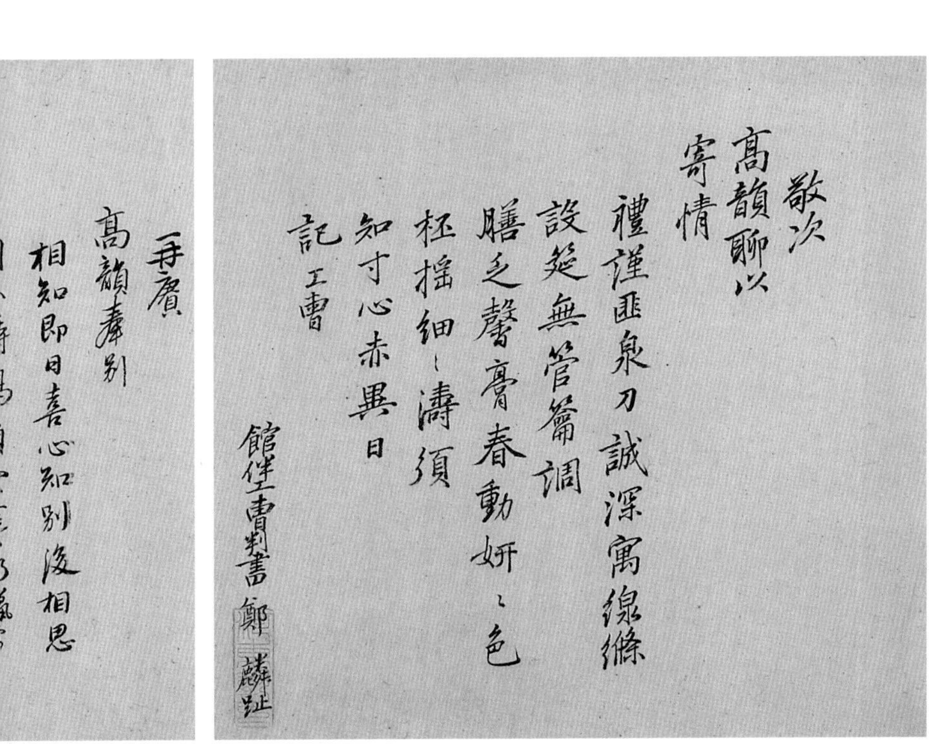
敬次
高韻聊以
寄情
禮謹匪泉刀誠深寓線絲
設筵無管籥調
膳之馨膏春動妍妍色
杯搖細細濤須
知寸心赤異日
記 工曹
館伴書判書 鄭麟趾

再賡
高韻奉別
相知即日喜心知別後相思

물론 모든 칙사가 탐학을 일삼고 작폐를 부린 것은 아니었다. 환관 출신 칙사들이 조선에서 보인 탐욕과 무례, 비리는 명에서도 문제가 되었다. 명 조정 역시 칙사들의 탐학과 비리가 대국의 위신을 실추시킨다고 생각했다. 이런 배경에서 1449년(세종 31) 명 조정이 한림원 시강 예겸倪謙과 형과급사중 사마순司馬恂 등을 칙사로 보냈던 것은 중요한 전기가 되었다. 예겸과 사마순은 환관이 아닌 청요직에 있던 문관들이었다. 이들은 조선에서 별다른 작폐를 벌이지 않았을 뿐 아니라, 오히려 칙사 영접 과정에서 나타난 조선의 문제점을 지적하기도 했다. 즉 조선이 칙사에게 연회를 베풀면서 기생들을 동원하여 이른바 여악女樂을 사용하는 것을 '오랑캐 풍속'이라 비난하여 '대국'의 위신을 세우려 들 정도였다.

또 예겸 등이 다녀간 후 칙사들과 조선의 접대 신료들이 주고받았던 시문을 모아 이른바 『황화집皇華集』이라는 시집詩集을 편찬하는 것이 하나의 관행으로 자리잡기도 했다. 환관 출신 칙사들의 탐학에 시달렸던 조선 조야는 예겸 등이 보여준 '청렴'을 경이로운 눈으로 바라볼 수밖에 없었다.

명 칙사들의 은 사냥

임진왜란이 일어났던 것을 계기로 조명 관계는 다시 요동쳤다. 도요토미 히데요시는 조선을 침략하면서 '조선에서 길을 빌려 명으로 들어간다假道入明'고 표방했다. 조선이 위기에 처하자 명은 요동을 보호하기 위한 자위 차원에서 조선에 군대를 보내 참전했다.

1593년 1월, 이여송이 거느리는 명군은 평양전투에서 일본군을 격퇴했다. 전쟁이 시작된 이래 일본군에게 일방적으로 몰리던 전세가 역전되고 복국復國의 전망이 보이자 조선 조야는 감격했다. 명군의 참전과 원조를 '나라를 다시 세워준 은혜再造之恩'로 여겨 숭앙하고 명의 '은혜'에 보답해야 한다는 분위기가 흘러넘쳤다. 명은 이제 '상국' '일가'를 넘어 '은인'이자 '구세주'로까지 칭양되었다.

왜란 시기 조선에는 수많은 명의 문무 신료가 들어왔다. 황제의 조칙을 받고 들어온 공식 칙사도 있었지만 경략經略, 제독提督, 찬획贊劃 등 명군을 지휘하러 온 대소 지휘관들도 적지 않았다. 일본군에 의해 수세에 몰리고, 명군의 원조에 의지해 전쟁을 치러야 했던 조선의 입장에서는 이들 모두가 명의 칙사나 마찬가지였다. 선조는 제독 등 명의 지휘관들에게 먼저 절을 올리는 경우도 있었고, 정승 급의 조선 신료들은 명군 지휘관들의 접반사가 되어 수행하면서 그들을 접대해야 했다. 자연히 국왕의 위신이 떨어지고 조선의 자주권은 침해당할 수밖에 없었다.

7년에 걸친 전쟁이 끝난 뒤 명은 조선에 과거보다 훨씬 '버거운 존재'가 되었다. 특히 1602년(선조 35) 명의 황태자 책봉 사실을 알려왔던 고천준顧天埈의 횡포는 엄청났다. 그는 압록강을 건넌 후 입경할 때까지 들르는 곳마다 은과 인삼을 내놓으라고 떼를 썼다. 조선 조정은 그의 강짜를 이기지 못하고 은을 주었다. 『선조실록』의 사신史臣은 "의주에서 서울에 이르는 수천 리에 은과 인삼이 한 줌도 남지 않았고 온 나라가 전쟁을 치른 것 같았다"고 통탄했다.

고천준 이후 조선에 왔던 칙사들은 거개가 환관 출신이었다. 당시 명의 내정이 부패하고 환관들이 발호하던 상황과 맞물린 현상

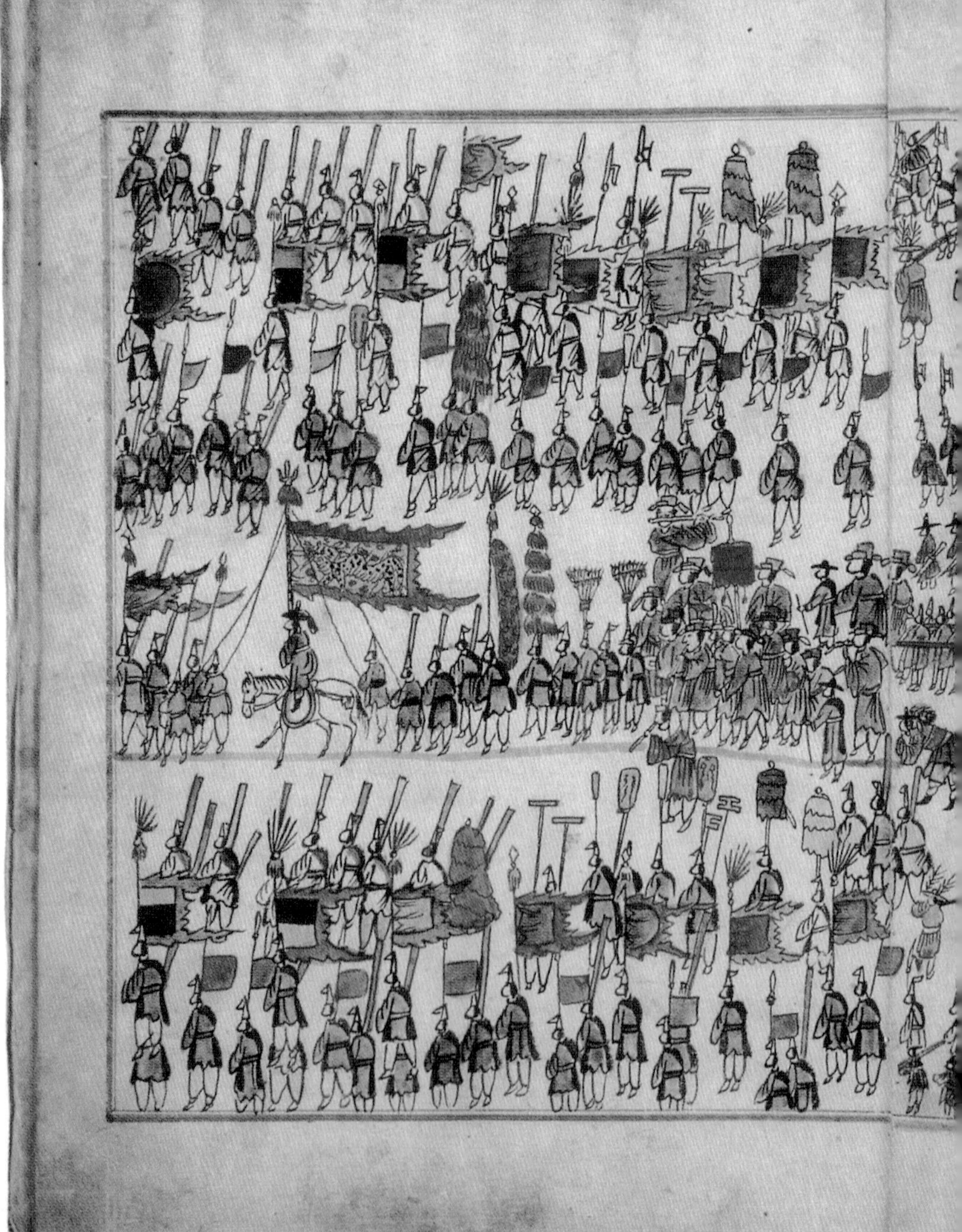

「천조장사전별도天朝將士餞別圖」, 종이에 담채, 39×26.5cm, 개인. 1599년 4월 임진왜란 때 원병으로 온 명군을 그린 것이다. 이 장면은 철군하는 명나라 병사들의 모습이다.

이었다. 그들은 조선에 왔을 때 별다른 접대나 의전儀典을 요구하지 않았다. 한강 유람이나 조선 신료들과의 시문 수창에도 관심이 없었다. 오로지 은만 많이 주면 좋다고 했다. 1608년(광해군 즉위년)에 왔던 엄일괴嚴一魁와 만애민萬愛民, 1609년에 왔던 유용劉用, 1610년에 왔던 염등冉登 등은 흡혈귀처럼 은을 빨아들였다. 그것은 수만 냥에 달하는 엄청난 액수였다.

더욱이 조선은 당시 대결 구도를 형성하며 격화되던 명과 만주의 틈바구니에서 신음하고 있었다. 즉 왜란 당시 원조했던 '은혜'를 내세워 조선을 만주와의 싸움으로 끌어들이려 했던 명의 이이제이以夷制夷 시도를 피하는 것이 시급했다. 광해군은, 조선에 군원軍援을 요구하러 왔던 명의 칙사들에게 은을 안겨줌으로써 그들을 '구워삶으려' 했다. 1621년에 왔던 유홍훈劉鴻訓과 양도인楊道寅, 1622년에 왔던 양지원梁之垣 등에게 수만 냥의 은을 풀었다.

인조대에도 마찬가지였다. 1625년(인조 3) 인조 책봉을 위해 왔던 환관 왕민정王敏政은 조선에 오기 위해 명의 실권자 위충현魏忠賢에게 막대한 은화를 뇌물로 바쳤던 자였다. 그는 조선에서 은 13만 냥을 긁어갔다. 1634년 왕세자 책봉을 위해 왔던 노유령盧維寧 또한 수만 냥을 챙겨갔다. 은에 눈이 멀어 조선에 왔던 당시의 칙사들이 변변한 기행문이나 시문집을 남겼을 리 없다. 17세기 초 30여 년 동안 조선에 왔던 명의 사신들은 명목은 칙사였지만 사실상 한 밑천 잡기 위해 조선에 들어온 '강도'나 다름없었다. 그들에게 조선은 은이 넘쳐나는 일종의 '엘도라도'였던 셈이다.

너무 청렴하여 조선을 긴장시킨 강왈광

사실상 '은 강도'나 마찬가지였던 칙사들과는 전혀 다른 예외적인 인물이 한 사람 있었다. 1626년(인조 4) 명의 황태자 탄생 사실을 알리려고 왔던 한림원 편수翰林院 編修 강왈광姜曰廣이 그였다.

강왈광은 조선에 들어온 후 예물을 받으려 하지 않았고, 연회도 거부했다. 마지못해 한강에 나아가 유람을 했을 뿐이었다. 유람 직후 인조가 선물을 건네자 그는 받지 않았다. 머쓱해진 인조가 "끝내 받지 않으면 도승지를 죽이겠다"고 협박하고 신료들이 "살려달라"고 호소하는 사태가 벌어졌을 정도다. 그는 또한 여느 칙사들과는 달리 한 사람의 상인도 대동하지 않았다. 그는 '속국에 가서 민폐를 끼치는 것은 대국의 위신을 어그러뜨리는 것'이라는 신념을 내세웠다.

강왈광의 청렴을 목도한 조선 조야는 긴장하고 감격했다. 그가 더 머물러달라는 인조의 강청을 뿌리치고 귀국길에 오르던 날, 도성 백성 1만5000명이 거리로 쏟아져 나와 그를 막아섰다. 몰려든 백성들 가운데는 100리 밖에서 먹을 것을 싸들고 와서 사흘 동안 기다린 자도 있었다. 조선 조정은 그의 청렴을 기려 송덕비를 세웠다. 그는 귀국길에 그 소식을 듣고 원접사를 통해 서신을 보내 자신의 송덕비를 세우는 것을 중지하라고 종용했다.

조선을 '경악시킨' 강왈광은 『유헌기사輶軒記事』라는 기행문을 남겼다. 기행문에는 그의 청렴을 설명할 수 있는 단서가 보인다. 그는 청요직의 문관 출신으로 환관들과는 기본적으로 구별되는 인물이기도 했지만 그의 방한 목적은 다른 데 있었다. 당시 명은 후금의 공세 앞에서 위기에 처해 있었다. 연전연패하여 요동 전체가 누르하치에게 넘어갔고, 요동의 한인들은 근거지를 잃고 요동반도 연해와 조선으로 흩어져 떠돌고 있었다. 그는 기행문에서 "조선으로 오는 도중 요동 출신 난민들을 보니 눈물이 난다"고 적은 바 있다. 이 같은 배경에서 강왈광은 조선에서 황태자 탄생 사실을 알리는 것 말고도 다른 것들을 얻어내려 했다. 그것은 다름아닌 군사적 원조와 난민들을 포용해달라고 요구하는 것이었다.

강왈광은 실제로 인조를 만났을 때 자국 출신 난민들을 보호해달라고 간청했다. 인조가 "각지에 횡행하는 요동 난민들 때문에 조선까지 곤궁해졌다"고 난색을 표하자 강왈광은 발끈했다. 그는 인조에게 왜란 당시 명이 조선에 베풀었다는 '재조지은再造之恩'과 명 조정이 인조를 책봉해준 '은혜'를 들이밀며 반박했다. 임진왜란 당시 조선이 망국의 위기에 몰렸을 때 명이 구원하여 '조선의 오늘'이 있게 되었고, 인조반정 직후 명이 '자격 논란에 휘말린 인조를 승인해줌으로써 인조가 왕 노릇을 할 수 있게 되었다'며 채근했다. 그가 예물까지 거부하고 '청렴'했던 데에는 조선에 아쉬운 소리를 해야만 했던 명의 곤궁한 처지가 반영된 것이었다. 청렴을 통해 상국이자 '은혜국'으로서 명의 위엄을 드러내고 이를 바탕으로 조선을 승복시키려 했던 것이다. 인조는 결국 강왈광에게 설복되어 황해도와 충청도의 쌀을 운반하여 요동 난민들을 구휼하라는 지시를 내렸다. 요컨대 강왈광은 여느 칙사들과는 달리 명의 입장에서 보면 대단한 '애국자'였던 셈이다.

"신속臣屬하지만 심복心服한 것은 아니다"

조선의 지식인들은 애초부터 만주족과 청을 오랑캐로 멸시했고 그들을 상국이자 황제국으로 인정하려는 마음이 없었다. 하지만 1636년(인조 14) 12월 청군의 침략(병자호란)을 당해 조선 조정이 남한산성으로 내몰리고 1637년 1월 인조가 출성하여 삼전도에서 청 태종에게 항복한 이후, 상황은 완전히 달라졌다. 조선은 청의 강요로 명과의 관계를 단절했고 청이 명을 대신해 조선의 상국이자 천자국으로 군림했다. 인조를 비롯한 이후 조선의 왕들은 청에 조공하고 청 황제로부터 책봉을 받아야 하는 처지에 놓였다.

특히 인조대의 상황 변화는 극적이었다. 1627년 정묘호란이 일어날 무렵부터 후금後金(청의 전신)의 사신으로서 조선을 자주 왕래한 인물은 만주인 영아이대英俄爾岱(용골대)와 마복탑馬福塔(마부대)이었다. 이들은 과거 후금의 사신으로서 조선에 왔을 때 인조에게 깍듯하게 절을 올리곤 했다. 하지만 인조가 청 태종에게 항복하면서부터, 나아가 청이 조선의 천자국이 되면서부터 이 두 사람 또한 칙사가 되었다. 실제 이들은 1637년 10월, 인조를 책봉하기 위한 책봉칙사로서 서울에 왔다. 인조는 청 황제의 칙서를 가져온 이들에게 제후국의 군주로서 예를 행하지 않을 수 없었다. 불과 몇 개월 만에 상황이 완전히 달라진 것이다.

조선을 굴복시킨 직후부터 청 또한 빈번하게 조선에 칙사를 파견했다. 1636년부터 1880년대까지 청은 적게 잡아 160여 회, 많이 잡으면 245회 칙사를 파견했다. 청 칙사들이 조선에 왔던 까닭은 여러 가지였다. 우선 예의 조선 국왕에 대한 책봉, 승하한 왕에

詔勅謄錄
大清國寬溫仁聖皇帝詔諭朝鮮官民人等知道朕此番
來征原不為嗜殺貪得本欲常相和好柰爾國君臣不
顧太平而先啓釁端故耳朕與爾國從來邊境接壤毫
無仇隙爾國於已未年協助明朝起兵害我爾國兵將
被我國殺者殺擒者擒釋者釋雖然朕尚欲全隣國之
道不肯輕動干戈及得遼東之後爾國復助明朝招納
我叛亡而獻之復容彼人於爾地給以糧餉協謀圖我
朕赤斯怒丁卯年義師之舉職此故也然朕猶念隣國
兵不深入竟從盟好而歸此特非爾國兵強將勇能

給賜 銀一百兩 馬一匹 玲瓏鍍金鞍轡一副
貂皮一百二十張 玄貂二十張 紫貂一百張
崇德二年六月初四日
皇帝勅諭朝鮮國王姓諱尓在南漢時因部臣英俄兒代
馬付達往來道達今各遣以白金二千兩通事三人各
五百兩以酬之二臣來奏方知朕恩彼之前後道達靡
不盡情者一則竭忠為主二則以素日交往欲保全尓
國故耳豈望報耶王第知之便了何以賄為朕國從來
原不樂取無罪有罪之國則興師往征惟蒙 天祐攻
屠掠取耳似此御命往來豈有藉以納賄者乎然或間
有一二踰閑貪得者朕亦不能保其必無但賂及之而
徇私循報賂不及之而輒圖傾陷者實未之有也欲著
忠誠在乎乃心敬謹恪守故常而已安用賂遺哉今朕
之於王旣已兩國一家疑城盡釋自玆以後凡有貪婪
之輩越理私索者不惟不可與王即奏聞方是若知而
不舉更非朕之所望于王也特諭 崇德二年六月初
四日
皇帝勅諭朝鮮國王姓諱朕惟禮不廢玉帛賞以勸忠誠
所差來矣今尓歸命宜有封賜今特遣英俄兒代馬付
達戴雲封尓為國王齎印誥并貂狐鞍馬王其祗受以

「조칙등록詔勅謄錄」, 42.2×30cm, 19세기 초반, 규장각한국학연구원. 1637년(인조 15)부터 1800년(정조 24)까지 청나라에서 온 조칙을 예조에서 모아둔 기록이다. 청나라 칙사의 접반 및 사신 파견에 관한 제반 절차도 기록되어 있다.

대한 조제弔祭 등과 청 황제의 사망과 새로운 황제의 즉위를 통보하려는 목적 등은 조선말까지 지속되었다.

청은 또한 병자호란의 항복을 계기로 '새로운 조공국'이 된 조선을 순치시키기 위해 이른바 사문査問을 위한 칙사도 자주 파견했다. 1637년 병자호란 종전 이후부터 청이 산해관을 통과하여 중원을 장악하는 1644년까지는 특히 조선의 '변심'을 방지하고 견제하려는 목적에서 사문사査問使들을 파견하곤 했다. 구체적으로 보면 조선으로부터 병력과 전함을 징발하여 명을 치는 데 동참시키기 위한 것, 조선 내부에서 명과 밀통하거나 반청적인 언동을 했던 인사들을 색출하여 사문하기 위한 것, 자신들이 요구한 공물을 속히 납입하라고 채근하기 위한 것 등을 들 수 있다.

청이 내부의 반청 세력을 대부분 제거하여 중원 통치의 기반을 확립하는 17세기 후반부터는 조선에 칙사를 보내는 목적이 상당히 달라진다. 물론 책봉, 조제, 부고 등과 관련된 '의례적인' 칙사 파견은 여전했지만 사문사를 파견하는 목적에서 달라진 면모를 보인다. 당시는 청이 조선의 '배신'을 우려할 시기가 아니었다. 당시 사문사가 왔던 이유는 변경의 조선인들이 국경을 넘어 청의 영내로 들어온 것(월경 문제)을 조사하기 위한 것, 변계邊界를 확정하기 위한 것 등이 주요한 것이었다.

이렇게 빈번하게 청사들이 조선에 왔지만 조선왕조실록에는—과거 명나라 칙사들이 왔을 때와는 사뭇 다르게—청 칙사들을 어떻게 접대했는지에 대한 상세한 기록이 거의 남아 있지 않다. 그것은 병자호란 이후에도 조선 지식인들의 청을 바라보는 시각이 별반 달라지지 않았던 것과 관련이 있다. 즉 조선은 항복하여 청에

幾番雜戲導前來簫鼓聲中響
似雷忽到馬頭還竪立一人舞
蹈笑顔開
行時衆戲並進一人作
舞蹈狀向人笑語
克敦

「아극돈 봉사도阿克敦奉使圖」, 40×51cm, 1725, 중국민족도서관. 1725년(영조 1) 조선에 온 청나라 사신 아극돈의 사행을 묘사한 것으로, 현재 청나라 사신의 사행기록화로는 유일하게 전하는 것이다.

『심양관 도첩』의 '산해관 외성', 46×54.8cm, 1761, LG연암문고. 중국 하북성에 있는 군사상 요지다. 청나라는 산해관을 통과하여 중원을 장악할 때까지는 조선을 순치시키기 위해 사문사들을 자주 파견했다.

신속臣屬했지만 결코 심복心服한 것은 아니었다. 조선 지식인들은 내심에서는 청을 여전히 오랑캐로 멸시하고, 망해버린 명에 대한 일편단심을 거두지 않은 터였다. 명이 망한 지 1주갑周甲이 되는 1704년 숙종이 창덕궁 후원에 명 황제를 제사하는 대보단大報壇을 건립했던 것, 노론 신료들 또한 송시열의 유지를 받들어 명의 신종 황제를 기리는 만동묘萬東廟를 세운 것 등은 그러한 조선의 속내를 상징하는 사건이었다.

주목할 만한 점은 청이 조선에 보낸 칙사의 정사正使에는 반드시 만주인을 임명했다는 것이다. 청은 또한 내부의 반청 세력을 제압한 뒤에는 조선에 대한 압박을 대폭 낮추었다. 강희제가 훗날 "조선이 명을 끝까지 배반하지 않은 것은 칭찬할 만하다"고 찬양한 것은 조선에 대한 청의 속내를 보여준다. 소수민족으로서 중원에 들어가 수십 배나 많은 한족을 다스려야 했던 청은 조선을 가능한 한 포용하려 했다고 할 수 있다. 물론 조선 후기에 왔던 칙사들 가운데도 탐학을 자행한 자들이 없지 않았지만, 17세기 초반의 명 칙사들에 비하면 상대적으로 미미한 것이었다. 이 때문에 18세기에 이르면 조선 내부에서 "명은 조선에 가혹했는데 청은 조선에 관대했다"며 청을 찬양하는 목소리가 나오기도 했다. 조선에서 청의 실상을 바로 보고 장점을 배워야 한다는 이른바 북학론北學論이 제기되는 시점의 일이었다.

19세기 말, 청이 서양 세력의 압박과 내부의 반란 때문에 위기에 처하면서 외교의 주도권은 이홍장李鴻章을 비롯한 한족 출신 신료들이 장악한다. 그리고 이후 조선에서 임오군란, 갑신정변 등 격변이 터졌을 때 조선에 왔던 한족 출신의 칙사라고 할 수 있는 위안스카이袁世凱, 마건충馬建忠, 탕사오이唐紹儀 등이 조선을 억압하고 속방屬邦으로 만들려고 기도했던 사실은 시사적이다. 요컨대 조선시대 명과 청의 칙사들이 조선에 보였던 행적은 한중 관계의 흐름, 나아가 동아시아 정세의 변화라는 시대적 배경과 밀접하게 연관되어 나타났던 것이다.

2장

정묘호란이 끝나자마자 조선에 와서 상경한 일본인들

⊙

17세기 초 일본 관료들이 본 조선

정성일

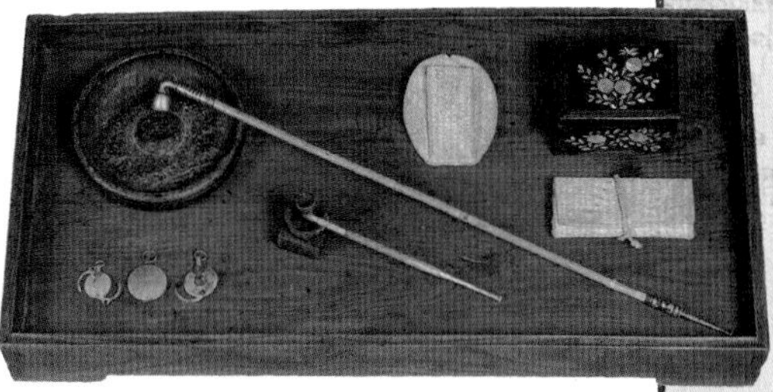

1629년 윤4월 22일(일본 4. 22), 이날은 한국과 일본의 외교사에서 오래도록 기억될 날이다. 이날 날씨는 맑았다. 새벽 다섯 시쯤 봉안奉安을 출발한 일본 사신 일행은 광나루廣津에 도착하여 점심을 먹었다. 그곳에서 반나절을 더 가서 그들은 한강에 닿았다. 말을 먹이고 나서 일행은 곧장 서울로 들어갔다. 맨 처음 일본 사신의 눈길을 끌었던 것은 삼각산三角山(북한산)이었다. 그들은 도성으로 들어갈 때 숭례문崇禮門 즉 남대문을 통과하였다. 지나가는 곳곳에 기와집과 초가집이 섞여 있었다. 한양의 남녀노소가 길가에 나와 일본 사신 일행을 구경하였다. 그들이 여장을 푼 곳은 전의감典醫監이었다.

이날 한양에 입성한 일본인들은 임진·정유왜란이 끝난 뒤부터 개항 때까지 일본인으로서는 처음이자 마지막 상경인上京人이었다. 조선 정부는 임진왜란 이후 일본인의 상경을 철저하게 막았다. 대한해협을 건너 조선에 온 일본 사람들은 부산 용두산 공원에 있었던 왜관까지만 올 수 있었다. 조선이 일본인의 상경을 허용하지 않으려 했던 것은 임란 전에 일본 사신들이 오갔던 상경로上京路가 전

「초량왜관도草梁倭館圖」, 종이에 채색, 153.2×80.2cm, 조선시대, 국립중앙박물관. 임진왜란 이후 일본 사신은 한양에 들어가지 못하고 왜관에서 외교와 통상을 진행했다. 돌담 안쪽이 외관이며 북쪽 건물이 일본 사신을 접대하던 연향대청宴享大廳이다.

쟁이 일어나자 한순간에 침략로侵略路로 둔갑해버린 아픈 기억 때문이었다. 그 기억이 채 가시기도 전에 1627년 1월 정묘호란이 일어났다. 일본은 이때를 놓치지 않았다. 일본은 궁지에 몰린 조선 정부를 압박하여 상경 허락을 받아내려 시도했다. 막부幕府는 이 기회를 틈타 한반도와 대륙의 정세를 염탐하려 했던 것이다. 대마도는 조선 정부를 직접 상대하여 그동안 미수가 쌓여 있던 공목公木을 받아가려는 속셈을 감추고 있었다.

임란 후 한양에 온 일본인 몇 명을 어떻게 상경시킬 것인가

일본 사신이 바다를 건너왔다는 동래부사의 치계馳啓가 작성된 것은 3월 17일(일본 2. 17)이었다. 그것이 조선 조정에 전달된 것은 3월 23일이다. 묘당廟堂(의정부)에서는 처음에 접위관接慰官을 동래로 내려 보낼 것을 제안했다. 그러다가 곧 전례를 들어 선위사宣慰使로 격상되었다. 일본에서 건너온 사신이 국왕사國王使일 때는 선위사를, 그 이하의 급일 때는 접위관을 파견하던 예에 따른 것이다.

일본 사신에 대한 접대 책임을 맡아 한양에서 부산으로 갔던 조선의 최고 책임자는 송강 정철의 넷째 아들인 정홍명鄭弘溟이었다. 3월 24일 조경趙絅이 그 자리에 임명되었으나 이튿날인 25일 정홍명으로 교체되었다. 그가 부여받은 임무는 '왜사倭使가 한양으로 오지 못하도록 막는 일'이었다. 그러나 일본 사신의 상경 저지는 끝내 실패하고 말았다.

정홍명이 접대를 맡은 일본 사신단의 정사正使는 현소玄蘇(겐소)의 제자인 현방玄方이었다. 현방의 일본식 호칭은 겐포인데, 그의 이름 끝 글자인 방方에 장로長老(불도佛道에 뛰어난 승려 또는 주지)를 붙여 방장로方長老라고도 불렀다. 일본 사신단의 부사副使였던 평지광平智廣의 본명은 스기무라 우네메杉村采女였다.

정사와 부사를 포함한 일본 사신의 상경 인원을 몇 명으로 할 것인가를 놓고 양측은 실무 협상 과정에서 서로 날을 세우며 크게 대립했다. 최종적으로 상경이 허락된 일본인은 19명이었다. 조선 정부는 처음에는 15명만 한양으로 보내게 할 생각이었다. 일본 사신이 국왕사일 때는 최대 25명까지 허용할 수 있지만, 거추사巨酋使일 때는 15명까지라고 『해동제국기海東諸國紀』에 명시되어 있었기 때문이다. 현방(겐포) 일행이 막부 쇼군將軍의 국서國書를 가져오지 않았다는 이유를 들어 조선 정부는 그들을 거추사로 간주하려 했다. 한편 일본의 논리는 달랐다. 비록 자신들이 국서를 소지하지는 않았지만 쇼군의 명령을 받고 왔기 때문에 국왕사라는 것이었다. 열흘가량 이 문제를 놓고 갈등을 빚은 끝에, 정홍명이 윤4월 6일(일본 4. 6) 거추사의 예에 네 명을 추가하여 상경 인원을 총 19명으로 맞췄다.

일본 사신의 정사를 가마에 태울 것인가를 놓고도 의견 차가 있었다. 정홍명은 처음에는 일본의 요구를 완강히 거절했다. 그렇지만 끝내 현방이 조선의 소교小轎, 즉 가마를 탈 수 있도록 허락하고 말았다. 이 두 가지는 정홍명이 스스로 고백하고 있듯이, 조선 정부의 허가를 얻지 않은 상태에서 내린 단독 결정이었다. 바로 이 때문에 그는 일본 사신 일행이 한양에 도착하자마자 투옥되었다. 그리고 이 일로 접위관도 이행원李行遠으로 교체되었다.

사신 행차와 접대에 동원된 역관과 수령들

일본 사신을 접대하기 위해 동원된 조선인들 가운데는 일본어를 전문으로 하는 왜학역관倭學譯官이 여럿 포함되어 있었다. 정홍명이 쓴 『음빙행기飮氷行記』에는 이언서李彦瑞, 박언황朴彦璜, 윤대선尹大銑, 강위빈姜渭濱, 홍희남洪喜男, 최의길崔義吉, 오득길吳得吉 같은 역관의 이름이 기록되어 있다.

일본 기록인 『어상경지시매일기御上京之時每日記』에는 조선 역관을 가리키는 말로 판사判事라는 호칭이 자주 등장한다. 글자만 보면 오늘날 법원에서 재판을 맡는 판사를 떠올리게 하지만, 일본말로 '한지'라고 발음하는 이 낱말은 조선의 역관을 가리킨다. 『어상경지시매일기』에는 이판사, 박판사, 윤판사, 강판사, 최판사, 전판사, 이렇게 여섯 명의 이름이 자주 눈에 띈다. 이밖에 홍동지, 이동지, 형판사도 이따금씩 등장한다.

일본 기록에 보이는 이, 박, 윤, 강, 최판사는 각각 조선 기록에 등장하는 이언서, 박언황, 윤대선, 강위빈, 최의길을 가리키는 것으로 보인다. 또 홍동지는 홍희남을, 이동지는 이언서를, 형판사는 형언길邢彦吉을 말하는 듯하다. 일본 사신 접대에 투입된 조선 역관들은 대개 임진왜란 때 일본으로 끌려갔다가 되돌아온 피로인被擄人 출신 역관이거나, 일본에 간 조선 사신단의 일행으로 파

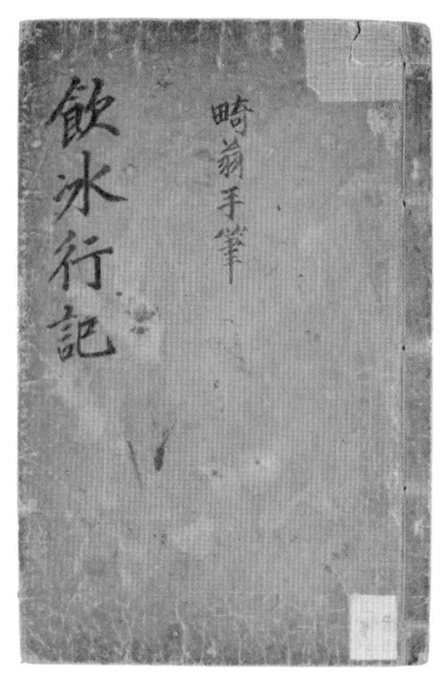

『음빙행기』, 정홍명, 한국가사문학관.

견된 적이 있는 실무 경력이 풍부한 왜학역관이었다.

일본 사신을 맞이하러 가는 정홍명 일행은 한양에서 출발하여 동래로 갔다가, 부산 왜관에 미리 와 있던 일본 사신들과 함께 다시 한양으로 상경했다. 조선의 접위관(선위사)과 일본의 상경사上京使가 한양과 동래를 오가는 동안 거쳐가는 고을마다 지방관이 나와서 그들을 맞이해야 했다. 즉 상경사가 왕복하는 길과 가까운 곳의 수령 및 주민들에게는 그들을 접대할 책임이 주어졌다.

그런데 한양에서 동래로 가는 길에 문경의 최무崔茂와 유곡의 류석柳碩, 양산의 오사검吳士儉이 정홍명 일행을 나와서 맞이하지 않았던 까닭에 문제가 생겼다. 최무는 다른 공무로 출타 중이었다. 류석은 병이 나서 나오지 못했다. 한편 오사검은 사정이 조금 달랐던 것 같다. 양산군수 오사검은 나와보지도 않았을 뿐만 아니라, 사신 일행에게 먹을 것을 제공해주지 않아 사람과 말이 모두 굶주리고 말았다고 한다. 1629년 4월 6일(일본 3. 6) 정홍명이 오사검을 잡아다가 사신을 접대하지 않은 죄를 묻고, 그 지역 아전 세 사람에게 곤장을 쳤다는 기록은 바로 이러한 이유 때문이었다.

이밖에 사신 행차 때 군관이나 군졸들이 동원되었을 것이며,

크고 작은 일을 맡은 사람들이 여럿 있었을 것임은 더 말할 나위가 없다.

한편 부산에서 한양으로 갈 때 17일 동안 거쳐간 곳은 다음과 같다. 부산을 출발한 사신 일행은 동래온천–양산–무흘–밀양–유천역–청도–'바돈기所屯崎(八助嶺?)'–대구–송유원–인동–죽령–오리원–상주–함창–문경–신원新院–용추龍湫–충주–목계牧溪–가흥역–흥원–여주–이포梨浦–대탄大灘–봉안–광진廣津–한강을 지나 도성으로 들어갔다. 반대로 한양에서 부산으로 돌아갈 때 15일 동안 지나간 길을 살펴보면 다음과 같다. 도성을 출발한 일행은 광주–대탄–여주–해천–흥원–'소에루'–충주–문경–함창–상주–낙점洛點–감동포甘同浦를 거쳐 부산 왜관으로 들어갔다. 한양으로 갈 때는 육로를, 그리고 한양에서 돌아올 때는 주로 수로를 이용했다. 몇 군데 일본 발음으로 적어놓은 조선 지명이 일본 기록에 남아 있어 눈길을 끈다.

사신 일행의 조선 산천 여행
조선인들의 낯선 이국인 구경

조선에 온 일본인들은 동래(부산)와 한양에서, 그리고 두 지역 사이를 이동하면서 곳곳마다 조선의 산천 구경은 물론이고 조선 사람들과 마주칠 기회가 잦았다. 그들은 지나가던 길 근처에 있는 향교와 사찰을 찾아가기도 했다. 한양에서는 명明 태자의 탄생 소식을 들었고 일식日蝕도 보았다고 했다. 게다가 가뭄 해갈을 기원하는 임금의 기우제祈雨祭와 그에 대한 백성들의 반응에 대해서도 역관들의 입을 통해 전해 들을 수 있었다.

그런데 당시 조선인의 입장에서는 오히려 조선에 온 일본 사신들이 더 좋은 구경거리가 아닐 수 없었다. 일본 사신들도 이 점을 느꼈던지, 일기에 조선인들이 자신들을 구경하러 나온 것을 여러 차례 기록으로 남기고 있다.

가령 윤4월 8일(일본 4. 8) 밀양에서 유천을 지나 청도에 이르렀는데, 길가에서 조선 사람들이 남녀노소 할 것 없이 구경을 나왔다고 일본 사신은 기록하고 있다. 윤4월 12일(일본 4. 12) 인동에서 해평으로 이동할 때도 늙은 사람 젊은 사람 불문하고 모두 나와 사신 일행을 신기하다는 듯이 바라보았다. 윤4월 22일(일본 4. 22) 사신 일행이 숭례문(남대문)을 지나 도성이 있는 곳으로 들어갈 때도 그들은 조선인 구경꾼들을 만났다. 심지어 5월 5일 부사副使 스기무라 우네메가 숙배肅拜에 참석했을 때도 이 광경을 남녀노소가 와서 구경했다고 한다.

일본 사신을 구경하던 조선인들은 무슨 생각을 했을까? 일본인들을 본 느낌과 생각은 저마다 달랐겠지만, 아마도 모처럼 목격하는 이국 사람들의 낯선 모습 그 자체에 대해 조선인들은 분명 신기해했을 것이다.

「동래부접왜사도東萊府接倭使圖」, 필자미상, 종이에 채색, 81.5×460cm, 18세기, 국립중앙박물관.

동래부사가 초량왜관에 온 일본 사신을 맞이하여 의례를 행하는 장면들이다.

宴大廳

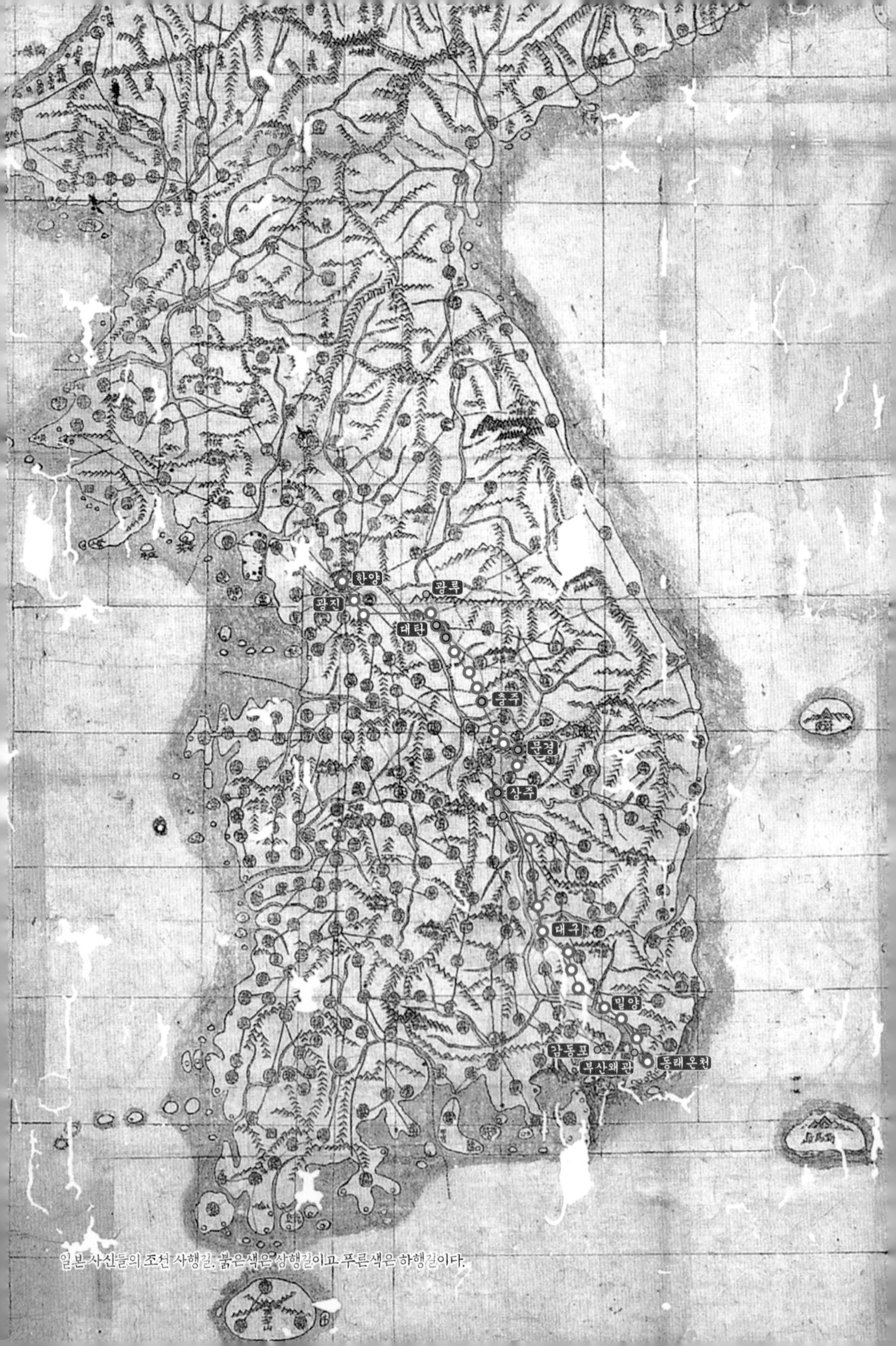

일본 사신들의 조선 사행길. 붉은색은 상행길이고 푸른색은 하행길이다.

일본 담배를 즐기는 조선인
조선 소주에 취한 일본인

담배의 전래에 대해서는 몇 가지 설이 있지만, 대체로는 임진왜란이 일어난 뒤 일본을 통해 조선에 들어온 것으로 추정하고 있다. 담배가 조선 땅에 들어온 지 20년쯤 지나자 이는 농가의 대표적인 작물로 자리를 잡았다. 담배농사가 짧은 기간 동안 크게 늘었던 까닭은 초기에 담배 한 근을 은銀 한 냥과 맞바꿀 정도로 담배가 고가품이었기 때문이다.

그래서인지 일본 사신이 조선 관리에게 준 선물에는 담배와 담뱃대가 많았다. 5월 23일 한양에서 동래로 향하던 사신 일행이 봉안에서 대탄을 거쳐 여주에서 묵었는데, 그날 일본 측은 윤판사를 시켜 선위사(접위관)에게 은으로 만든 담뱃대 두 자루와 담배 다섯 상자를 선물로 보냈다. 이튿날인 5월 24일 여주에서 해천에 이르렀을 때, 일본 사신 일행은 조선의 선위사(접위관)와 함께 언덕 위로 올라가 절 구경을 했다. 그때 일본 측은 아미타 삼존불 앞에 후추 1근을 내놓았으며, 스님坊主에게는 담배와 담뱃대를 선물로 준 적이 있다.

한편 정홍명의 『음빙행기』에는 일본 사신이 조선 소주를 주는 대로 받아 마시다가 그만 취한 모습이 적혀 있다. 1629년 4월 26일(일본 3. 26)은 선온宣醞의식이 있는 날이었다. 선온이란 임금이 신하에게 내리는 술을 이르는데, 일본 사신에게 선온을 전달하는 것이 관례였다.

이날 부산에는 새벽부터 비가 내리더니 낮이 되자 조금 갰다.

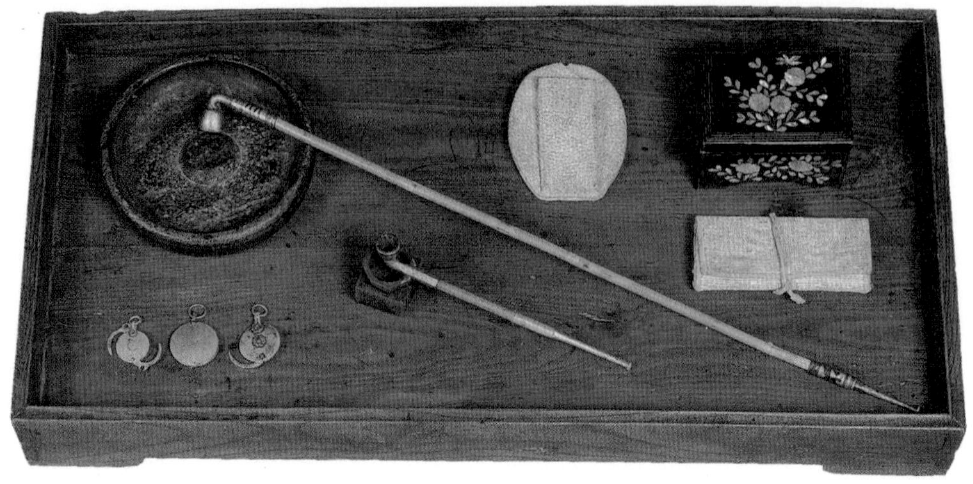

일본 사신이 조선의 관리에게 건넨 선물에는 담배와 담뱃대가 많았다.

정홍명이 선온을 받들고 일본 사신들이 묵고 있던 객관客館으로 들어가니, 객관의 상관(정사)과 부관(부사)이 대문 밖에서 동쪽을 향해 서 있고, 동래부사는 서쪽을 향해 서 있다가 몸을 굽혀 공경히 맞았다. 선위사(접위관)가 정문으로 들어가 선온을 탁자 위에 올려놓고 동쪽 가까이에서 서쪽을 향해 서니, 객사들이 네 번 절하고 차례로 올라가 예를 갖추어 마시기 시작했다. 그곳에서 기생의 음악이 요란하게 울려 퍼졌다고 한다. 이때의 모습을 정홍명은 상세히 소개하고 있다. "아홉 잔을 든 뒤에 중배례中杯禮를 하여 서서 마셨는데, 이때 부관 평지광(스기무라 우네메)이 선온인 자소주紫燒酒를 마시며 잔을 완전히 비우더니 취하여 정신을 못 차리고 붙들려 나갔고, 현방도 취하여 차분한 대화를 할 수 없었다."

아마도 상경 문제가 매듭지어지자 일본 사신들은 긴장감이 풀리고 기분이 썩 좋았던 모양이다. 이에 독한 소주를 단숨에 들이키다가 술에 취해 비틀거리는 일본 사신들의 모습이 정홍명에게는 매우 인상 깊었던 듯하다.

조선 역관이 일본 사신이 머무르는 객사를 방문하면 일본 쪽에서도 술을 내놓곤 했다. 일본 술의 종류가 어떤 것인지는 분명하게 밝혀져 있지 않지만 아마도 모로하쿠諸白라는 술이 아니었을까 짐작된다. 일본에서는 누룩도 하얀 쌀로 빚고 원료도 하얀 쌀을 재료 삼아 만들었다 하여, '모두 희다'는 뜻을 지닌 '모로하쿠'로 부르는 이 술이 꽤나 고급 술로 평가받고 있었기 때문이다.

조선 화공에게 담배 주며 그림을 청하다

일본의 정사와 부사는 한양에 체류하고 있을 때 조선의 그림에 대하여 깊은 관심을 보였다. 그저 관심을 보인 정도가 아니라 조선 역관들에게 종이를 건네면서 그림을 그려달라고 부탁하거나, 아예 조선인 화공畵工을 자신들이 머물고 있던 숙소로 불러들여서 직접 그림을 그리게 한 적이 한두 번이 아니었다. 몇몇 경우를 소개하면 다음과 같다.

- 윤4월 28일(일본 4. 28)

당지唐紙(중국 종이) 48매(원문은 46매인데 오기誤記인 듯함)를 윤판사에게 12매, 강판사에게 36매 전달함. 종이는 그림 그릴 용도로 쓰일 것임.

•5월 4일

점심때쯤에 그림과 글씨 잘 쓰는 사람繪書 둘을 불러서 그림을 그리게 했는데 솜씨가 뛰어났다고 함. 오후 4시쯤 두 사람 모두 돌아갔음.

•5월 8일

화공繪書 두 사람이 일찍부터 왔는데, 어제와 마찬가지로 나이 든 사람은 장로에게, 젊은 사람은 이쪽副官人(우네메)에 와서 하루 종일 그렸음. 오늘까지 나흘 동안 왔는데, 사례로 후추古升, 胡椒 3근, '기세루'(담뱃대) 10자루, '기사미 다바코'(잘게 썬 담배) 세 상자를 주었음. 장로한테 가서 그림을 그린 화공에게는 담배 두 상자, 담뱃대 다섯 자루를 주었는데, 장로한테서도 이만큼을 받았음.

•5월 16일

전날 주문해두었던 그림이 오늘 모두 완성되었음. 최근 문 밖에서 그림을 그리게 한 사람들에게 사례로 작은 손거울柄鏡 10개, 후추 10근, 부채 10개를 이쪽(우네메)에서 보냈음.

•5월 20일

어제 그림용으로 조선 종이를 10매씩 젊은 화공 두 사람에게 주고 주문을 했는데 오늘 가져왔기에 담배 한 상자, 긴 담뱃대 두 자루를 전부터 온 젊은 화공에게 주었음.

일본 사신의 기록 속에 무려 열네 차례나 그림과 관련된 내용이 적혀 있다. 이 가운데 한 번은 그들이 부산에 머물고 있을 때 일어난 일이며, 나머지는 모두 그들이 한양에 있을 때의 일이다. 일본에 간 통신사들에게 일본인들이 글씨나 그림을 그려달라고 몰려들었다는 사실은 널리 알려져 있지만, 1629년 상경사의 정사와 부사들이 경쟁적으로 조선 화공의 그림을 받아가려 했던 점은 매우 주목된다. 그리고 그림 값으로 가장 많이 지급된 것이 일본 담배와 담뱃대인 점도 눈여겨볼 만하다.

사신 일행에게 목욕할 기회를 베풀다

외국 여행을 하다보면 어느새 피로가 쌓이게 마련이다. 더구나 중요한 교섭을 앞두고 있을 때는 더욱 그렇다. 이럴 때는 몸의 피로를 풀어주고 마음을 편안하게 해주는 목욕이 큰 효과를 볼 수 있다.

1629년 윤4월 11일(일본 4. 11) 동래에서 한양으로 향하던 일본 사신에게 전혀 예상치 못했던 호의가 베풀어졌다. 부산을 출발한 지 엿새째 되는 이날 사신 일행이 인동仁同에 도착했을 때였다. 인동부사 신경류申景柳가 상경사 일행에게 길이가 6자尺 정도 되는 '다라이', 즉 큰 대야를 제공해 그들이 목욕할 수 있게 해준 것이다. 이것을 일본 기록에서는 행수行水(교즈이)라고 표기하고 있다. 일본 사신 일행 가운데 마쓰오 가에몬松尾加右衛門과 모쿠베杢兵衛라는 자가 있었는데, 그 둘이 신경류와 구면이어서 이런 호의를 얻게 되었다고 한다.

일본 사신에게 이처럼 행수를 한 행위는 그 뒤로도 사흘(14, 15, 16일)이나 더 이어졌다. 즉 인동뿐만 아니라 상주, 함창, 문경에서도 이런 호의가 베풀어졌다. 다시로 가즈이田代和生는 이것을 인동부사 신경류의 관심과 배려 및 영향력이 다른 곳에까지도 미쳤기 때문으로 풀이했다.

신경류는 인동부사로 부임하기 전 1622년에 회양부사淮陽府使를 지냈다. 또 그가 1626년 부산첨사로 있었을 때 청렴하고 근면하게 근무한 점을 높이 평가해 임금이 포상을 내리기도 했다. 아마도 상경사 일행 속에 있던 일본인을 그때 만나지 않았을까 짐작된다. 그 뒤에 그는 경상도 좌수사(1637)를 지냈으며, 충청병사(1637)와 춘천부사(1639)도 역임했다.

그런데 정홍명은 자신이 쓴 책에서 이날 "인동부사 신경류가 일본 사신들의 환심을 얻었다"고 적었을 뿐 더 이상의 설명은 하지 않고 있다. 목욕을 즐기는 일본인의 습성을 잘 파악하여 그들에게 호감을 샀던 신경류의 행위를 당시 조선 정부가 어떻게 평가했을지 자못 궁금하지만, 더 이상의 기록은 발견되지 않는다.

말, 매, 석린, 붓, 양가죽…
일본인들이 관심 가진 조선의 물건

조선 정부는 당초 입장을 바꾸어 일본 사신의 상경을 허락하면서도 끝내 교역할 물건은 한양으로 갖고 들어가지 못하도록 했다. 다만 두 나라 사이의 외교 의식을 거행할 때 서로 예물禮物을 교환하는 것이 관례였기 때문에 일본 사신 일행이 소비할 물건과 예물로 쓸 것만 한양으로 가져갈 수가 있었다. 그렇지만 교역할 물건과 자체적으로 소비할 물건, 예물로 교환할 물건이 처음부터 분명하게 정해져 있는 것은 아니었다.

일본 사신과 조선인 사이에 여러 차례 선물 교환이 있었음이 조선과 일본 기록을 통해서 확인된다. 각종 의례 때 교환된 예물과 일본 측의 특별 요청인 구청求請에 대해서는 이미 연구가 이루어져 있다. 따라서 여기서는 몇 가지만 지적하고자 한다.

먼저 일본 사신 일행은 조선에서 좋은 말馬을 구해가려고 조선 역관에게 특별히 조달해줄 것을 부탁한 적이 있다. 일기에 기록된 것만 해도 네 차례나 보인다. 5월 4일 얼룩말 1필, 5월 5일 검은 말 1필, 5월 14일에는 달 모양의 털을 가진月毛 말 1필을 들여왔지만 모두 마음에 들지 않아 돌려보냈다. 또 5월 17일에는 밤색 털栗毛의 말 3필을 들여왔지만 그것마저도 돌려보냈다고 한다. 5월 17일

「마도馬圖」, 김덕성, 종이에 담채, 27.2×30.8cm, 서울대박물관. 일본 사신들은 조선의 준마에 특히 커다란 관심을 보였다.

에는 매鷹와 석린石鱗(돌비늘, 운모雲母와 비슷한 광물질로 약재용)에 대해서도 얘기가 오갔지만, 이를 구매했다는 기록은 보이지 않는다. 아마도 일본 사신들이 요구하는 수준에 못 미쳐 매매가 이루어지지 못한 듯하다.

그다음으로는 일본 사신이 조선 붓을 사간 것이 기록으로 남아 있다. 5월 16일 사신 일행은 조선의 붓 2대對를 구입했는데, 그 값이 은銀으로 2문匁 8푼分이었다. 이것은 일본 측이 조선 역관을 통해 일부러 주문했던 것이라고 한다. 정홍명이 4월 16일(일본 3. 16) 겐포에게 선물한 물품 가운데 붓이 포함되어 있는 것을 보면, 조선 붓이 일본에서 꽤 인기가 높았던 듯하다. 이밖에 일본 사신들이 양가죽 79매를 은 140문(1문=1/1000관=3.75그램)을 주고 궁궐에서 구입했다고 한다.

이처럼 역관을 중개자로 하여 다양한 물건이 두 나라 사람들 사이에서 거래되고 있었다. 그 과정에서 조선 화공의 그림 같은 이른바 문화상품도 교환됐다는 것은 매우 흥미롭다.

3장

군인, 신부, 포로, 조선 땅에 발을 내딛다

귀화인 김충선과 천만리의 조선 생활

황재문

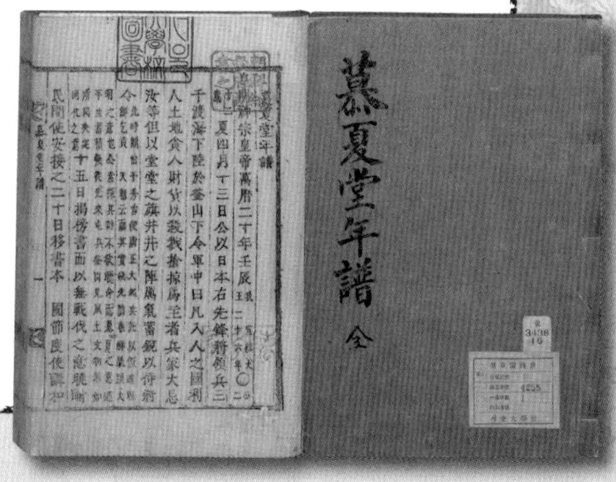

임진왜란은 1592년에 일본이 조선을 침범하여 1598년에 물러날 때까지 이어진 전쟁이었다. 뒤에 명나라가 구원병을 보냈으니, 동아시아 삼국의 군대가 모두 참전한 셈이었다. '임진왜란'은 '임진조국전쟁'(북한), '만력조선역萬曆朝鮮役'이나 '조선왜화朝鮮倭禍'(중국), '분로쿠·게이초의 역文祿慶長の役' 혹은 '정한역征韓役'(일본) 등으로 일컬어지기도 하는데, 이러한 차이는 사건의 역사적 의미를 조금씩 달리 규정하는 데서 비롯한다. 그렇지만 이 전쟁이 동아시아 역사에서 큰 전환점을 마련했다는 데에는 이견이 없는 듯하다. 전쟁 이후 동아시아 각국에서 커다란 정치적 변화가 일어난 것은 분명한 사실이기 때문이다.

그렇다면 개인의 입장에서 이 전쟁은 어떤 의미가 있었을까? 특히 침략군 또는 구원군의 일원으로 조선 땅을 밟은 수십만의 이방인은 조선 땅에서 무엇을 보고 느꼈을까? 급박한 전쟁의 와중이라 개인적인 기록을 남긴 이가 많지는 않았을 법하지만, 당시의 상황을 엿볼 수 있는 흔적을 남긴 이들도 있었다. 물론 그것은 평화로운 시절의 체험이나 기록과는 성격이 달랐을 것이다. 자신의 뜻과

「동래부순절도」, 변박, 비단에 채색, 145×96cm, 보물 제392호, 1760, 육군박물관. 임진왜란 때 부산 동래성에서의 전투를 묘사한 장면이다.

는 무관하게 낯선 땅에 발을 디뎠을 뿐 아니라, 자기 나라 일상과는 다른 풍경이나 풍속을 목도해야 했을 것이기 때문이다.

티베트, 미얀마군까지 참여한 명나라 군대

임진왜란은 동아시아 삼국 간의 전쟁이었다. 그렇지만 참전했던 인물들의 면모를 살펴보면 더 먼 나라에서 온 이들도 확인되는데, 이는 명나라 군대가 일종의 다국적군이었기 때문이다. 명나라 화가가 당시의 전투 장면을 그린 『정왜기공도권征倭紀功圖卷』에는 명나라 군대의 활약상이 세밀하게 묘사되어 있는데, 그 가운데 한족이 아닌 병사들의 모습을 엿볼 수 있다.

명나라 군대의 구성은 『조선왕조실록』을 통해 알 수 있다.

> 신(이항복)이 또 부총병 유정劉綎을 문안하였는데 (…) 사용하는 각종 군기를 꺼내 보여주고 거느리고 있는 섬라暹羅, 도만都蠻, 소서천축小西天竺, 육번六番, 득릉국得楞國, 묘자苗子, 서번西番, 삼색三塞, 면국緬國, 파주播州, 당파鏜鈀 등 투화投化한 사람들을 좌우에 도열해 서게 하고 차례로 각각 자신의 묘기를 자랑하도록 하여 종일 구경시켰습니다.(『조선왕조실록』, 선조 26년(1593) 4월 10일조)

이항복이 명나라 군영을 방문했을 때 목도한 광경을 보고한 대목이다. 부총병 유정 휘하의 병사들 가운데는 특별한 재주를 지닌 이방인들이 포함되어 있었다. 정확한 지명이 확인되지 않는 예도 있지만, 섬라는 타이, 도만은 티베트, 소서천축은 인도, 득릉국은 미얀마 남부의 몬족, 면국은 미얀마, 파주는 귀주貴州를 가리키는 것으로 추정된다. 명나라가 섬라, 즉 타이에 출병을 요청했던 일은 오늘날 중국 측 사료에서도 확인되는데, 그렇다면 명나라는 주변국에 협조를 구해서 다국적의 조선 구원군을 구성했던 셈이다.

명나라 군대에는 더 먼 곳에서 온 병사들도 포함되어 있었다. 『조선왕조실록』 선조 31년(1598) 5월 26일자에는 명나라 장수 팽신고彭信古가 자기 휘하에 '신병神兵'이 있다면서 "호광湖廣의 극남極南에 있는 파랑국波浪國 사람"을 소개한 기사가 실려 있다. 파랑국이란 포르투갈을 가리키므로, 포르투갈 사람이 명나라 군대의 일원으로 참전했다는 뜻이 된다. 조총을 잘 쏘고 여러 가지 무예에 능하다는 '신병'에 대해 『조선왕조실록』에서는 다음과 같은 주석을 붙였다.

> 일명은 해귀海鬼이다. 노란 눈동자에 얼굴빛은 검고 사지와 온몸도 모두 검다. 턱수염과 머리카락은 곱슬이고 검은 양모羊毛처럼 짧게 꼬부라졌다. 이마는 대머리가 벗겨졌는데 한 필이나 되는 누른 비단을 반도磻桃의 형상처럼 서려 머리 위에 올려놓았다. 바다 밑에 잠수하여 적선賊船을 공격할 수가 있고 또 수일 동안 물속에 있으면서 수족水族을 잡아먹을 줄 안다. 중원 사람도 이들을 보기가 쉽지 않다.

당시 마카오에는 포르투갈 해군이 주둔하고 있었지만 이들이 '신병'이었는지는 알 수 없다. 일종의 용병일 가능성도 있지만 정확

「천조장사전별도天朝將士餞別圖」, 종이에 채색, 39×26.5cm, 조선 후기, 개인. 1599년 4월 임진왜란에 원병으로 온 명나라 군대의 모습을 그린 것인데, 흥미롭게도 왼쪽 아래에 '해귀海鬼'라고 하는 포르투갈 용병의 모습이 그려져 있다.

한 사정은 알 수 없다. 어쨌든 이들의 존재가 임진왜란에서 명나라 군대의 위세를 드러내는 데 지속적으로 활용되었던 것은 사실인 듯하다. 『조선왕조실록』 선조 31년 9월 5일조에 "수군水軍과 육군이 모두 40만 명인데, 해귀海鬼와 달자㺚子도 많이 출전했다"며 명나라 군대에 대해 말했더니 왜적들이 모두 얼굴색이 변했다고 한 기사가 이를 보여주는 하나의 사례이다. 실제 임진왜란에서의 활약상이 어떠했는지는 확인되지 않지만, 포르투갈 병사들의 존재는 일본 측에까지 알려졌던 것이다. 다만 명나라 군대에 속한 다양한 지역의 인물들이 조선 땅에서 무엇을 보고 느꼈는지는 현재로서는 확인할 길이 없다. 이들이 조선 땅에 남긴 영향 또한 파악하기 어렵다.

세스페데스, 조선에 첫발 디딘 서양 신부

임진왜란 당시 조선 땅을 밟은 이방인 가운데는 서양인 신부도 있었다. 그는 천주교도였던 왜장倭將 고니시 유키나가小西行長의 요청으로 선교활동을 위해 1593년 일본에서 건너온 세스페데스 신부Gregorio de Céspedes(1551~1611)였다. 이보다 앞선 시기에 황당선荒唐船, 즉 서양 선박이 해안에 나타나거나 서양인이 표류해온 일은 있었지만, 자신의 뜻에 따라 서양인이 조선에 온 일은 없었다. 세스페데스 신부는 조선에 온 최초의 서양인 선교사였던 셈이다.

세스페데스 신부는 그러나 조선에 특별한 영향을 끼치지는 못한 것으로 보인다. 임화가 『신문학사』에서 "서구의 사정과 천주 교의를 전했다 하나 이렇다 할 흔적이 남지 않았다"고 지적한 바와 같이 조선에 그의 자취는 깊이 각인되지 못했다. 1년 반을 체류한 점에 비춰보면 의외의 일이다. 왜 그랬을까? 세스페데스 신부가 남긴 편지를 살펴보자.

> 그다음 날 저를 방문해 성 안에서 만남의 시간을 가졌습니다. 저는 그(고니시 유키나가)에게 편지들을 전했습니다. 그는 편지를 읽고 나서 제가 조선에 도착한 사실에 대단히 기뻐했습니다. 우리는 천천히 대화를 나눴습니다. 또한 여러 성으로부터 많은 일본군 이교도가 자기를 방문하고자 이곳에 자주 출입하기 때문에 자기 동맹자들의 저택과 거처가 있는 이곳 성의 낮은 곳에 제가 머무르는 것이 그리 적절하지 않다고 말했습니다. 그래서 비센테 베에몬과 함께 성의 높은 곳에 머무르면서 가톨릭교도들이 그곳으로 저를 방문하게 하고 고해하도록 했습니다.(루이스 프로이스, 『임진란의 기록』)

대마도를 거쳐 한반도로 건너온 세스페데스 일행이 머물렀던 곳은 웅천 왜성이었다. 임진왜란이 소강상태로 접어들면서 왜장 고니시 유키나가는 이 성을 거점으로 장기전을 준비하고 있었는데, 세스페데스 신부가 방문한 시점은 그 무렵이었다. 편지의 내용을 살펴보면, 유력한 장수였던 고니시 유키나가의 조심스러운 태도가 엿보인다. 서양인 신부가 "이교도"들의 눈에 띌까 주의했기 때문이다. 즉 고해성사나 세례와 같은 일을 수행하면서도 세스페데스의 활동은 제한적일 수밖에 없었던 것이다.

사실 세스페데스의 편지 가운데 조선에 대해 언급한 것은 별로 보이지 않는다. "조선의 추위는 혹독하며 일본의 추위와는 비교할 수 없을 정도"라거나 일본의 가톨릭교도들이 "굶주림과 추위 및 질병, 그 밖에 일본에서 상상하는 것과는 매우 다른 수많은 고통"을 겪고 있다고 보고하는 정도이다. 뒷날 포로로 끌려간 조선인들에게 세례를 해주었다고 전하지만, 이 또한 조선과 관련된 적극적인 활동이라고 보기는 어렵다.

한편 세스페데스의 편지 내용을 담고 있는 문헌인 루이스 프로이스(1532~1597)의 『일본사』도 임진왜란의 경과를 기록하고 있어 주목할 만하다. 그렇지만 "가톨릭 포교와 발전사를 알리려는" 목

『회본태합기』 중 '이순신을 모함하기 위한 고니시의 간계', 근대, 국립진주박물관. 고시니로 인해 세스페데스라는 서양인 신부가 한국에 발을 내디뎠다.

적으로 쓰인 이 책은, 가톨릭교도인 고니시 유키나가 등의 왜장을 옹호하는 시각을 견지하고 있어 그 내용이 객관적이라고 보기는 어렵다. 또한 이순신을 "조선 국왕과 가까운 친척 사이이며 해안 지대에 주둔하고 있는 장수"로 소개하거나 조선과 중국의 국경에는 넓은 모래사막이 있다고 서술하는 등 부정확한 사례도 적지 않다.

어떤 측면에서는 프로이스의 조선 및 임진왜란에 대한 인식은 세스페데스의 보고나 체험보다는 일본, 그 가운데서도 가톨릭을 수용한 지역의 인물로부터 얻은 정보에서 유래한 듯하다. 그래서인지 그는 조선이 독자적인 전통과 언어를 지니고 있다고 서술하

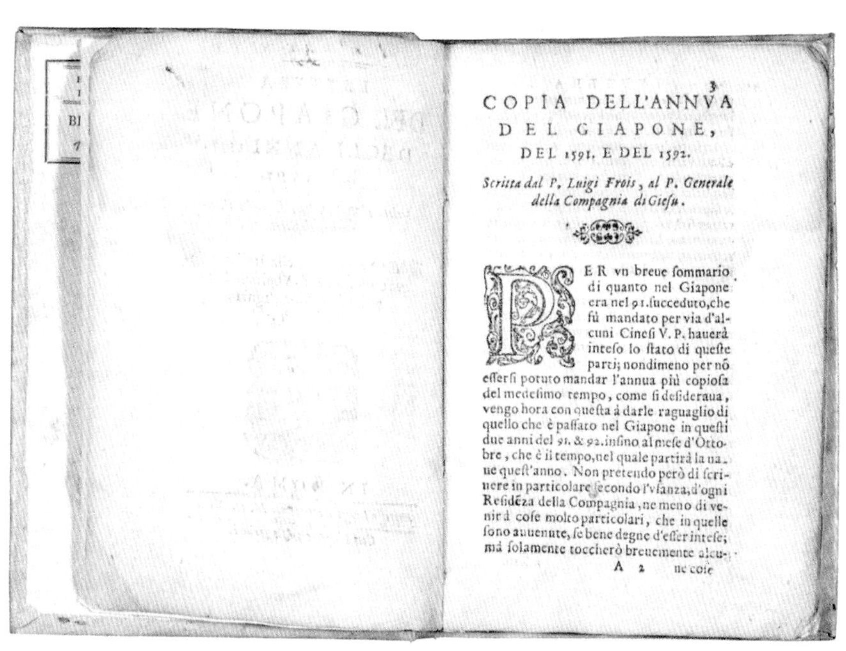

3

COPIA DELL'ANNVA DEL GIAPONE, DEL 1591. E DEL 1592.

Scritta dal P. Luigi Frois, al P. Generale della Compagnia di Giesu.

PER vn breue ſommario di quanto nel Giapone era nel 91.ſucceduto,che fù mandato per via d'alcuni Cineſi V. P. hauerà inteſo lo ſtato di queſte parti; nondimeno per nõ eſſerſi potuto mandar l'annua più copioſa del medeſimo tempo, come ſi deſideraua, vengo hora con queſta à darle raguaglio di quello che è paſſato nel Giapone in queſti due anni del 91. & 92.inſino al meſe d'Ottobre, che è il tempo,nel quale partirà la naue queſt'anno. Non pretendo però di ſcriuere in particolare ſecondo l'vſanza,d'ogni Reſidēza della Compagnia, ne meno di venir à coſe molto particolari, che in quelle ſono auuenute, ſe bene degne d'eſſer inteſe; mà ſolamente toccherò breuemente alcu-

A 2 ne coſe

『프로이스 서간집』, 17×11.5cm, 국립진주박물관. 루이스 프로이스 신부가 일본 교황청에 알린 보고서로, 임진왜란에 관한 많은 내용이 기록되어 있다.

면서, 동시에 임진왜란 당시 조선의 국왕은 "항복의 약속"을 지키지 않았고 조선군은 "해적"과 같은 행위를 한 것으로 묘사하기도 했다.

두렵고 비극적인 전란
일본 승려 게이넨의 종군 기록

임진왜란은 참혹한 전란이었다. 전쟁터가 된 조선의 백성들이 특히 커다란 고난을 겪었고 피해를 입었다. 이러한 상황은 조선 측의 기록에 자세히 전하는 반면, 일본 측의 기록에는 서술된 예가 드물다. 전쟁 이후 들어선 도쿠가와 막부가 임진왜란 자체에 대한 공식적인 정리를 막았을 뿐 아니라, 왜군에 가담한 이들이 스스로의 공적과 영주의 전공戰功을 과장하거나 행위를 합리화하곤 했기 때문이다. 그럼에도 불구하고 자신의 눈으로 목격한 참혹한 전란의 현장을 그대로 묘사한 사례가 없었던 것은 아니다. 1597년 6월 24일부터 1598년 2월 2일까지, 그러니까 정유재란丁酉再亂 때의 자기 체험을 기록한 승려 게이넨慶念(1533~1611)의 『일일기日日記』가 전하고 있기 때문이다.

게이넨은 규슈九州 우스키臼杵 성주의 군의관으로 참전했다. 직분으로나 연령으로나 전투에 참여할 수 있었던 상황은 아니었지만, 오히려 그 때문에 게이넨은 전장의 참상을 객관적이고도 비판적으로 그려낼 수 있었다. 게이넨은 고성, 하동 근처에 상륙한 이후에 남원–전주–진천–상주–구미–영천–경주–울산을 거쳐갔

「조선전역해전도朝鮮戰役海戰圖」, 일본 아오키 화랑. 정유재란 칠천량해전에서 조선 수군과 일본 수군이 싸우는 장면이다.

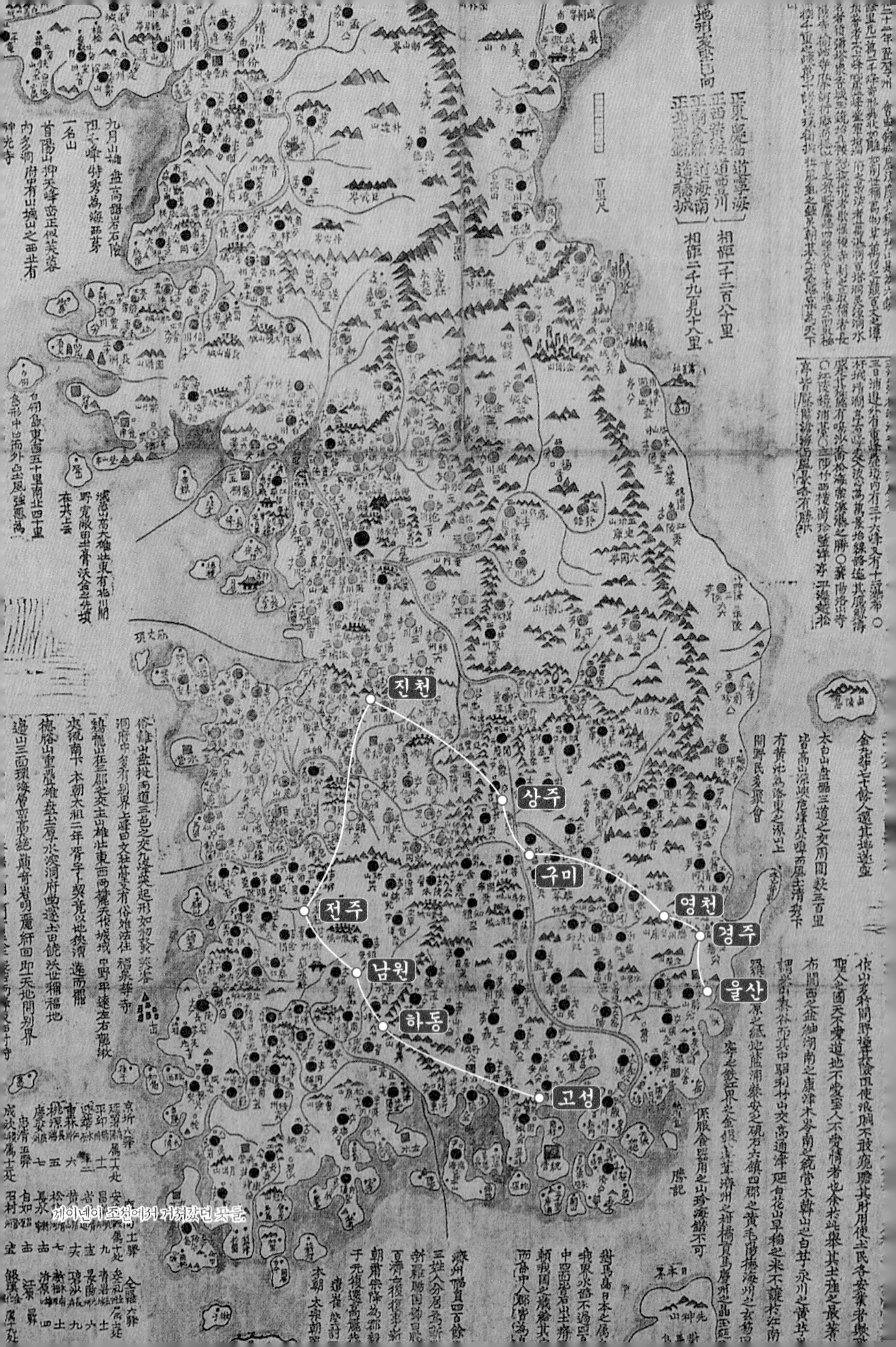

게이넨이 조선에서 거쳐갔던 곳들.

다. 당시의 전황은 왜군에게 유리한 것만은 아니었는데, 그가 울산성에 주둔하던 시기에는 죽음을 각오해야 할 위기에 처하기도 했다. 게이넨은 그 당시 자기 자신 또한 언제 죽음을 맞을지 모른다는 깊은 두려움을 감추지 못했다.

게이넨의 『일일기』는 일본에서 『조선일일기』로 소개되었으며, 한국에서는 『임진왜란 종군기』로 번역되었다. 여기에는 일기와 함께 330여 편의 와카和歌(일본에서 예부터 내려온 노래로 31음을 정형으로 하는 단가를 이른다)가 실려 있다. 몇 부분을 살펴보자.

•8월 6일, 고성

들도 산도, 섬도 죄다 불태우고, 사람을 쳐 죽인다. 그리고 산 사람은 금속 줄과 대나무 통으로 목을 묶어서 끌어간다. 어버이 되는 사람은 자식 걱정에 탄식하고, 자식은 부모를 찾아 헤매는 비참한 모습을 난생 처음 보게 되었다.

"들도 산도 불 지르는데 혈안이 된 무사들의 소리가 시끄럽고,
마치 아수라장을 방불케 하는 비참한 광경이구나."

•8월 28일, 전주

여기 전주를 떠나가면서 가는 도중의 벽촌에서 남녀를 불문하고 죽이는 참상은 차마 두 눈으로 볼 수 없는 처참한 모습이었다.

"길을 가는 중에 칼에 베여 죽는 사람의 모습이여.
오지五肢가 제대로 붙어 있는 것이 없을 정도이구나."

• **10월 5일, 경주**

밤부터 태풍이 강해져서 더욱 잠을 이루지 못하고, 여러 가지로 이번 출병이 무슨 의미가 있는지, 어리석고 한심한 일이라고 생각되지만, 할 수 없고, 내 고향 산천의 일만이 걱정되어 안절부절못하고 있다가 새벽에 어머님께서 주신 향 상자에 둔 은을 꺼내어 요리조리 돌려가며 만져본다.

• **11월 19일**

일본에서 온갖 상인이 왔는데, 그중에 사람을 사고파는 자도 있어서 본진의 뒤에 따라다니며 남녀노소 할 것 없이 사서 줄로 목을 묶어 모아서 앞으로 몰고 가는데, 잘 걸어가지 못하면 뒤에서 지팡이로 몰아붙여 두들겨 패는 모습은 지옥의 아방阿防이라는 사자가 죄인을 잡아들이는 것도 이와 같을 것이다 하고 생각될 정도이다.

"각자의 직업은 각기 마음에서 원하고 좋아하는 것에 연유하는
것이라고는 하지만 온갖 인신 매매상들이 몰려 있구나.
빨리 숨는 게 좋다.
주간에 돌아다니는 젊은이들은 무사들에게 붙잡혀서
개처럼 목에 줄이 매여 인신 매매상에게 팔려가게 된다."

혹은 죽임을 당하고 혹은 붙잡혀서 끌려가는 조선 백성들의 참혹한 정경이 일기 여기저기서 묘사된다. 자신이 명분 없는 전쟁이라고 인식했기 때문이기도 하겠지만, 게이넨은 눈앞에 펼쳐지는 광경을 안타까운 마음으로 지켜보고 묘사한다. 고향을 그리는 노

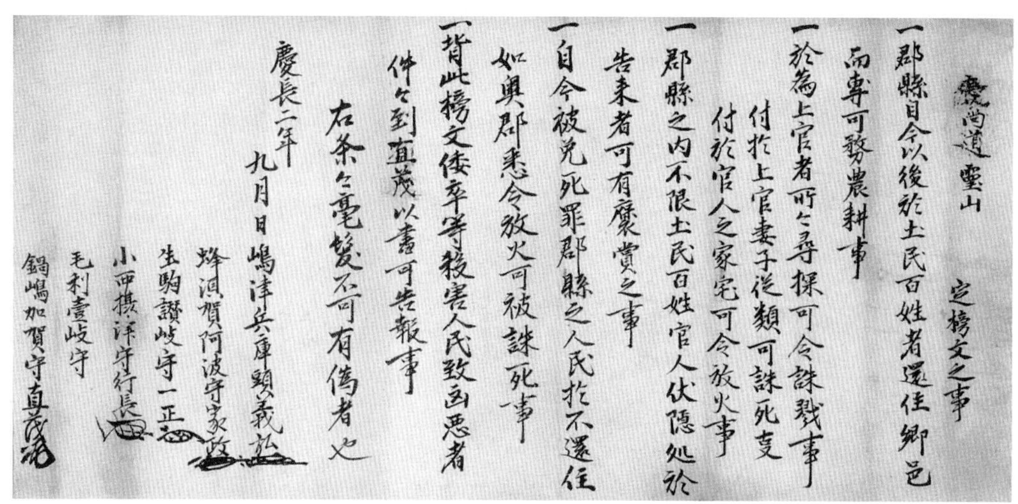
慶尚道 靈山 定榜文之事
一郡縣自今以後於土民百姓者還住鄕邑
而專可務農耕事
一於爲上官者所々尋探可令誅戮事
付於上官妻子從類可誅死支
付於官人之家宅可令放火事
一郡縣之內不限土民百姓官人伏隱処於
告来者可有褒賞之事
一自今被免死罪郡縣之人民於不還住
如與郡悉令放火可被誅死事
一背此榜文倭卒等殺害人民致凶悪者
件々到直茂以書可告報事
右条々毫髮不可有僞者也
慶長二年 九月 日 嶋津兵庫頭義弘
蜂須賀阿波守家政
生駒讃岐守一正
小西攝津守行長
毛利壹岐守
鍋嶋加賀守直茂

「영산정방문靈山定榜文」, 종이에 먹, 29.9×62cm, 일본 사가현 나고야성 박물관. 정유재란 때 경남 창녕 영산면에 걸었던 일본군의 방문으로, 조선의 관리와 그 가족을 샅샅이 찾아내 죽이고 집을 불 지르게 하며, 원래 살던 곳으로 돌아오지 않는 백성들도 모두 죽이도록 하는 등 왜군 정책이 무력적이고 강압적으로 변했음을 보여주고 있다.

래가 상당한 비중을 차지하는 것도 이러한 심경과 떼어놓고 볼 수 없으리라.

한편 조선 땅에서 펼쳐지는 비극적 정경에 압도되었기 때문인지, 게이넨은 조선의 산천에 대해서는 별다른 감상을 남기지 않았다. 지리산을 지날 때 "일본에서도 아직 보지 못한 큰 산"이라거나 "저승에 있는 사후死後에 넘어서야 할 험준한 산" 정도로 표현했고, 조선의 겨울에 대해 "아아, 강이 얼어붙는 것을 보니, 들던 것보다도 훨씬 대단한 상태여서 즉흥적으로 읊는다"고 기록한 것이 보일 뿐이다. 이는 조선 땅을 감상할 만한 여유가 없었기 때문일 것이다. 또한 원치 않는 전장으로 끌려와서 위험에 처한 터에 조선의 산하는 "저승"이나 "지옥"의 이미지로 표현될 수밖에 없었을 것이다.

그림은 일본 현대 작가가 만든 조선인 포로 도조陶祖 이삼평 상像이다.
임진왜란 때 수많은 조선의 일본에 포로로 잡혀갔을 뿐 아니라 왜군도 조선의 포로로 잡혀왔다.

알려지지 않은 공로자, 항왜 사야가

임진왜란 때 왜군 중에는 조선에 투항해 왜군과 맞서 싸운 이들이 있었다. 항왜降倭, 즉 '항복한 왜군'이다. 어느 전쟁이든 항복한 군사가 없지 않겠지만 임진왜란의 경우는 그 수가 수천 명에 이르렀다. 『조선왕조실록』에 오른 기록만 해도 100여 건에 이르며, 『징비록』에서도 김응서가 왜를 이용해서 수많은 왜를 유인했다는 등의 기록이 남아 있다. 『조선왕조실록』의 기사 한 건을 살펴보자.

> 비망기로 김신원金信元에게 전교하였다.
>
> "전일 투항한 왜병에 대해 의심하지 않는 이가 없었고 불평하는 말도 많았는데 나만이 그렇지 않다고 밝히면서 많은 인원을 끌어내려 하였으나 많은 신하의 저지를 받아 끝내 제대로 시행하지 못하였다. 그런데 지금 항왜降倭들이 먼저 성 위로 올라가 역전力戰하여 적병을 많이 죽이고 심지어는 자기 몸이 부상당해도 돌아보지 않고 있으니, 이는 항왜들만이 충성을 제대로 바치고 있는 셈이다. 과연 묘당廟堂에서 하는 말처럼 적과 내응하고 적을 끌어들였는가. 적병을 죽였거나 역전한 항왜는 모두 당상으로 승직시키고 그다음은 은銀으로 시상할 일을 시급히 마련하여 시행하도록 하라."(『조선왕조실록』, 선조 30년(1597) 8월 17일조)

국왕 선조가 항왜의 공을 시상하라고 명한 뜻을 밝히고 있다. 항왜의 본심을 의심하며 받아들이지 않으려 했던 신하들을 책망하는 마음을 드러낸 것이 주목할 만하다. 형세가 불리해서 투항했지만 달아나려 한다거나 거짓으로 투항하고 내응하려는 흉계를 감추고 있지 않은가 하는 의심이 신하들에게 있었음을 알 수 있다. 그렇지만 이러한 의심들이 모두 잘못된 것이었음을 실제 전투 과정에서 알 수 있었노라고 국왕은 반박하고 있는 셈이다.

사실 항왜는 여러모로 유용한 존재였다. 이들을 통해서 적의 사정을 정확히 파악할 수 있다는 장점 외에도, 항왜는 조총을 비롯한 일본의 무기 관련 기술을 전수해줄 수 있었기 때문이다. 실제로 항왜 가운데 기술자나 장교들은 조총 사격술이나 창검 사용법을 가르치거나 염초를 제조하는 일을 맡기도 했다.

그런데 이러한 항왜 가운데서도 특별한 존재가 있었다. 조선에 귀화하여 '김충선金忠善'이란 이름을 얻은 사야가沙也加(1571~1642)이다. 왜 그를 주목해야 하는가? 그가 남긴 자전적인 가사 「모하당술회가慕夏堂述懷歌」의 첫머리를 보자.

어와 이 ᄂᆡ 평생 흉험凶險도 홀셔이고
널으고 널은 천하 어이ᄒᆞ여 마다 ᄒᆞ고
남만南蠻 좌임향左袵鄕에 격설풍鴃舌風의 생장生長 ᄒᆞ여
중하中夏의 죠흔 문물文物 일견一見이 원願일너니
명천明天이 잇ᄯᅳᆺ 알고 귀신鬼神이 감동感動 ᄒᆞ여
긔 어인 청정淸正이 동벌조선東伐朝鮮 ᄒᆞᆯ 젹에
연소무식年少無識 이 ᄂᆡ 몸을 선봉장先鋒將을 슥여단ᄂᆡ
비의흥사非義興師ᄒᆞᄂᆞᆫ 쥴를 심즁心中에 알것마ᄂᆞᆫ
동토東土의 예의禮義 방을 ᄒᆞᆫ번 귀경 ᄒᆞ려ᄒᆞ고

넓디넓은 천하에서 하필이면 오랑캐 땅인 일본에 태어났다는 말을 앞세웠다. 좌임향左袵鄕이나 격설풍鴃舌風은 오랑캐의 땅과 문화를 가리키는 말이다. 그래서 늘 아름다운 문물을 동경해왔다고 했다. 그러던 중 가토 기요마사加藤清正가 조선을 침범하면서 어리고 무식한 자신을 선봉장으로 삼아서 데려왔는데, 이 전쟁이 의롭지 못한 것임을 잘 알고 있지만 예의지국 조선을 한번 구경하고자 그 뜻을 받아들였다고 했다. 말인즉슨 처음부터 조선에 투항할 결심을 하고 출전했다는 말이다. 항왜 가운데는 자발적으로 투항한 이가 있는가 하면 전황이 좋지 못해 투항한 이도 있었다. 하지만 전자의 경우는 드물었고, 특히나 처음부터 투항을 결심한 이는 더더욱 찾기 어려웠다.

김충선의 6대손 김한조金漢祚는 김충선의 생애를 정리하고 유작을 모아 1798년에 문집을 간행했다. 현재 규장각한국학연구원 등에 소장된 『모하당집慕夏堂集』이 그것이다. 이 문집에 의하면, 김충선은 4월 13일에 선봉장으로서 3000명의 병사를 거느리고 부산에 상륙했다고 한다. 그곳의 풍토와 문물이 듣던 바와 같음을 보고는 곧 투항을 결심했고, 4월 20일에 강화講和를 청하는 글을 올렸다. 이후 여러 차례 전공을 세웠고 이듬해에는 조정에서 조선의 성명을 특사特賜했다고 한다.

김충선, 즉 항왜 사야가는 일본 입장에서는 부정하고 싶은 존재였을 것이다. 이에 일제강점기 초기에 일본인들은 그의 문집이 위서僞書임을 주장했다. 그들 입장에서 김충선은 '일본인'일 수 없다는 것이었다. 그러나 그것을 입증해내기란 어려웠다. 무엇보다 김충선이 진주목사 장춘점張春點의 딸과 혼인하여 낳은 후손들이

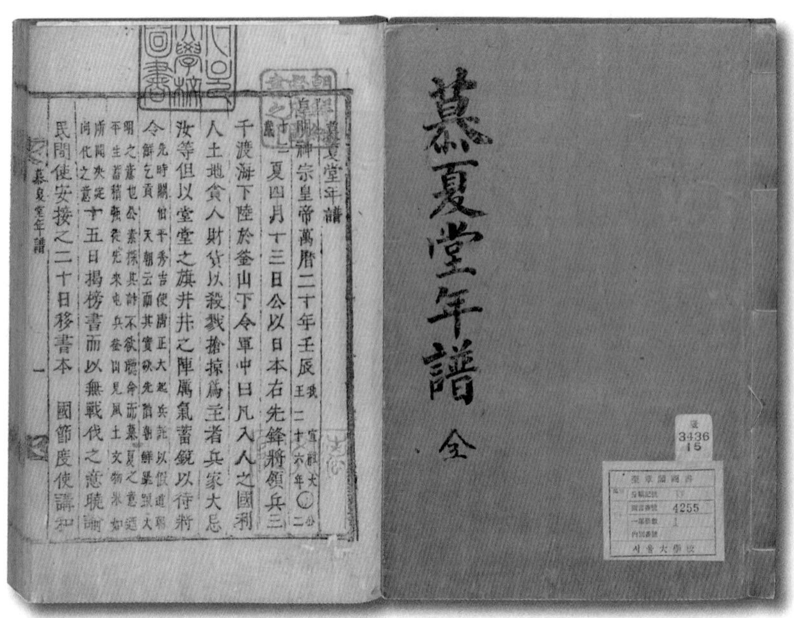

慕夏堂年譜

神宗皇帝萬曆二十年壬辰

夏四月十三日公以日本右先鋒將領兵三
千渡海下陸於釜山下令軍中曰凡入人之國利
人土地貪人財貨以殺戮搶掠爲主者兵家大忌
汝等但以堂堂之旗井井之陣厲氣蓄銳以待將
令
十五日揭榜書而以無戰伐之意曉諭
民間使安接之二十日移書本 國節度使講和

慕夏堂年譜 全

『모하당집』, 김충선, 규장각한국학연구원.

우록동(대구광역시 달성 가창면)에 살고 있었기 때문이다. 김충선의 후손들이 일제강점기 동안 숱한 차별과 고난을 겪었던 것은 이러한 배경 때문일 것이다.

김충선의 활동과 이력을 둘러싼 논란

『모하당집』에 따르면, 투항 이후에 김충선은 경상도 일대의 의병들과 함께 활동했고 조총 다루는 법을 가르치기도 했다. 정유재란 시기에는 김응서의 휘하에서 많은 전공을 세웠다. 이때 명나라 장

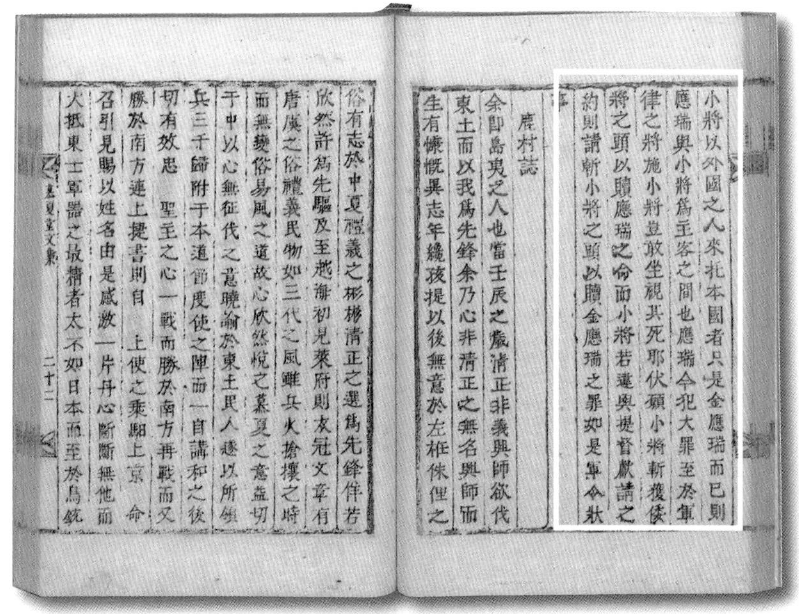

小將以外國之人來托本國者只是金應瑞而已則
應瑞與小將爲主客之間也應瑞今犯大罪至於軍
律之將施小將豈敢坐視其死耶伏願小將斬獲倭
將之頭以贖應瑞之命而小將若違與提督獻請之
約則請斬小將之頭以贖金應瑞之罪如是軍令狀

鹿村誌

余即島夷之人也當壬辰之歲淸正非義興師欲伐
東土而以我爲先鋒余乃心非淸正之無名興師而
生有慷慨異志年纔孩提以後無意於左衽侏俚之

俗有志於中夏禮義之彬彬淸正之選爲先鋒伴若
欣然許爲先驅及至越海初見萊府則衣冠文章有
唐虞之俗禮義民物如三代之風雖兵火搶攘之時
而無變俗易風之道故心欣然悅之慕夏之意益切
于中以心無征伐之意曉諭於東土民人遂以所領
兵三千歸附于本道節度使之陣而一自講和之後
切有效忠 聖主之心一戰而勝於南方再戰而又
勝於南方連上捷書則自 上使之乘馹上京 命
召引見賜以姓名由是感激一片丹心斷斷無他而
大抵東土軍器之最精者太不如日本而至於鳥銃

慕夏堂文集 二十二

김충선의 군령장, 『모하당집』, 규장각한국학연구원. 오른쪽에 표시된 부분이 군령장의 내용이다.

수 마귀麻貴가 자신의 절제를 벗어난 김응서를 군율로 다스리겠다고 한 일이 있었는데, 김충선은 자신이 공을 세워서 김응서의 잘못을 갚도록 해달라는 내용의 군령장軍令狀을 쓰고 싸움에 나서서 실제로 큰 승리를 거둔 일도 있었다고 한다. 이때의 군령장이 문집에 실려 있는데, 가사인 「모하당술회가」에서도 "提督이 大怒ᄒᆞ여 우리 元帥 베려 ᄒᆞᄂᆡ/ 軍令狀 急히 들고 伏地ᄒᆞ고 알왼 말ᄉᆞᆷ/ 倭將頭 버혀 들여 元帥贖命 ᄒᆞ오리다"와 같이 이때의 일을 서술하였다.

김충선은 임진왜란이 끝난 후에는 우록동에 터를 잡고 생활했지만, 자신의 능력을 필요로 할 때에는 적극적으로 요청에 응하였다. 이괄의 난이 일어났을 때에는 항왜 출신인 서아지徐牙之의 목을 베는 공을 세웠으며, 병자호란 때는 국왕을 호종扈從하기 위해 우록동을 나서기도 했다. 각각 54세와 66세 때의 일이다.

한편 『모하당집』에 수록된 글 가운데는 김충선이 실제 전투 이외에도 임진왜란 당시에 중요한 역할을 수행했음을 짐작케 하는 부분이 보인다. 그것은 조총을 비롯한 일본의 무기와 관련된 기술을 조선의 병사들에게 전수하는 것이었다. 통제사 이순신에게 보낸 답서는 그러한 면에서 주목할 만하다. 그중 한 부분을 살펴보자.

하문하신 조총과 화포에 화약을 섞는 법은, 지난번 비국備局의 관문關文에 따라 이미 각 진영에 가르쳤습니다. 이제 또 김계수金繼守를 올려 보내라는 명령이 있사오니, 어찌 감히 따르지 않겠사옵니까.(「통제사

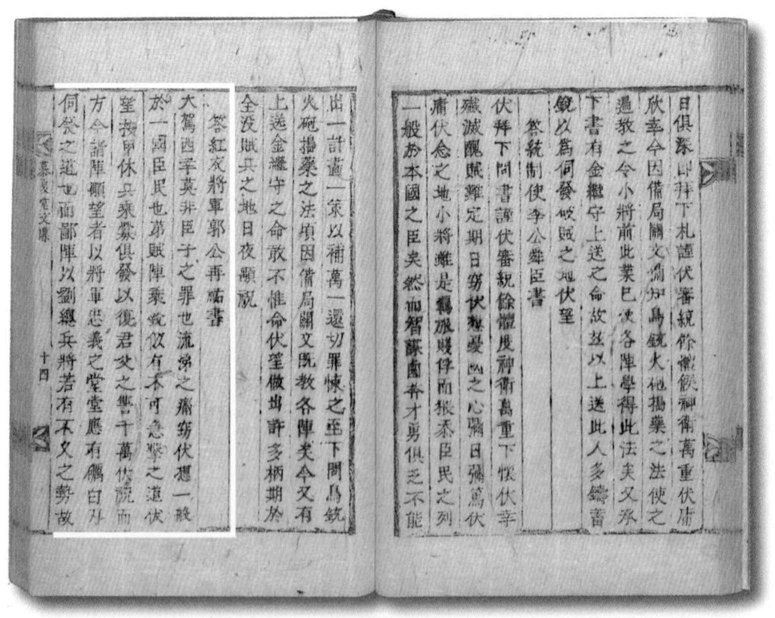

日俱深即拜下札謹伏審統餘體候神衛萬重伏庸
欣幸今因備局關文須知鳥銃火砲搗藥之法使之
遍教之令小將前此業已使各陣學得此法矣又承
下書有金繼守上送之命故玆以上送此人多鑄[illegible]
銃以爲何發破賊之地伏望

答統制使李公舜臣書

伏拜下問書謹伏審統餘體度神衛萬重下情伏幸
殲滅醜賊難定期日第伏想憂國之心彌日彌篤伏
庸伏念之地小將雖是羈旅賤俘而猥忝臣民之列
一般於本國之臣矣然而智[illegible][illegible]才勇俱乏不能

出一計畫一策以補萬一還切罪悚之至下問鳥銃
火砲搗藥之法頃因備局關文旣教各陣矣今又有
上送金繼守之命敢不惟命伏望俯出許多柄期於
全沒賊兵之地日夜顒祝

答紅衣將軍郭公再祐書

大駕西幸莫非臣子之罪也流涕之痛窮伏想一般
於一國臣民也第賊陣聚勢似有不可急擊之道伏
望擐甲休兵乘機俱發以復君父之讐千萬伏祝而
方今諸陣願望者以將軍忠義之堂堂應有儞白外
何發之道也而鄙陣以劉總兵將若有不久之勢故

慕夏堂文集 十四

김충선이 보낸 「통제사 이순신 공께 답하는 글答統制使李公舜臣書」, 『모하당집』, 규장각한국학연구원.

이순신 공께 답하는 글答統制使李公舜臣書」)

이처럼 투항 이후의 김충선의 행적이 비교적 소상히 기록된 반면에, 투항 이전 즉 일본에서의 이력과 활동은 아직 정확히 알려지지 않았다. 여러 가설이 제기된 바 있지만 아직 정설은 없는 형편이다. 일본 측에 사야가와 관련된 기록이 없을 뿐 아니라, 김충선의 문집에서도 연보에 의심스러운 부분이 발견되기 때문이다. 특히 4월 13일에 부산에 상륙한 왜장이 가토 기요마사가 아닌 고니시 유키나가라는 점, 22세의 나이로 3000명의 병사를 거느릴 정도의 장수는 거의 없다는 점 등이 문제가 된다.

일본의 작가 시바 료타로司馬遼太郎가 일본 이름으로는 어색한 '사야가'라는 이름이 붙여진 연유에 대해 가설을 제시한 이래 몇몇 구체적인 인명이 거론된 바 있지만, 아직은 이러한 조건들을 갖춘 인물을 명쾌하게 제시하지 못하고 있다. 그렇지만 오늘날에는 왜장 사야가가 조선에 귀화하여 김충선이라는 이름의 장수로 활동했다는 사실 자체에 대해서는 한일 양국에서 모두 인정하고 있다. 그러한 배경 하에서, 밝혀지지 않은 부분을 상상력으로 채운 여러 편의 소설이 발표되기도 했다.

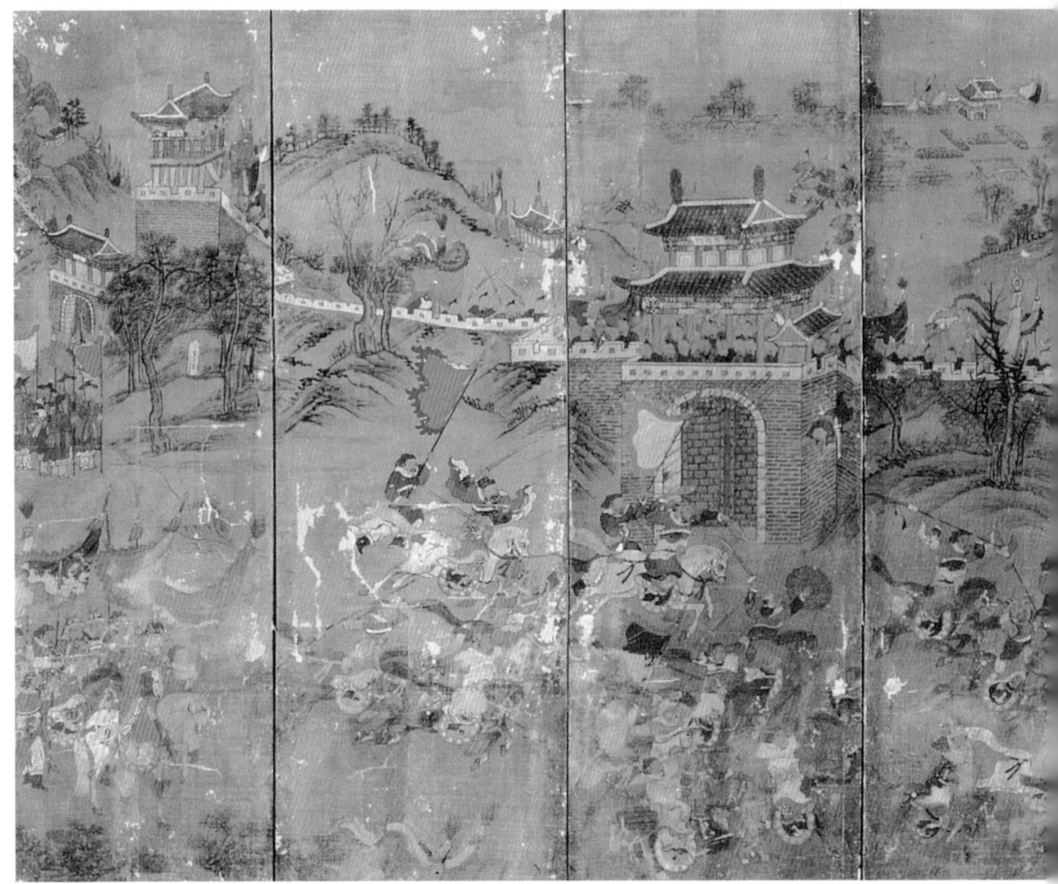

「임란전승평양입성도병」, 종이에 채색, 96.7×329.5cm, 조선 후기, 고려대박물관.

조선 땅에서 가정 꾸린 중국인, 천만리

명나라 군대의 일원으로 조선 땅을 밟은 이들 가운데도 명나라로 돌아가지 않고 조선 땅에 머물렀던 이들이 있었다. 이들 귀화인 가운데에 자신의 생애를 기록으로 남겨 후손에 의해 문집이 간행된 이도 있었다. 천만리千萬里(1543~?)가 그러한 인물이다. 그의 시호諡號를 내려줄 것을 청한 고종대의 상소가 실록에 전하는데, 그

앞부분에 천만리의 활동이 서술되어 있다.

의관議官 이봉래李鳳來 등이 올린 상소의 대략에,

"명나라 수위사 겸 총독장守衛使兼總督將 천만리千萬里는 만력萬曆 임진년(1592)에 조병영양사調兵領糧使로서 철기鐵騎 2만 명과 아들 천상千祥을 거느리고 제독提督 이여송李如松을 따라 압록강을 건너 곽산郭山에서 첫 싸움을 하여 이긴 다음 평양으로 진군하여 주둔하고 있는

적을 포위하였습니다. 제독이 천만리와 함께 칠성문七星門을 공격했는데, 대포로 문짝을 부수고 군사를 정돈하여 들어가 승세를 타고 싸운 결과 1280여 급級을 참획斬獲하였습니다. 계속 싸우면서 동래에까지 이르는 동안 연전연승함으로써 적의 예봉을 꺾어놓았습니다. 정유년(1597)에는 또 중사마中司馬로서 와서 일본 군사와 직산稷山에서 싸웠는데, 매복하였다가 들이치자 적들은 풀대 쓰러지듯 하였으며 울산까지 도망치는 적을 승세를 타서 곧바로 무찔러버리고 그 공로를 서생진西生鎭의 층암절벽에 새겼습니다. 명나라 군사가 돌아가게 되자 그대로 왕경王京에 머무르면서 금강산에 세 번 가보고 두류산에 두 번 올랐는데, 이르는 곳마다 시를 읊어 감회를 털어놓았습니다. 대체로 그가 고국에 대한 그리움을 억누르고 이국땅의 고신孤臣이 된 것은 명나라가 마지막 운수에 들어서고 중국이 오랑캐 땅으로 되리라는 것을 환히 알아서 후손들이 오랑캐 땅에 들어가지 않게 하자는 것이었습니다."(『고종실록』, 1901년 9월 30일)

명나라의 장수로 병사 2만 명을 거느리고 조선 땅을 밟았으며 여러 차례 전공을 세웠다고 했다. 정유재란 시기에도 울산까지 적을 추격해서 무찌르는 공을 세웠다고 했다. 그런데 그러한 공을 세우고서도 명나라로 돌아가지 않았다고 했다. 이유가 무엇이었을까. 이봉래의 상소문에서는 명나라의 앞날을 짐작하고 오랑캐 땅에 들어가지 않으려 했던 것이라고 설명했다.

천만리가 쓴 「자서自敍」에는 이와 같은 언급이 없다. 어머니가 자신을 잉태했을 때 꿈에 기이한 조짐이 있어 멀리 떨어지는 것을 근심하면서 '만리萬里'라는 이름을 지었다고 했으니, 일종의 운명으로 이해한 듯도 하다. 임진왜란이 끝난 시점에 천만리는 이미 56세였는데, 조익보趙翼輔의 딸과 혼인하여 '왕검고성王儉古城'에 머물렀다고 했다. 조선 땅에서 가정을 새로 꾸린 것이다. 그리고 이후에는 조선에서 자신을 화산군花山君으로 봉하고 자손들에게도 녹봉을 받게 했다고 하였으니, 조선 땅에 편안히 머물러 살 수 있게 된 셈이다.

천만리의 사적은 1846년에 후손 천석규千錫奎가 간행한 문집인 『사암실기思庵實記』에 남겨졌다. 그런데 문집에 실린 내용을 그대로 받아들일 수 있는지는 다소 의문스럽다. 임진왜란 당시 출전한 명나라의 주요 장수들을 다룬 몇 가지 문헌에서 천만리라는 이름을 발견할 수 없기 때문이다. 세부적인 사실 기술 가운데 일부 오류가 있을 가능성은 배제하기 어렵다. 그렇지만 여러 차례 진행된 추숭 사업과 그의 문집에 실린 한시 작품들을 고려할 때, 천만리라는 명나라 출신 귀화인의 존재 자체는 충분히 인정할 수 있을 것이다.

천만리의 조선 여행과 관련하여 주목되는 것은, 그가 조선 땅에 남아서 금강산에 세 차례 가보고 두류산, 즉 지리산을 두 번 올랐다고 한 부분이다. 앞의 상소문에서도 그러한 내용이 언급되어 있거니와, 천만리 자신의 시문詩文에서도 이러한 사실을 확인할 수 있다. 그렇다면 조선의 명승지에서 귀화인 천만리는 무엇을 느꼈을까?

태고의 봉우리에서 눈물은 그치지 않는데 　　太古峯頭淚不休
하늘에 걸린 지는 달은 슬픈 마음을 비추네 　　空懸落月照心愁
오늘 고향에는 누가 있을까 　　鄕園此日知誰在

「지리전도」, 김윤겸, 34×40cm, 18세기, 국립중앙박물관. 천만리는 지리산을 두 차례 올랐지만 그 경치를 보고 감탄하기보다는 이국땅에서의 슬픔을 노래했다.

구름을 빌려다가 옛 놀던 데 보냈으면　　　借得歸雲送舊遊

(「왕문규 공과 함께 금강산에 오르다與王公文奎登金剛山」)

금강산에 올라 쓴 시 가운데 한 편이다. 이 작품에서 눈에 띄는 것은 고향에 대한 그리움의 속내이다. 금강산 자체의 아름다움이나 신비함 같은 것은 거의 보이지 않는다. 이는 천만리의 다른 작품들에서도 발견되는데, 고향에 대한 언급이 드문 김충선의 경우와는 큰 차이를 나타낸다. 천만리는 높은 산에 여러 차례 올랐는데, 어쩌면 그러한 행위는 고향 땅을 멀리서나마 볼 수 있기를 바라는 심정 때문은 아니었을까. 천만리는 이국땅에 뿌리를 내리고서도, 마음 한구석의 아픔 때문에 그곳의 풍경을 제대로 바라보지 못한 것은 아니었을까.

4장

36명 네덜란드인의 조선 생존기

⊙

하멜 일행의 표류기

정호훈

먼먼 바닷길로 항해를 하다가 거센 폭풍을 만나 배가 난파되고, 천신만고 끝에 살아나 아무도 아는 이 없는 이국땅에서 13년 동안 힘들게 목숨을 부지하는 삶은 어떠했을까? 먼 곳 말도 통하지 않는 지역으로 무역하러 떠난 남편, 아들이 탄 배가 난파되어 실종되었다는 기별만 남긴 채 사라져버렸다면, 살아남은 가족들의 심정은 어떠했을까?

17세기 중엽 네덜란드 동인도 회사의 선원으로서 하루아침에 폭풍우에 휘말려 제주도로 떠내려왔다가 13년간 조선에 산 뒤 다시 고향 네덜란드로 돌아간 하멜이 남긴 표류기는 이 세상 삶에서는 쉽게 볼 수 없는 기막히기 그지없는 사연을 우리에게 들려준다. 지금으로부터 350여 년 전 아득한 과거에 있었던 일이고, 또 우리와 피 한 방울 섞이지 않은 이방인들의 이야기지만, 남겨진 기록을 찬찬히 들여다보면 그들이 겪었을 말할 수 없는 고통이 조금은 감지된다. 하멜 표류기를 읽는 것은 우리 땅으로 왔던 이방인들의 그 막막한 사연을 조금씩 느끼는 것으로 시작할 일이다.

36명 네덜란드인의 조선 생활

이름	직업	나이
헨드릭 하멜	서기	36세
마티스 에이보컨	이발사	32세
헤릿 얀전	포수	32세
베네딕튀스 클레르크	급사	27세
호버르트 데네이전	조타수	47세
얀 피테르스전	포수	36세
코르넬리스 디르크서	항해사	31세
데네이스 호베르천	급사	25세

1666년 9월 14일, 13년 28일간 조선에서의 억류생활을 끝내고 탈출하여 일본 나가사키에 도착한 네덜란드 동인도 회사 소속 선원 8명의 이름과 나이, 그들의 직책이다. 아직 8명은 조선 땅에 그대로 남아 있는 상태. 표착했을 당시 열두 살 어린애였던 데네이스 호베르천은 스물다섯 살의 건장한 청년으로 자랐고, 서른셋의 한창때이던 호버르트 데네이전은 오십의 나이를 바라보는 중늙은이가 되었다. 이들은 이제 캄캄한 죽음의 시간을 지나, 그리고 그리던 고향 네덜란드에 있는 가족의 품으로 돌아가게 될 터였다. 하멜은 나가사키에 도착한 이후 그간 조선에서의 생활과 조선에 관한 기본 정보를 정리하였다. 서기였던 까닭에 그가 이 일을 맡았다. 하멜은 시간 순으로 그간의 경험을 간추리되 기술은 최대한 간략하고 건조하게 했다. 이것이 이른바 '하멜 표류기'이다. 그간 받지 못한 임금을 받기 위한 기초 자료로 작성했기에 이 글은 본래 보고서 성격을 띠었다. 건조하게 사실만 간략히 작성한 것도 그 때문이었는데, 몇 군데 빼고는 감정 노출이 거의 없는 것을 확인할 수

17세기 네덜란드 암스테르담의 풍경. 크고 작은 선박들이 부둣가에 쇄도하고 있는 모습으로, 당시 세계로 뻗어나갔던 부와 정치의 상징이었던 네덜란드의 위력을 보여준다.

있다. 이 표류기를 따라 하멜의 여정을 추적해보자.

하멜 일행이 제주도에 표착한 것은 1653년 8월 15일이었다. 두어 달 전 무역선 스페르버르 호를 타고 자카르타의 바타비아 항을 출발, 대마도를 거쳐 일본의 나가사키로 항해하던 중 심한 폭풍을 만나 표류하다가 결국은 배가 바위를 들이받고 침몰하는 통에 제주 앞바다에 빠졌던 것이다. 지금도 해마다 열 몇 개씩 발생하는 태풍 가운데 하나를 만난 것이리라. 이때 살아남은 사람은 일등 항해사 헨드릭 얀서를 포함하여 모두 36명이었다. 해안가의 바위에 부딪혔기에 망정이지, 육지에서 조금만 더 멀리 떨어진 곳에서 침몰했다면 그 폭풍우 속에서 살아남는 것은 불가능했을 것이다. 선장을 비롯한 예닐곱 명의 선원은 시체로 발견되어 표착한 해변에 매장할 수 있었다. 하멜 일행이 도착한 곳은 제주도 남단, 대정현大靜縣의 대야수大也水 연변이었던 것으로 추정된다. 지금 제주도 모슬포에는 하멜 표류를 기리는 기념탑이 세워져 있다.

하멜 일행이 표착하자 대정현감 권극중, 제주목사 이원진은 이들에게 잠자리와 먹을거리를 제공하며 보호하는 한편 정부에 보고하여 처분을 기다렸다. 조선에 머물게 할 수도 있고 일본으로 보낼 수도 있었는데, 정부에서는 이들을 서울로 올려 보내라는 결정을 내렸다. 이때까지 소요된 기간은 약 8개월이었다.

처음 제주도에 발을 내디뎌 조선 사람을 만나는 과정에서 느낀 하멜 일행의 공포는 엄청났다. 이들은 걸핏하면 조선인들이 자신들을 죽일 것이라는 두려움에 떨었다. 일본이나 중국도 아닌 미지의 나라에 와 말도 통하지 않는 상태에서 나오는 자연스런 감정일 수도 있었지만, 그러나 이는 조선을 잘 모르는 데서 나온 극단적인

「제주십경」 중 '산방山房', 51.8×30.2cm, 19세기, 국립민속박물관. 하멜 일행이 폭풍우 속에서 처음 당도한 곳은 제주도 대정현 부근으로 추정된다. 그림은 제주의 경치 좋은 곳 가운데 대정현 동쪽 10리에 홀로 특출나게 솟아 있는 산을 그린 것이다.

것이었다. 조선 관리들의 편안한 대우를 계속 접하면서 이들은 마음의 경계를 풀었으며, 나중에는 이들의 호의를 진정 고마워했다. 조선의 관리들은 될 수 있는 한 이들을 편안하게 대했다. 이들을 만났을 때 며칠 동안 아무것도 먹지 못한 것을 보고는 마음을 쑤어 속을 다스리게 했고, 따뜻하게 지내도록 묵을 곳을 정해주었다. 죽음의 문턱을 넘어선 사람들을 향한 인정의 자연스런 발로였을 것이다. 물론 하멜 일행은 그들이 잠자던 곳을 마구간과 같은 곳이라 평가하기도 했지만, 그곳은 당시 제주 사람들의 주거지와 비교하여 그렇게 차이 나는 것은 아니었다.

제주도에서 이들 일행이 마음을 어느 정도 가라앉힐 수 있었던 것은 우선 네덜란드인 벨테브레이를 만난 것이 한 계기가 되었다. 17세기 초반 동인도 회사의 선박을 타고 항해하다 우연히 제주도에 내려 발이 묶였던 벨테브레이는 박연이란 이름으로 개명한 후 조선의 군인으로 정착해서 살고 있었다. 하멜이 도착하자 조선에서는 그를 내려 보내 이들을 조사하게 했던 것이다.

> 10월 29일 오후에 서기와 일등 항해사 그리고 하급 선의下級船醫가 제주목사에게 불려갔다. 그곳에 가보니 붉은색의 긴 수염을 가진 어떤 사람이 있었다. 목사가 그는 '어떤 사람'인지 묻기에 우리는 '우리와 같은 네덜란드 사람'이라고 대답했다. 목사는 웃으며 그가 조선 사람이라고 우리에게 손짓 발짓으로 설명해주었다.

하멜 일행은 말이 통하는 같은 네덜란드인이 조선에 산다는 사실에 놀라워하고 또 안심하기도 했다. 박연 또한 이들을 만나면서

元山東濟南府止川縣人劉東渠劉承汝王滿官張
龍泉徽州人胡明先蘇州府從明縣人陸大官李明
宇淮安府人馬秀宇馮八及苗珍賫也同年四月二
十九日分載兩隻船出送康津都會官次次上去而
其所持卜物狐皮人蔘松子細絲錦段藥材百餘駄
亦載一船直往開城府卸下

西洋國漂人記時牧使李元鎭判官盧錠大靜縣監權克中

癸巳七月二十四日西洋國蠻人한듥얌신等六十
四名同乘一舡致敗于大靜縣地方遮歸鎭下大也
水沿邊渰死者二十六名病死者二名生存者三十
六名所着衣里白赤三色相雜聚首相向或踞或立
以書問之則畫十字三以零數六仍叩其胷且畫十
字二零數六仍作合眼傾倒之狀形容怪異衣裳殊
制雖不通言語而自叩其胷者意是生者之數合眼
傾倒者死者之數照驗其生死之數則果然矣漢倭
譯及琉球國漂海還來者皆不通語無路問情疑是
南蠻西洋等國人以此啓聞則下送南蠻漂來人
朴延以譴書及譯問答別紙馳啓○朴延與漂蠻三
人初頭相接良久熟視曰與我如兄弟之人也因為
相語悲泣不已朴延亦泣翌日朴延盡招蠻人使之

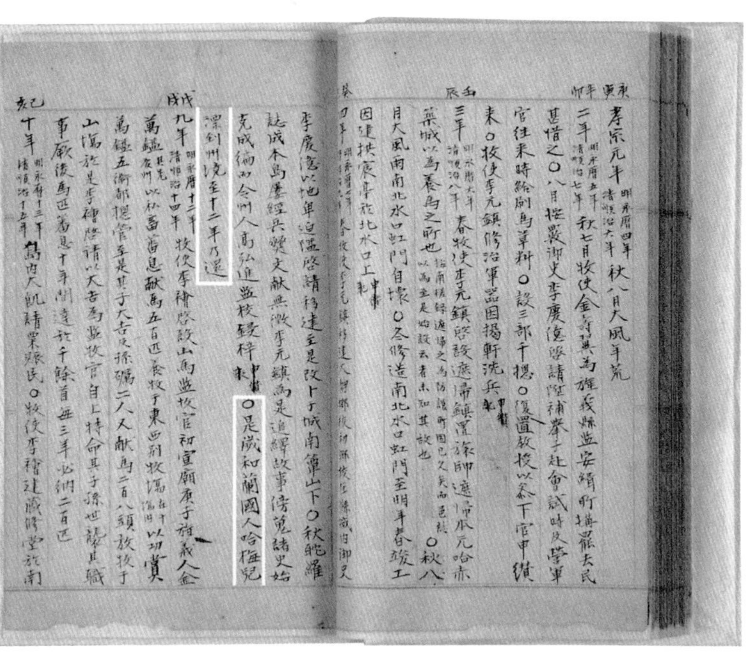

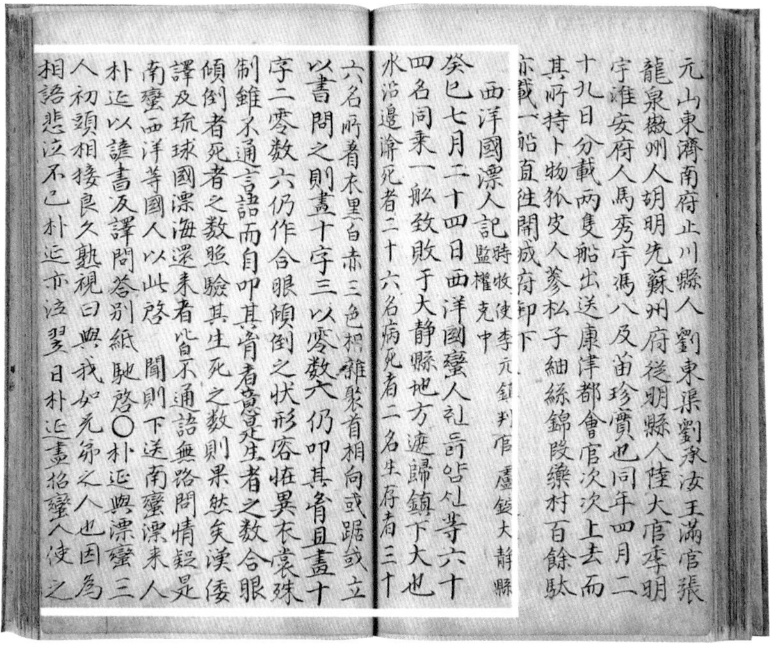

『탐라기년耽羅紀年』과 『지영록知瀛錄』에 기록된 하멜 일행의 표류 기록, 국립제주박물관. 『지영록』은 목사 이원진 이후 두 번째로 부임한 목사 이익태가 작성했다. 일등 항해사인 헨드릭 얀서의 이름이 '한듥얌신'으로 표기되어 있고, 그들이 표착한 곳이 대정현 대야수 연변임을 확인할 수 있다.

엄청난 감회에 사로잡혔다. 하멜의 표류기에는 처음 박연의 반응이 어떠했던가는 전혀 기록되어 있지 않다. 그러나 목사 이익태(재임 1694~1696)가 작성한 『지영록』에는 "박연과 표착한 세 사람이 오랫동안 쳐다보고 있다가 '나와 형제 같은 사람이다' 하고는 서로 슬피 울었고, 박연 또한 울었다"고 적고 있다. 18세기 말, 고위 관직을 역임한 윤행임이란 인물이 작성한 글에 따르면 박연이 그들을 만나 이야기를 나눈 뒤에 "자기 옷깃이 다 젖을 때까지 울었다"(『석재고碩齋攷』)고 한다. 고국으로부터 수만 리 떨어진 이교도異敎徒의 나라에서 동향 사람을 만나는 심정은 하멜 일행이나 박연이나 매한가지였을 것이다. 목사 이원진의 호의적인 배려 또한 이들이 심리적으로 안정을 되찾을 수 있도록 해주었다. 1651년(효종 2)에 제주목사로 내려와 3년의 임기가 다 끝나가는 시점에 하멜 일행을 만났던 이원진은 매우 우호적으로 이들을 대했다. 될 수 있는 한 먹을 것을 풍부하게 제공하고 부상자를 치료했으며, 숙소에서 자유롭게 외출할 수 있게 했고, 일본으로 살아 돌아갈 것이라는 희망을 심어주었다. 이와 함께 그는 서울로 떠날 때에 하멜 일행의 겨울 채비가 시원하지 못한 것을 보고 한 사람당 신 두 켤레, 두툼한 외투 한 벌, 가죽버선 한 켤레씩을 만들어주며 추위를 견디게 했다. 또 자기 마음대로 그들을 일본에 보내주거나 혹은 함께 본토로 데려가지 못하는 것을 매우 섭섭하게 여기고, 조정에서 이들을 해방시켜주거나 그렇지 않으면 서울로 불러올리도록 자신이 있는 힘을 다 쏟겠다고 했다.

이들이 서울로 올라오기 전 목사 임기가 끝났기에 이원진의 배려를 더는 받을 수 없었지만, 하멜은 그에 대해 "목사는 우리가 보기에 이해심이 매우 깊고 견식이 있는 것 같았다. 우리는 이 소신이 틀림없음을 누차 경험하였다. 그는 올해 70세로 서울에서 출생했으며, 명망이 있었다. 우리는 그리스도 신자에게서 받는 대우보다 이 이교도에게서 더 나은 대우를 받았다고 할 수 있다"고까지 기록했다. 이원진이 이들에게 심어준 인상이 얼마나 깊었던가를 확인할 수 있는 대목이다. 이원진은 명문 여주 이씨가의 일원으로 가문으로 보나 학식으로 보아 당대 그 누구하고도 비길 데 없는 인물이었는데, 인품 또한 훌륭했던 것이다. 이원진은 유형원의 외삼촌으로 그를 가르치기도 했으며, 성호 이익에게 5촌숙이 된다. 하멜의 기록이 유럽에 퍼졌을 때, 유럽 사람들은 아마도 이원진이 베푼 인정어린 행동을 보고 조선과 조선인의 문화 수준이 결코 만만한 것이 아님을 느꼈을 것이다.

가혹한 노동과 이국인에 대한 두려움 vs 조선 사람의 따뜻한 인심

하멜 일행이 조선에서 보낸 13여 년의 세월은 길고 긴 여정으로 점철되었다. 이들은 제주도에서 8개월을 체류한 뒤, 서울로 옮겨와 그곳에서 2년을 보내고 이어서 전라도 해안 지역으로 내려가 10여 년을 살았다. 이들은 이 기간 동안 국왕 호위부대에 소속되어 군인으로 지내기도 했고, 개인 주택을 구입하여 독립된 생활을 꾸리기도 했다. 그러나 이들은 표류해온 외국인으로서 고향에 돌아가지 못하고 항상 국가의 감독과 관리를 받으며 부자유스럽게 지

1668년 암스테르담에서 간행된 『하멜 표류기』 스티흐터르 판본에 실린 판화. 제주도에 난파한 스페르버르 호의 모습(위)과 창덕궁에서 효종을 알현하고 있는 일행의 모습(아래).

냈다. 전라도 해안에서 배를 구입해 일본으로 몰래 탈출해야 했던 것도 그런 생활이 한 계기가 되었다.

하멜 일행이 제주도를 떠나 서울(원문에는 sior로 표기되어 있음. 당시 조선에서는 한성보다는 서울이라는 이름을 더 흔히 쓰고 있었던 것으로 보임)로 출발한 것은 1654년 6월이었다. 이들이 제주도에 표착한 뒤, 조선 조정에서는 긴 논의 끝에 이들을 일본으로 돌려보내지 않고 군인으로 활용하고자 했다. 이들이 화포火砲를 잘 쏘는 것으로 판단한 까닭이었다. 그리하여 제주 생활을 청산하고 서울로 오게 했던 것이다.

제주에서 서울로의 이동은 조선에서의 첫 여정이었다. 제주도에서 해남으로 온 이들은 영암을 거쳐 나주, 장성, 정읍, 태인, 금구, 전주, 여산, 은진, 공주 지역을 지나 서울로 들어왔다. 이들이 이동한 경로는 전라도–충청도–서울로 이어지는 최단거리의 길이었는데, 이들은 말을 타고 매우 빠른 속도로 서울로 들어왔다. 17세기에 간행된 『고사촬요攷事撮要』에 따르면 제주에서 서울까지는 11일 반, 해남에서 서울까지는 11일이 걸렸다고 한다. 아마도 이들 역시 이 정도 시간을 들이며 이동했을 것이다. 서울로 들어온 이후 이들은 국왕을 만나고 국왕 호위부대에 배속되었으며, 조선식 이름과 직역이 새겨진 호패號牌를 발급받았다. 이제 조선의 군인으로서 매달 일정한 급료를 받으며 안정적으로 생활할 여건이 그들에게 주어진 것이었다.

조선에서 하멜 일행에게 지어준 조선식 이름은 하멜의 기록에는 나오지 않는다. 그런데 1655년(효종 6) 4월 25일의 실록에 이들 일행 중 "남북산南北山이라는 이가 청나라 사신을 만나려고 했다가

하멜 일행의 조선에서의 여정.

뜻을 이루지 못하고 죽었다"는 기록이 나오는 것으로 보아, 남씨 성도 주었던 것으로 보인다. '남' 자는 네덜란드인을 남만국南蠻國에서 온 사람으로 보는 것과 연관이 있을 것이다.

서울에서의 생활은 어려움도 있었지만 조선 사람들의 호기심 어린 인정이 베풀어졌다. 서울 사람들은 이전에 박연과 같은 사람을 보기도 했겠지만, 네덜란드인의 특이한 용모, 알아들을 수 없는 말에 굉장한 호기심을 보였다. 그랬기에 하멜 일행은 초기에는 매일 고관들의 부름에 응하여 그 가족들과 만나야 했다. '하멜 일행은 생김새가 사람보다는 괴물처럼 생겼다'거나 '음료를 마실 때에는 코를 귀 뒤로 돌린다'는 소문이 돌았기 때문에 고관의 가족들이 이를 확인하고자 했던 것이다. 네덜란드인들을 만나본 조선 사람들은 이들을 신기해하며 우호적으로 대했다. 하멜은 "대부분의 조선인은 우리가 못생겼다고 여기지 않고 우리의 흰 피부를 부러워했다"고 적고 있다. 세상에 보지 못한 하얀 피부에 조선 사람들은 선망의 마음이 들었을까? 이들은 이 무렵 조선말을 익혀 쉬운 대화는 능히 할 수 있는 정도가 되었던 듯하다. 제주도 시절부터 조금씩 조선말로 소통할 수 있었지만, 서울 생활을 하면서는 조선말 실력이 더 늘었던 것이다.

하멜 일행의 서울에서의 생활은 오래가지 못했다. 청나라 사신에게 이들의 존재가 알려질 것을 매우 두려워했던 조정에서 이들을 지방으로 내려 보내기로 했기 때문이다. 상황이 그렇게 되었던 것은 이들 가운데 일등 항해사 헨드릭 얀서와 또 한 사람이 조선에 왔던 청나라 사신에게 찾아가 그들이 체류하고 있던 사정을 알리는 돌발 행동을 했기 때문이었다. 1655년 봄에 일어난 일이었다.

앞서 실록에 나온 남북산의 사건이 바로 이것이다.

조선에 온 외국인을 청에 알리지 않고 국왕의 호위군사로 두었다는 사실 자체가 크게 문제를 일으킬 수 있는 사안이었다. 정부에서는 청의 사신에게 뇌물을 써서 이 일을 무마했던 것으로 보이는데, 어쨌든 이 때문에 골머리를 앓았다. 이후 청나라 사신이 여러 차례 조선을 왔다 가자, 조정에서는 이들을 죽이자는 등 여러 의견을 내며 갑론을박을 벌였고, 결국 전라도 강진의 병영으로 내려가서 살게 하는 것으로 결론을 내렸다. 서울 생활은 이렇게 해서 끝이 났다.

서울을 떠난 것은 1656년 3월이었다. 이때 남아 있던 일행은 33명이었다. 한 명은 예전 제주도에서 해남으로 올 때 병사했고, 두 명은 서울에서 청나라 사신을 만났다가 구금된 뒤 사망한 터였다. 일행은 한강 가에서 박연 및 몇몇 친한 사람과 작별하고 제주에서 올라오던 길을 되짚어서 목적지 강진으로 내려갔다. 박연과의 이별 장면은 매우 건조하게 서술되어 있다.

> 1653년 3월 초 우리는 말을 타고 서울을 떠났다. 서울에서 1마일 정도 떨어져 있던 강까지 벨테브레이와 평소 알고 지내던 사람 몇 명이 동행했다. 우리가 나룻배에 몸을 실었을 때, 벨테브레이는 다시 서울로 돌아갔다. 그것이 벨테브레이를 본 마지막이었고, 다시는 그에 대한 소식을 듣지 못했다.

강진에서의 생활은 1656년 봄부터 1662년까지 6~7년간 지속되었다. 병영에 머무는 동안 이들은 여러 명의 병사兵使를 만났다. 병

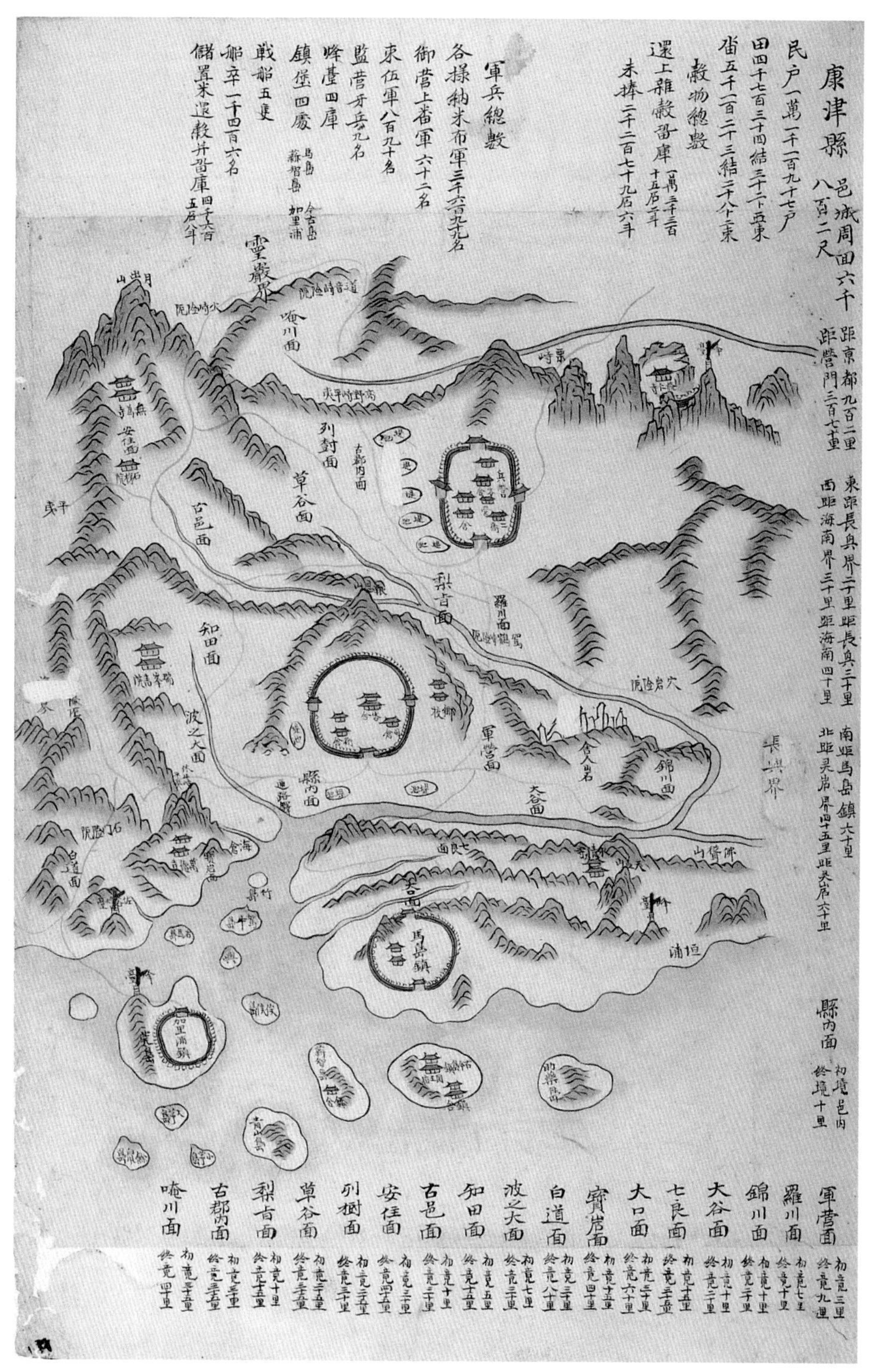

『해동지도』 중 7책 '강진현', 종이에 채색, 47×30.5cm, 보물 제1591호, 1750년대, 규장각한국학연구원. 하멜 일행의 서울에서의 생활이 여러모로 불안한 문젯거리가 될까 하여, 이들은 전라도 강진으로 내려 보내졌다.

사마다 이들을 대우하는 방식은 현저하게 차이가 있었는데 땔감 채취, 마당의 풀 뽑기 등의 강도 높은 노동을 강요하며 가혹하게 대우하거나, 느슨하게 방임해두거나, 아니면 엄격하게 통제하기도 했다.

강진에서의 생활은 대체로 평탄했다. 기근 때문에 먹을 것이 부족해지자 이들은 조선 사람들이 그러하듯이 구걸을 하며 끼니를 마련하기도 하는 등 궁핍함을 겪기도 했지만, 가재도구와 작은 정원이 갖춰진 집을 마련하고 고을 사람들과 친근하게 어울리며 잘 지냈다. 뒷날 정부에서 하멜 일행을 분산 배치하라고 내린 조치를 따라 이 마을을 떠날 때 이들은 정든 이웃과 헤어지는 것을 무척 아쉬워했다. 이때의 상황을 하멜은 "그들의 친절한 대우, 우정에 대해 감사하며 각기 배정된 고을로 떠났다"고 기록했다. 다른 서술에서 이러한 감정 표현을 찾는 것이 쉽지 않은 점으로 미루어본다면, 이들이 강진생활에 얼마나 정들어 있었던가를 알 수 있다.

이 기간, 그들이 만난 조선 사람들의 모습은 일부 병사들에 대한 나쁜 기억을 제하고는 따스하게 그려져 있다. 특히 승려들과는 잘 지냈던 것으로 보인다. 이 지역 승려들은 매우 관대하고도 우호적으로 이들을 대했으며, 네덜란드 등 이국의 풍습에 대한 이야기 듣기를 매우 좋아했다고 했다. 유교 지식인들과는 또 다른 성격을 지녔던 승려들의 면모였다.

하멜 일행은 조선에서의 마지막 생활을 여수, 순천, 남원 등 전라도 여러 지역에서 보냈다. 1662년(현종 3), 3년간 대기근을 겪어 재정이 어려워지자 정부에서는 이들을 강진에서 이웃 여러 고을로 나누어 보내 강진의 재정 부담을 나눠 지게 했다. 이때 각 지역으

1654년 5월 하멜 일행의 선원들이 조선 어선 하나를 훔쳐 달아나려다 관가에 붙들려가 곤장을 맞고 있는 모습(위)과 전라병사 유병익의 지시로 관청 뜰의 풀을 뽑고 있는 하멜 일행의 모습. 1668년 『하멜 표류기』 스티흐터르 판본에 실린 것이다.

로 간 인원은 여수 12명, 순천 5명, 남원 5명 등 모두 22명이었다. 처음 병영으로 올 때에 비하면 11명이 줄어든 수였다. 아마도 11명은 모두 병사한 것으로 보인다. 이들은 1666년 탈출할 때까지 모두 4년여의 시간을 이 지역에서 보낼 수 있었다.

조선에서의 생활을 끝내기로 작정하고 탈출을 본격적으로 준비한 것은 1665년부터였다. 우여곡절 끝에 작은 배 한 척을 구한 뒤, 이들은 '전능한 하느님이 언젠가는 해결책을 주리라'는 믿음을 품고 섬 사이로 오가며 뱃길을 살폈고, 식량과 땔감을 마련하여 때가 오기를 기다렸다. 탈출에 앞서 이들은 각지로 분산되어 있던 사람들과 서로 연락하며 떠날 자와 남을 자 등을 나눴던 것으로 보인다. 일단은 거사를 성공적으로 마무리할 수 있는 인물들이 물색되고 곧 실행에 들어갔다.

1666년 9월 초 여수를 떠난 뒤 이들은 9월 8일에 일본의 고토五島 섬에 무사히 도착했다. 9월 13일에는 나가사키로 옮겨졌으며 다음 날 동인도 회사의 관계자들을 만났다. 제주도에 표착했다가 일본으로 다시 오기까지 13년 28일의 긴 시간이 흐른 뒤에 이뤄진 만남이었다.

이 기간 이들의 목숨과 생활은 전적으로 조선 정부가 이들을 생존시킨다는 방침에 의해 보장되었지만, 이들을 지탱하게 한 또 하나의 힘은 아마도 독실한 신앙심이었을 것이다. 이곳은 그들의 처지에서 본다면 이교도의 나라였다. 힘들 때마다 이들은 자신들의 신에게 기도하며 기운을 얻으려고 했다. 탈출 후에도 이들은 그 영광을 신에게로 돌렸다. 하멜은 "그토록 슬픔과 고통에서 우리를 해방시킨 하느님께 어떻게 감사를 다해야 할지 모르겠다. 우리는 아직도 그곳에 남아 있는 여덟 명의 동료에게도 그 같은 축복이 내리어 그들이 조국에 올 수 있게 해달라고 빌었다"고 적었다. 네덜란드는 구교로부터 독립한 신교도들이 세운 나라였고, 국민들의 신앙심 또한 맹렬했다. 하멜 일행 또한 돈독한 신자들이었다.

조선 인상기

하멜의 표류기는 하멜이 나가사키에 1년여 머무르는 동안 집필되었다. 나가사키에 도착한 뒤 하멜 일행은 네덜란드로 바로 떠나지 못하고 일본 당국의 조사를 받으며 나가사키의 동인도 회사 상관商館이 있는 데지마出島 섬에 머물렀으며, 1667년 10월 하순에야 바타비아로 떠날 수 있었다. 이때 하멜은 그간 겪었던 일을 정리해 동인도 회사에 보고하였다. 하멜은 표류기의 맨 끝에 부록 형식으로, 나가사키를 떠나 바타비아에 도착할 때까지의 일정 또한 간략하게 기록해두었다.

하멜은 보고서에 그들 일행이 보낸 힘든 여정을 간략하면서도 생생하게 기록했다. 그들이 지나치고 겪었던 조선의 지명, 조선 사람의 심성, 조선 사람들이 그들을 대했던 태도와 마음 씀씀이, 자신들이 조선 땅에서 느꼈던 절망과 희망, 고마움 등을 이 기록을 통해 속속들이 보고 느낄 수 있다.

이와 더불어 하멜은 조선의 지형과 정치제도, 풍속, 조선인의 기질 등 조선에 관한 내용을 별도로 정리해두었다. 조선의 정치와 사회, 범죄와 형벌, 종교, 주거생활, 결혼과 남녀 관계, 교육, 장례 풍속과

「나가사키 항」, 가와하라 게이가, 비단에 채색, 57.4×79.8cm, 19세기 전반, 고베시립박물관. 하멜 일행은 조선에서의 표류생활을 끝내고 일본의 나가사키 항으로 탈출한다. 왼쪽의 부채꼴형 섬이 네덜란드 상관이 있던 데지마出島 섬이다.

상속, 조선인의 기질, 무역활동, 의료생활, 언어와 책의 문화 등이 그 주된 내용이다. 물론 조선의 역사, 조선을 둘러싼 국제정세 등에 대해서는 언급하지 않은 것이 한계이지만 이 보고서를 읽는 사람들은 조선에 관한 일반적인 견문과 이를 넘어서는 보다 전문적인 내용까지 비교적 자세히 확인할 수 있었다. 하멜 표류기에 적혀 있는 내용을 몇 가지 주제로 정리해보면 다음의 표와 같다.

국가에 대한 일반 정보 및 정치와 사회, 법률에 관한 내용

분류	내용
국가에 대한 일반 정보	·Coree, Tiocencock ·북위 34.5-44도 사이에 위치 ·8개의 도와 360여 고을 ·백성의 수가 많은 이 나라는 풍년이 들면 남쪽에서 재배되는 곡물과 면화로 충분히 자급자족 ·일본과의 거리는 남동쪽-부산과 오사카 사이 ·반도 : 북쪽으로 산맥을 사이에 두고 중국과 국경을 맞댐 ·북동쪽의 큰 바다에서는 매년 네덜란드 혹은 다른 나라의 작살이 꽂힌 고래를 발견함 ·12월과 3월에는 청어가 잡힘 ·북쪽 지역 사람들은 추위 때문에 쌀과 목화를 재배하지 못하므로 궁핍함. 이 지역에서는 인삼을 재배하며 이는 중국이나 일본과 거래됨
정치와 사회	·국왕의 권위는 청나라의 승인을 받아야 하나 절대적임 ·개별적으로 도시나 마을을 소유하는 봉건 영주는 없음 ·양반들은 소유지와 노비로부터 수입을 얻음. 일부 양반은 노비를 2000~3000명 거느림 ·왕은 전국의 기병과 군졸의 수를 파악하고 있음 ·승려의 군사적 역할이 많음 ·양반과 노비는 세금을 내는 것 외에는 의무가 없으며, 국민의 절반은 노비임 ·해안가의 각 도시는 군사 체계를 잘 갖추고 있음 ·어전 회의는 여러 대신으로 이루어진 왕의 자문기관임 ·수령 임기는 1년이며, 왕은 암행어사를 파견하여 수령을 통제함

범죄와 처벌	·왕에게 항거하거나 왕위를 찬탈하려는 사람은 멸족당함. 국가에서 반역자의 집을 허물고 재산과 노비는 압수하거나 다른 사람에게로 넘김 ·남편을 죽인 여인: 머리만 나오게 한 상태로 묻는데, 양반을 제외하고 그곳을 지나는 사람은 나무톱으로 한 번씩 그녀의 목을 켜야 함. 이 범죄가 발생하면 그 고을은 고을의 권리를 잃고 다른 고을 수령의 통치를 받아야 함 ·살인자: 살인당한 사람의 온몸을 식초와 더럽고 악취 나는 물로 씻은 후, 그 물을 깔때기로 살인자의 목에 붓고, 그 물이 가득 찬 뒤에는 곤봉을 가지고 배를 쳐 터뜨림 ·독신 남자가 유부녀를 간통하면, 그의 얼굴에 석회를 칠하고 두 귀에는 화살을 찌르며 등에는 조그만 북을 붙들어 매게 한 뒤, 네거리에서 그것을 두드리며 치욕을 보임
무역 활동	·대마도에서 온 일본인을 제외하고는 누구도 교역을 할 수 없으며, 부산에 무역소(왜관)가 있고, 대마도 도주島主가 관할함 ·일본인들은 여기서 후추, 피륙, 명반, 들소 뿔, 사슴가죽, 상어가죽 등을 판매함 ·북경과 중국 북부에서도 무역을 함 ·양반과 거상들은 은으로 거래하지만 그 외에는 쌀과 다른 곡물로 거래함 ·조선인들은 단지 12개의 국가만 알고 있으며, 우리를 남만국南蠻國으로 부름 ·담배를 남만국에서 왔다고 생각하여 남판코이nampancoij라 부르는데, 지금은 담배를 많이 피워 네댓 살 되는 아이들도 피움 ·이 나라 사람들은 식량을 자급하며 쌀과 다른 곡식들은 넘쳐날 정도로 재배. ·면과 삼으로 직물을 짜며, 누에를 많이 치지만 좋은 비단을 뽑아내는 방법은 잘 모름 ·은, 철, 납, 호피, 인삼 등이 생산됨

「죄인 회술레」, 김준근, 27.9×32.6cm, 모스크바 국립동양박물관(위). 「물레질」, 김준근, 27.9×32.75cm, 모스크바 국립동양박물관. 하멜 일행은 한 남자가 죄를 지어 조그만 북을 등에 멘 뒤 돌아다니며 창피를 당하는 일이나 비단 뽑는 일 등을 한국의 주요한 특징으로 묘사했다.

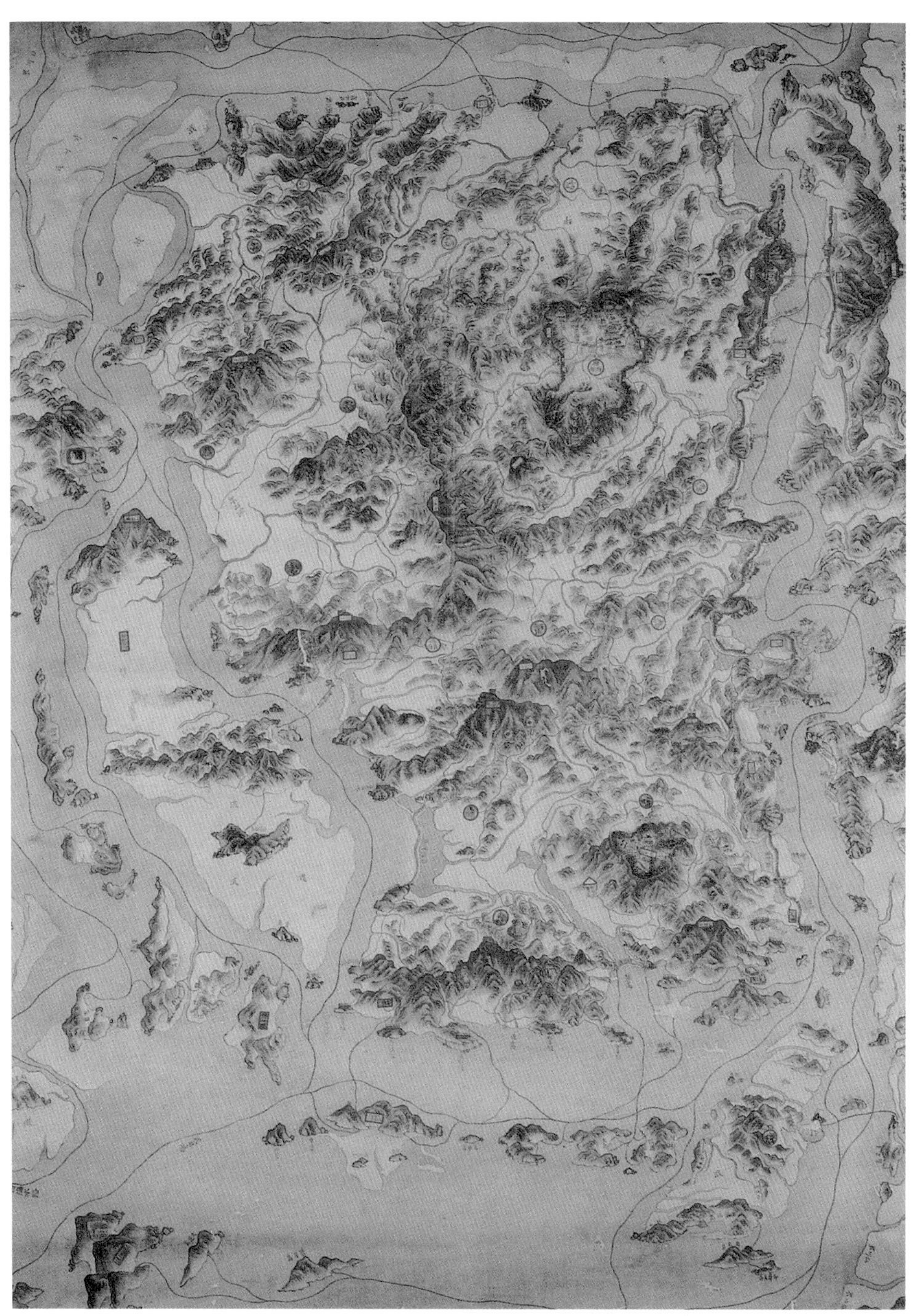

「강화부전도」, 채색필사본, 102×146cm, 1875~1894, 규장각한국학연구원. 군사적 요충지인 강화도의 성격이 지도의 돈대墩臺, 봉대烽臺, 산성山城 등의 표시로 잘 드러나 있다. 하멜 일행은 조선의 해안 도시들이 군사 체계를 잘 갖추고 있음을 인상 깊게 보았다.

조선인들의 생활상

분류	내용
종교생활	· 평민들은 우상을 믿지만, 국가에 대해 더 많은 경외심을 보임 · 불교를 많이 믿으며, 절이 매우 많음 · 승려들은 부족한 것이 전혀 없으며 학식이 풍부하면 누구든지 승려가 될 수 있음 · 승려들은 거의 존경을 받지 못하며 그 나라의 노비와 다름없음 · 승려들은 육식하지 못하며, 여자와 동침하면 안 됨. 머리카락과 수염을 깎으며, 일반 승려들은 일을 하거나 장사를 하거나 시주를 얻어 생활함 · 불상을 섬기고 고기를 먹지는 않지만, 머리 기르고 결혼한 승려도 있음 · 기생 등과 함께 놀기를 좋아하는 고관들은 사찰을 이용하며, 그래서 사찰이 도량보다는 매음굴이나 술집으로 이용되기도 함
주거생활	· 고관들의 집은 호화로우나 평민들의 집은 초라함 · 방바닥 아래에는 오븐 같은 것이 있는데, 겨울에는 날마다 불을 때어 따뜻하게 함 · 양반들의 집은 안채와 사랑채로 나뉘어져 있음 · 장사꾼과 부유한 사람들은 대개 그들의 집 옆에 조그마한 별채를 가지고 있음 · 부인들은 자유롭게 외출할 수 있음 · 그들은 여행하는 사람들을 위한 여관이나 숙소는 알지 못하며, 여행하다가 날이 저물면 아무 집에나 들어가 자기가 먹을 만큼 쌀을 내놓으면 그 집주인은 즉시 그 쌀로 밥을 지어 반찬과 함께 차려 내놓음
의료생활	· 평민들은 값이 비싸 약재를 쓰지 못함 · 일반인들은 장님이나 무당을 의사로 삼으며 그들의 충고를 따름 · 제물을 산이나 강가, 절벽과 바위에 놓고 제사 지내거나 악마의 신상을 둔 집에서 자문을 구하기도 함. 악마의 신상을 섬기는 곳은 1662년 철거하라는 명령 때문에 더 이상 이용되지 않았음 · 그들은 병을 싫어하는데, 특히 전염병을 싫어함. 전염병에 걸린 사람들은 집 밖으로 옮겨져 마을 들판의 작은 초막으로 격리되며, 환자를 돌보아주는 사람 외에는 곁에 가지 않음. 도와줄 가족이 없는 환자에게는 다가가기보다는 그냥 죽게 함 · 전염병이 퍼져 있는 집이나 마을에는 나무 등으로 표시함

「액막이 무속 의식」, 김준근, 121×69cm, 19세기, 로열온타리오 박물관. 하멜은 조선인들이 의사보다는 장님이나 무당에게 더 많이 의존하는 것을 보았다.

기질, 교육, 언어, 책의 문화

분류	내용
기질	·물건을 훔치고 거짓말하며 속이는 경향이 강한데, 거래를 하다가 속았다고 생각되면 취소할 수 있음 ·성품이 온순하며 신앙심이 매우 두텁다. 우리가 원하는 대로 가르칠 수 있다. 낯선 사람들, 특히 승려들에게 호의적임 ·그들의 마음은 여자처럼 여리다. 박연이 알려준 사실에 따르면, 청나라 군대가 침략했을 때 숲속에서 목매달아 죽은 사람이 적군에게 살해당한 수보다 많았다고 한다. 이는 자살하는 것이 부끄러운 일이 아니며 어쩔 수 없는 상황 때문에 그렇게 했다고 함
교육	·양반과 평민들은 자식을 아주 잘 교육시키려 함 ·아이들은 밤낮없이 앉아서 글을 읽으며, 나이 어린 소년들이 현인들의 저서를 읽고 이해한다는 것은 놀라운 일임 ·각 고을에는 국가와 나라를 위해 목숨을 바친 사람을 추모하기 위한 사당이 한 채씩 있으며, 이런 곳에는 양반들이 항상 책을 읽으며 그 책을 보존함 ·해마다 각 도의 두세 지역에서 과거시험이 열리고, 성적 우수자는 국왕이 친히 보는 데서 시험을 또 치름 ·부모들은 자식을 소중히 여기며 자식들도 부모를 공경한다. 부모와 자식은 서로 간에 책임을 짐 ·노비들은 자식을 거의 돌보지 않는다. 그 아이들이 일할 만한 나이가 되면 주인이 즉시 빼앗아가기 때문임
언어와 책의 문화	·조선의 언어는 여느 언어와 달리 배우기 어려운데, 이는 한 사물을 여러 방법으로 부르기 때문임 ·글은 세 가지 방식으로 씀 가. 중국이나 일본 사람들이 쓰는 것과 같은 문자(한자) 나. 흘려 쓰는 것-네덜란드식 필기체와 동일 다. 간단한 서체. 평민이나 여성들이 사용하고 매우 쉽게 배울 수 있음 ·옛날에 만들어진 인쇄된 책을 많이 가지고 있으며, 임금의 형제 혹은 왕자가 그 문서들에 대해 감독함 ·사본과 활자판은 화재나 다른 재해에 대비해 여러 고을과 요새에 보관하며, 달력은 만드는 지식이 없기 때문에 중국에서 만든 것을 사용함 ·목판으로 책을 만듦

가족, 장례 풍속과 상속

분류	내용
결혼과 가족	·4촌 이내에는 결혼을 할 수가 없음 ·여덟 살, 열 살, 열두 살, 혹은 더 나이가 들면 결혼을 함 ·여자들은 일반적으로 남자 집으로 가며, 스스로 살림을 꾸릴 수 있을 때까지 그곳에서 지냄 ·남자는 그의 부인이 몇 명의 아이를 낳았어도 내쫓을 수 있고 다른 여자를 부인으로 맞아들일 수 있으나, 여자는 판결에 의해 이혼을 허락받지 않는 한 다른 남자와 살 수 없음 ·양반이나 고관들은 대개 아내 두세 명을 한집에 데리고 살며, 그중 한 명이 집안 살림을 주재함 ·이 나라 사람들은 그들의 부인을 여종보다 낫다고 생각하지 않고, 하찮은 잘못으로도 내쫓는 수가 있다. 남자가 자식을 원하지 않으면 여자는 애들을 모두 데리고 나가야 한다. 그래서인지 이 나라 인구는 매우 많음
상속	·부모 사후 맏아들이 집과 부속물을 차지함 ·토지와 나머지 물건들은 아들들 사이에서만 나누고, 딸은 옷가지나 결혼 예물만 가져감 ·부모가 여든 살 정도 되면 맏아들이 재산을 물려받아 부모의 여생을 돌봄
장례와 제사	·자식들은 아버지는 3년, 어머니는 2년상을 치르며, 이 기간 동안에는 승려처럼 생활함 ·초상이 나면 가족들은 미친 사람처럼 길을 걸어가며 울고 슬피 곡함 ·시신은 항상 조심스럽게 매장하고, 지관들이 물이 흘러 들어올 수 없는 산에 장지를 정함 ·이중의 관에다 새옷 등을 같이 넣어 매장함 ·매장은 봄이나 가을 추수가 끝난 뒤에 하고, 여름에 죽은 사람은 짚으로 지은 작은 집에 시신을 안치했다가 매장함 ·시신은 아침 일찍 옮기는데, 장례식 전날 밤은 매우 즐겁게 지낸다. 상여꾼들은 춤추고 노래하며 유족들은 슬피 곡한다. 장례 후 사흘째 되는 날에는 친척들이 무덤에서 다시 예를 올리고 흥겹게 하루를 보냄 ·이 나라에는 점쟁이나 무당이 있는데 누구에게도 해를 끼치지 않는다. 그들은 죽은 사람이 평안히 저승에 갔는지 또 좋은 곳에 묻혔는지 말해준다. 사람들은 그의 지시에 따름

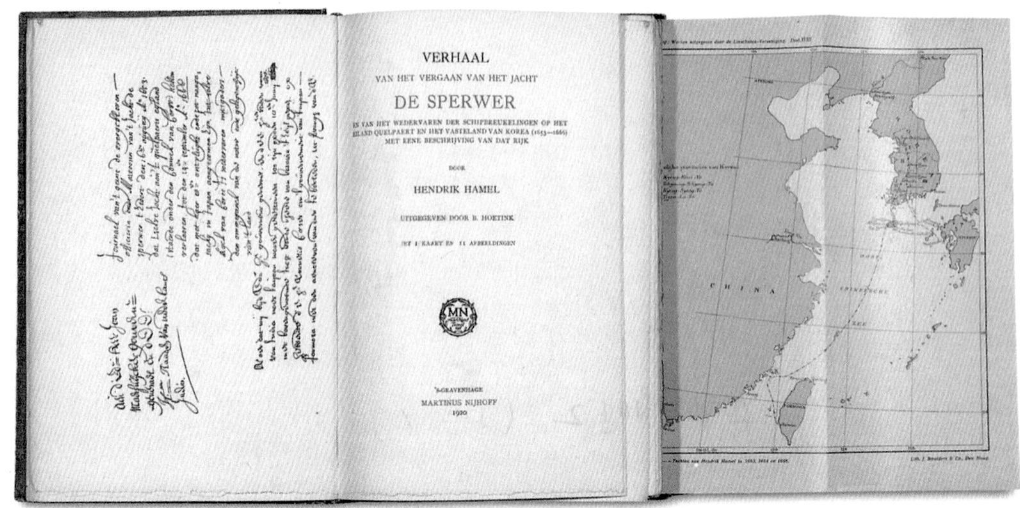

VERHAAL
VAN HET VERGAAN VAN HET JACHT
DE SPERWER
EN VAN HET WEDERVAREN DER SCHIPBREUKELINGEN OP HET EILAND QUELPAERT EN HET VASTELAND VAN KOREA (1653–1666) MET EENE BESCHRIJVING VAN DAT RIJK
DOOR
HENDRIK HAMEL
UITGEGEVEN DOOR B. HOETINK
MET 1 KAART EN 11 AFBEELDINGEN
's-GRAVENHAGE
MARTINUS NIJHOFF
1920

『하멜표류기』, 25.3×17cm, 1920, 국립제주박물관. 오른쪽 지도는 하멜 일행이 대만 앞바다에서 표류하여 제주도로 도착하는 항로를 보여준다.

하멜은 기독교인의 시각을 견지하되, 보고 들은 사실을 비교적 객관적으로 서술했으며 조선에서의 경험이나 조선의 문화를 일방적으로 폄하하지 않았다. 일행이 겪었던 13년간의 행적과 더불어 조선의 일반 사정에 대해 기록해둔 것에는 아마도 교역에 도움이 될 만한 정보를 동인도 회사에 제공하려는 의도도 있었던 것으로 보인다.

하멜의 기록에 나오는 여러 내용은 대체로 조선의 현실을 그대로 담고 있지만, 현실과는 동떨어진 정확하지 않은 점도 있었다. 이를테면 남편을 죽인 여인을 머리만 나오게 한 상태로 묻은 가운데, 지나가는 사람으로 하여금 나무 톱으로 그녀의 목을 켜게 한다는 내용은 조선의 형법에는 없는 사실이었다. 하멜이 이 사실을 직접 보고 적은 것인지, 아니면 지어낸 것인지는 명확하지 않다. 살인당한 사람의 온몸을 식초와 더럽고 악취나는 물로 씻은 후,

그 물을 깔때기로 살인자의 목에 붓고는 곤봉으로 배를 쳐서 터뜨린다는 내용 또한 조선의 형법으로는 시행하지 않았다. 이 또한 그 실체가 모호하다.

각색, 첨삭, 윤색
17세기 하멜 표류기 출판 붐

하멜이 남긴 표류기는 서양인이 조선에서의 경험을 토대로 조선에 대해 정리한 최초의 기록이었다. 여기에는 서양 사람들이 보기에 더없이 흥미로운 내용이 담겨 있었다. 게다가 이 기록은 죽음의 파도를 넘어 13년간 이교도의 나라에서 힘들게 살다가 살아 돌아온 선원들의 체험으로 채워져 있었다. 그야말로 미지의 세계에 대한 호기심과 모험심 등을 부추길 수 있는 이들의 삶의 기록이었다. 책으로 출판된다면 선풍적인 인기를 모을 가능성이 컸다. 이 시기 유럽의 독서계는 모험을 다룬 책들이 인기를 끌고 있었으므로 하멜의 표류기는 굉장히 적절한 출판 아이템일 수 있었다.

하멜의 표류기는 하멜이 네덜란드로 돌아오기 전인 1668년 7월 네덜란드 암스테르담에서 처음으로 간행되었다. 야코프 판 펠선본과 스티흐터르본의 두 간본이 그것이다. 어떤 경로로 하멜의 원고가 출판사에 넘겨졌는지는 명확하지 않다. 1669년에는 역시 네덜란드에서 사아그만본이 간행되었다. 펠선본을 비롯한 세 가지 형태의 표류기는 제목이나 내용에서 서로 적지 않은 차이를 보였는데, 그중에서도 사아그만본은 조선에는 존재하지도 않았던 코

하멜 보고서가 수록된 연합동인도 회사 공문서, 국립제주박물관.

끼리와 악어 같은 삽화를 포함시킴으로써 하멜의 기록 자체를 크게 왜곡했다. 공상적 여행담 수준으로 하멜의 기록을 격화시킨 셈이었다. 이 책들이 나온 이후 유럽 사회에서는 하멜의 표류기를 여러 언어로 번역·출판하였다. 1670년에는 미뉘톨리의 프랑스판이 나왔고 뒤이어 영국, 독일어판 등이 나왔다. 이들 책이 주로 참고한 것은 스티흐터르본과 사아그만본이었다.

출판된 하멜의 표류기는 하멜 보고서의 내용을 바탕으로 하면서도, 하멜이 남긴 자료로부터 수많은 각색, 첨삭, 윤색을 가했다. 그리하여 하멜의 본래 기록과는 다른 조선의 모습이 만들어지고, 이는 독자들에게 조선의 모습인 듯 각인되었다. 그 주요한 몇 가지를 살펴보면 이러하다.

이 나라의 북쪽이 아닌 다른 지방은 비옥하여 생활에 필요한 모든 물품, 특히 쌀과 기타 곡류들을 생산한다. 저마 목면 및 견잠絹蠶까지도 생산하나, 견직의 기술은 알지 못한다.(프랑스어 역, 미뉘톨리본)

이 나라에는 또한 곰과 사슴, 산돼지, 돼지, 개, 고양이, 기타 여러 종류의 동물이 많다. 코끼리는 거기서 도무지 볼 수 없었고, 다만 여러 가지 몸집이 큰 악어는 강 속에 살고 있는 것을 보았다. 악어의 등은 소총 탄환을 견디어낼 만하나 그 복주의 가죽은 매우 부드럽다. (…) 생선의 고기를 가리지 않고 다 먹되 특히 좋아하는 것은 인육人肉이다. 조선 사람들이 흔히 우리에게 하는 말을 들으면, 악어의 뱃속에는 일시에 어린아이 셋이 들어 있는 것을 보았다 한다. 악어 외에도 유독한 동물도 매우 많다.(프랑스어 역, 미뉘톨리본)

이와 같이 출판된 하멜의 표류기는 하멜의 원래 원고에 비해 여러 면에서 차이가 생겼다. 그렇다 할지라도 하멜의 표류기는 조선을 유럽 사회에 본격적으로 알리는 문헌이 되었다. 이 책을 통해 유럽의 여러 나라에서는 중국이나 일본과 더불어 존재했던 조선이란 나라에 대해 보다 세밀한 정보를 얻을 수 있었다. 오랜 체험

Aen d'E. Ed. Heer Joan Maetsuijcker Gouverneur Generael en d'E. E. Heeren Raeden van Nederlants India

Journael van't geene de overgebleven officieren ende Matroosen van't Jacht de sperwer t'sedert den 16en Augusty Ao 1653 dat t'selve Jacht aen 't quelpaerts eyland staende onder den Coninck van Coree heeft verlooren, tot den 14en september Ao 1666 dat met haer 8en ontvlught ende tot Nangasacky in Japan aengecomen zyn int selve Ryck van Coree is wedervaren mitsgaders den ommeganck van die natie ende gelegentheyt van 't land

[illegible]

『하멜보고서』, 43×26cm, 17세기, 국립제주박물관.

에서 나왔기에 내용은 그만큼 생생했고 또 풍부했다. 그리고 그것이 이 책이 갖는 최대의 장점이었다. 이미 그전에도 유럽의 여러 나라는 조선이란 존재를 인지하고 있었다. 그러나 그들이 조선에 대해 지닌 정보와 지식은 부정확하고 부분적이었으며, 심지어 왜곡되기까지 했다. 그런 점에서 이 책이 지닌 문화사적인 의의는 무척 컸다.

이 책이 나온 이후, 네덜란드의 동인도 회사에서는 일본 정부를 통해 조선에 남아 있던 나머지 여덟 명의 송환을 요청했고, 조선에서는 이를 받아들여 그들을 일본으로 돌려보냈다. 1668년 6월의 일이었다. 이때 귀환한 인원은 모두 일곱 명이었다. 탈출하지 않고 남아 있던 이들 가운데 한 명이 빠진 셈인데, 그가 누구이며 어떤

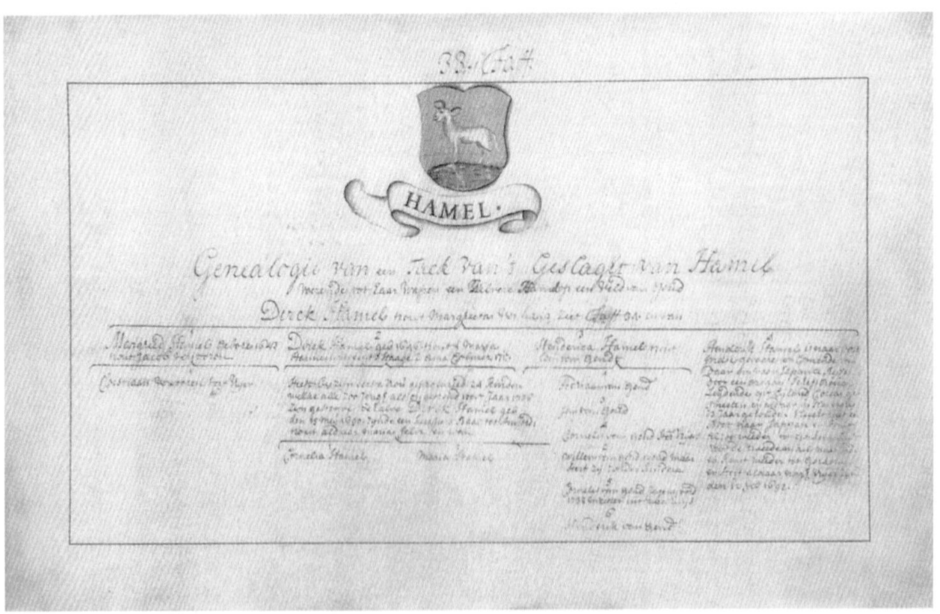
HAMEL

Genealogie van een Tack van 't Geslagt van Hamel

Dirck Hamel

「하멜 가족의 출생 기록」, 31×43cm, 17세기, 국립제주박물관.

사정으로 제외되었는지는 명확하지 않다. 후대의 연구자들은 이 구동성으로 그가 요리사였던 얀 클라선이었을 것으로 추정하면서도, 그가 귀환 대열에서 빠진 원인에 대해서는 조선에서 결혼하여 살았기 때문이라고도 하고, 사망했기 때문이라고 보기도 한다. 어쨌든 이렇게 하여 조선에 왔던 서른여섯 명의 하멜 일행 가운데 오직 열다섯 명만이 고국으로 돌아갈 수 있었다.

동인도 회사에서는 남은 이들이 돌아올 수 있도록 함과 함께 조선과의 교역을 준비했다. 이익을 남길 수 있다는 판단에서였다. 1668년에 코레아Corea 호를 만드는 등 움직임이 구체화되었다. 이들이 조선과 교역하고자 했던 것은 일찍이 17세기 초부터였지만, 하멜 일행의 귀환이 결정적인 계기가 되었던 것이다. 그러나 이러한 시도는 조선과의 중계 무역의 이익을 잃을 것을 염려한 일본 측의 방해로 무산되고 말았다. 네덜란드가 조선에 무역을 요청했을 경우 조선 정부가 이에 어떻게 대응했을지는 쉽게 판단할 수 없지만, 어쨌든 조선으로서는 네덜란드라는 새로운 나라와 교역하며 그들의 신문화를 접촉할 기회를 차단당한 셈이었다.

느닷없는 자연재해 탓에 조선으로 왔던 하멜 일행은 불굴의 의지로 험난한 세월을 견뎌내고 고향 땅으로 돌아갔다. 살아 돌아온 자들과 그들을 맞이하는 가족과 친지들의 기쁨은 이 세상 그 무엇과도 바꿀 수 없을 정도로 컸을 것이다. 귀환 이후 이들의 삶은 어떠했을까? 하멜의 경우 인도로 다시 여행을 떠났으며, 1692년 2월 12일 고향인 호르쿰에서 결혼하지 않은 채로 세상을 떠났다고 한다. 그는 네덜란드 호르쿰이란 도시의 한 자산가의 아들이었다.

하멜의 조선 체류 13년

- 1653년 6월 18일 바타비아 출발
  7월 16일 타이완의 정박지 도착
  7월 30일 일본으로 출발
  8월 15일 제주 앞 바다에서 난파
  8월 16일 제주 대정현 대야수 연변에서 36명 생존 확인
  8월 18일 제주의 관리와 군인을 만남
  8월 22일 제주목에 도착
  10월 29일 벨테브레이를 만남
- 1654년 6월 초 제주도 출발
  6월 초 해남에서 영암, 나주, 장성, 정읍, 태인, 금구, 전주, 여산, 은진, 공주를 거쳐 서울로 이동. 서울에서 호위군대에 배속됨
- 1655년 3월 서울에 온 청나라 사신을 일등 항해사와 다른 사람이 만남
- 1656년 3월 초, 서울을 떠나 강진의 병영으로 내려옴
- 1657년 3월 부터 1662년 3월까지 강진에서 생활
- 1662년 3월 초, 여수, 순천, 남원으로 흩어져 살게 됨
- 1665년 작은 배 한 척을 구함
- 1666년 9월 4일 저녁 여수 바다를 통해 탈출
  9월 8일 저녁 일본의 고토 섬에 도착
  13일 나가사키에 도착
  14일 나가사키 동인도 회사의 관계자와 만남
- 1667년 10월 23일 나가사키 출발, 바타비아로 감

5장

줄기에 매달린 오이 형상에서 근대의 정교한 지도까지

⦿

이웃 나라가 그려낸 조선의 이미지

오상학

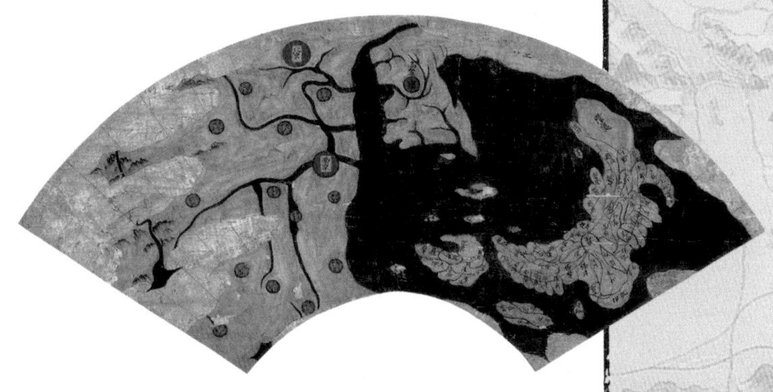

조선의 이웃 나라라 하면 중국과 일본을 떠올리게 된다. 조선은 대국인 중국으로부터 선진 문물을 받아들이고 이를 다시 바다 건너 이웃하고 있는 일본에 전해주기도 했다. 중국에 사대하고 일본과 교린관계를 유지하는 사대교린정책이 조선시대 대외관계의 큰 틀로 유지되었다. 조선은 중국, 일본과 활발하게 교류하는 가운데 그들을 이해하려고 노력했다. 문화적, 역사적 이해와 더불어 중국과 일본을 공간적으로 이해하려고 했다. 중국과 일본에서 제작된 최신의 지도를 입수하는 데 많은 노력을 기울였으며 이를 바탕으로 조선 독자적으로 주변국의 지도를 그려내기도 했다. 이러한 노력의 결과 1402년에는 중국이 세밀하게 묘사된 『혼일강리역대국도지도』라는 세계지도를 만들어냈다. 1471년 신숙주가 편찬한 『해동제국기』에는 일본을 그린 정교한 지도가 실려 있는데, 세계에서 가장 오래된 인쇄본 일본지도로 알려져 있다.

이처럼 조선은 사대국인 중국, 교린국인 일본에 지속적인 관심을 보이면서 수준 높은 주변국의 지도를 제작해왔다. 그렇다면 중국과 일본에서도 조선에 대한 관심을 가지면서 조선을 그렸을까?

조선 스스로가 생각하는 만큼 중국과 일본에서도 조선을 생각하고 있었을까? 관심의 정도가 달랐다면 중국과 일본에서는 조선을 어떤 형태로 그려냈을까? 이 글은 이러한 질문에 해답을 찾기 위한 작업이다. 중국과 일본에서 조선을 그린 대표적인 지도들의 이미지를 통해 그들이 지녔던 조선 인식을 탐색할 것이다.

중화의 시선으로 본 조선
뭉툭하거나 뾰족하거나

전통시대 중국인들은 중화적 세계관에 기초하여 지도를 제작했다. 중국을 중앙에 크게 그리고 주변에 조공을 바치는 제후국들을 작게 표현했다. 이러한 경향은 중화적 세계관이 강고하게 유지되는 19세기까지 여전히 지속된다.

조선시대 이전 송대의 『화이도』와 같은 세계지도에 우리나라는 반도의 형상으로 표현되지만 수록된 정보는 매우 소략하다. 반도의 형상도 실제에 비해 뭉툭하게 과장되거나 왜곡된 모습을 띠고 있다. 압록강을 우리나라와 중국을 가르는 중요한 경계로 인식했던 것으로 보인다. 표기된 지명은 고려, 백제, 신라, 옥저 등의 국명이 전부이다. 백제, 신라 등 당대에 존재하지 않던 국명이 여전히 수록된 것이 특이한데, 이는 대부분의 지도에서 공통되게 나타난다. 이와 같은 현상은 우리나라에서 제작된 전도를 기초로 지도가 제작된 것이 아니라는 사실을 보여주는 것이기도 하다. 전체적으로 볼 때, 우리나라는 중국의 주변국으로서 상대적인 위치를

隱岐州
石見州
出雲州
伯耆州
長門州
周防州
安藝州
備後州
備中州
風本浦
五島
筑前州
豐前州
筑後州
肥前州
肥後州
豐後州
薩摩州
大隅州
日向州
伊豫州
讚岐州
土左州
阿波州
種島
國頭城
伊是那

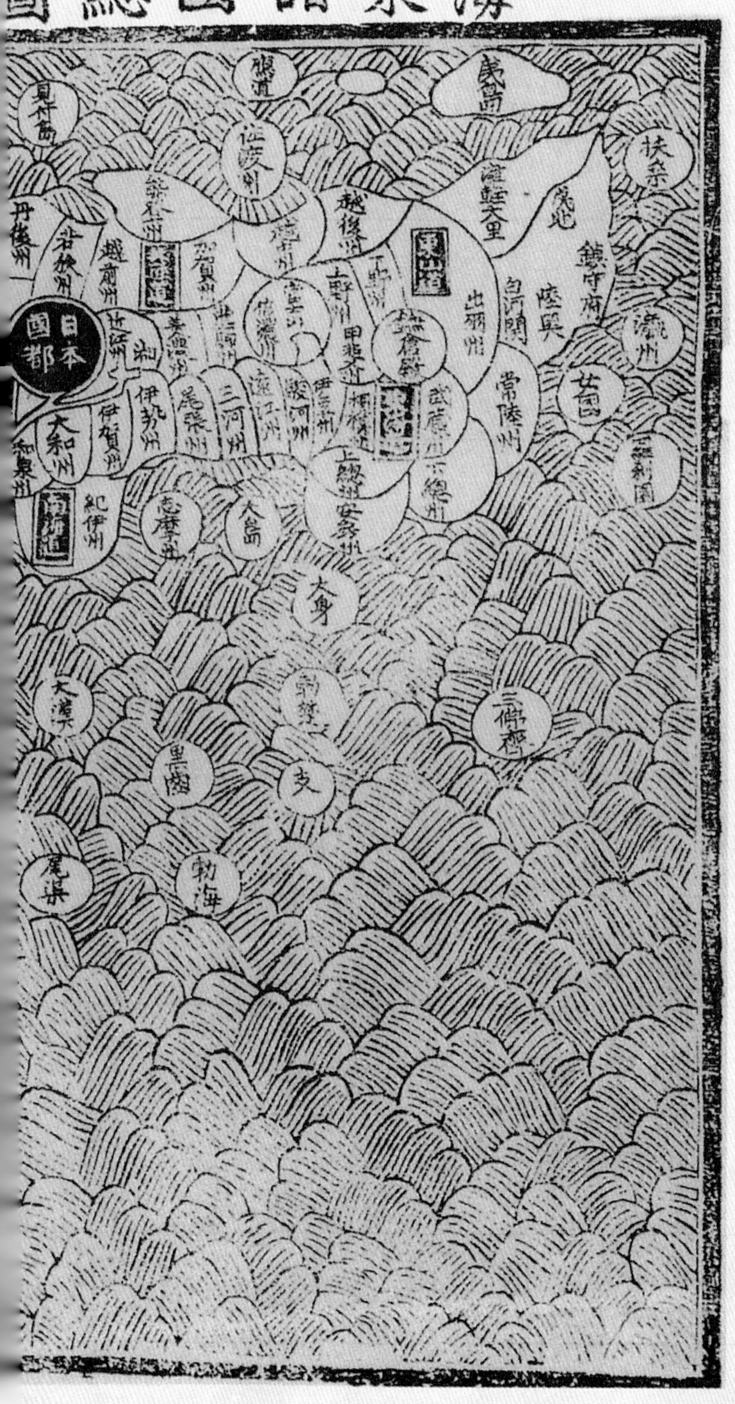

「해동제국총도」, 『해동제국기』, 신숙주, 17.6×12.3cm, 하버드대 하버드 옌칭 도서관. 신숙주가 그린 이 일본지도는 세계에서 가장 오래된 인쇄본 일본지도로 알려져 있다.

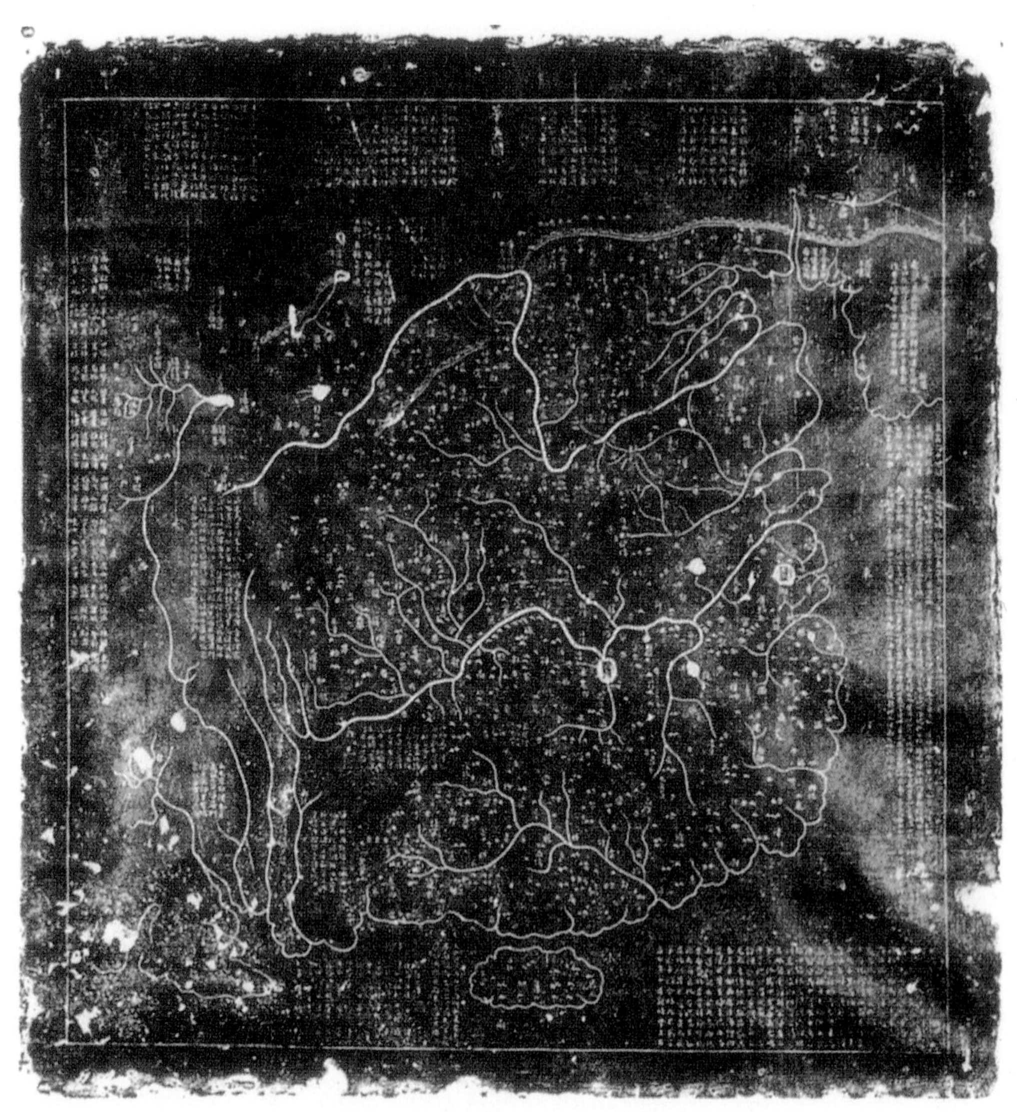

송대의 석각 『화이도』, 중국 시안 비림碑林박물관.

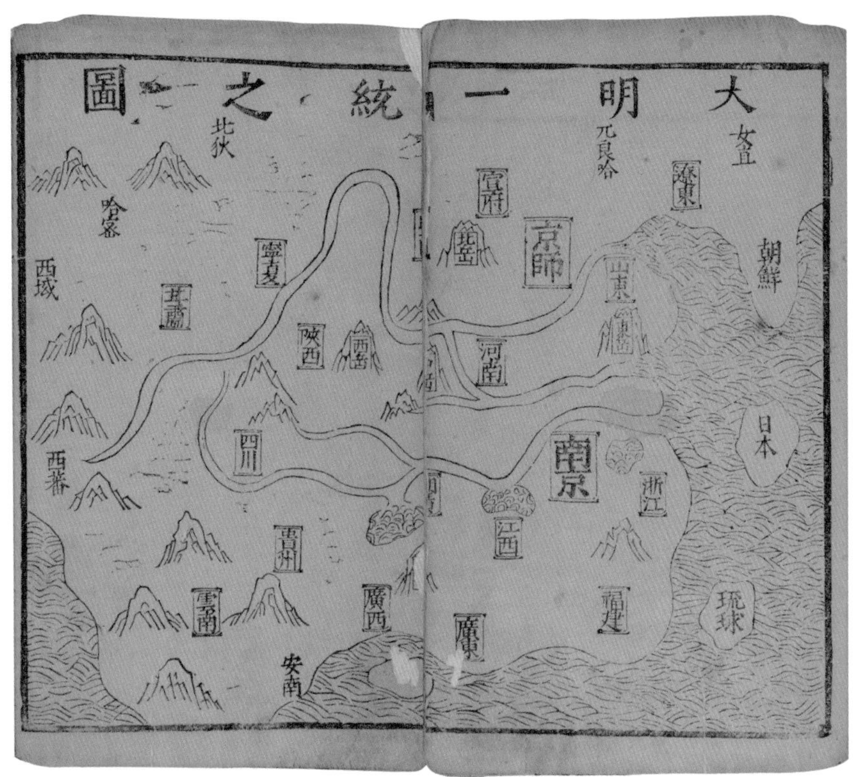

『대명일통지』에 수록된 「대명일통지도」, 규장각한국학연구원.

파악하는 정도로 묘사되고 있다.

명대에 이르러서는 이전 시기에 비해 조선에 대한 이미지가 보다 구체화되기 시작했다. 명대 15세기의 대표적인 지도로는 『대명일통지』에 수록된 「대명일통지도」를 들 수 있다. 『대명일통지』는 이현李賢 등이 황제의 뜻을 받들어 1461년(천순天順 5)에 국가사업으로 편찬된 지리서이다. 모두 90권으로 전 영토의 지리를 행정구획별로 기술하고, 마지막에 이국夷國으로서 주변의 아시아 각국이 덧

붙여져 있다.

「대명일통지도」는 전체적으로 소략한 형태의 중국 지도로 명대의 행정구역인 13省과 북경과 남경이 주요 지명으로 수록되어 있다. 한반도는 남쪽이 뾰족한 반도의 형상으로 표현되어 있고 조선이라는 국명이 표기되어 있다. 만주 지방에는 백두산의 모습이 보이지 않고 女眞(여진)이라는 국명만 표기되어 있다.

조선의 이미지는 어떻게 진화해갔는가

뭉툭한 반도의 형상으로 소략하게 표현되던 조선의 이미지는 『황명여지지도皇明輿地之圖』에 이르러서는 보다 온전한 형태로 표현된다. 『황명여지지도』는 1536년 오제吳悌가 간행한 지도로 1631년 그의 후손이 중간했다. 조선은 줄기에 매달린 오이 형상으로 묘사되어 있다. 섬인지 반도인지 불명확한 형태로 그려져 있는데, 이는 한반도와 만주 사이에 압록강과 두만강이 있어서 흡사 섬처럼 인식했던 것으로 보인다. 한반도 아래쪽에는 일본이 비교적 크게 섬으로 그려져 있으나 섬 내부에 다른 지명은 기재되어 있지 않다. 한반도 내부에는 조선이라는 국명을 비롯하여 도호부都護府, 당성唐城, 동경東京, 정원定遠, 동녕東寧 등의 지명이 보인다. 도호부는 당이 고구려를 멸망시키고 설치했던 안동도호부를 말하는 것이고, 당성은 통일신라 시기 당나라와 교류하던 관문인 서해안의 당성을 표시한 것으로 보인다. 동경은 신라의 수도 경주를 가리키고 동녕은 동녕부로 원나라가 서경을 편입한 후 설치한 통치 기관이

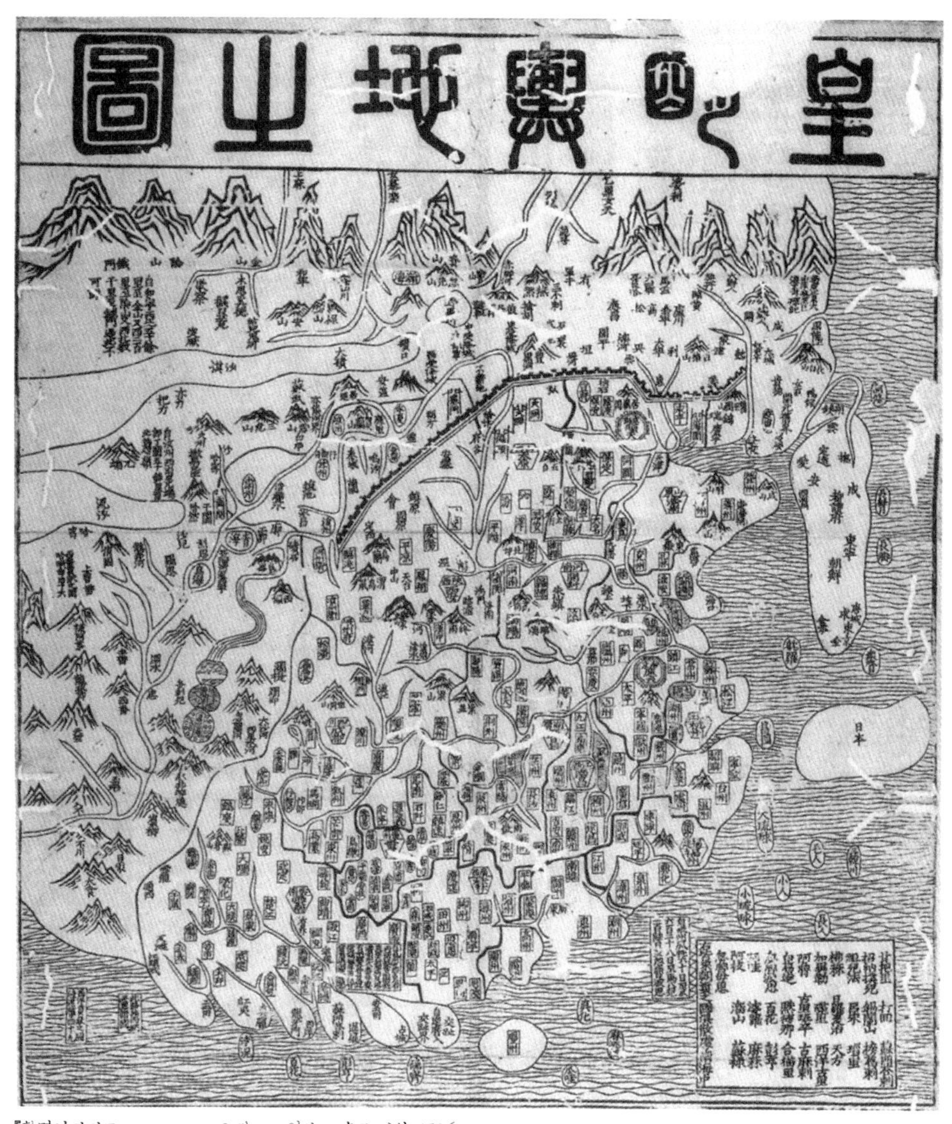

『황명여지지도皇明輿地之圖』, 오제吳悌, 일본 도호쿠 대학, 1536.

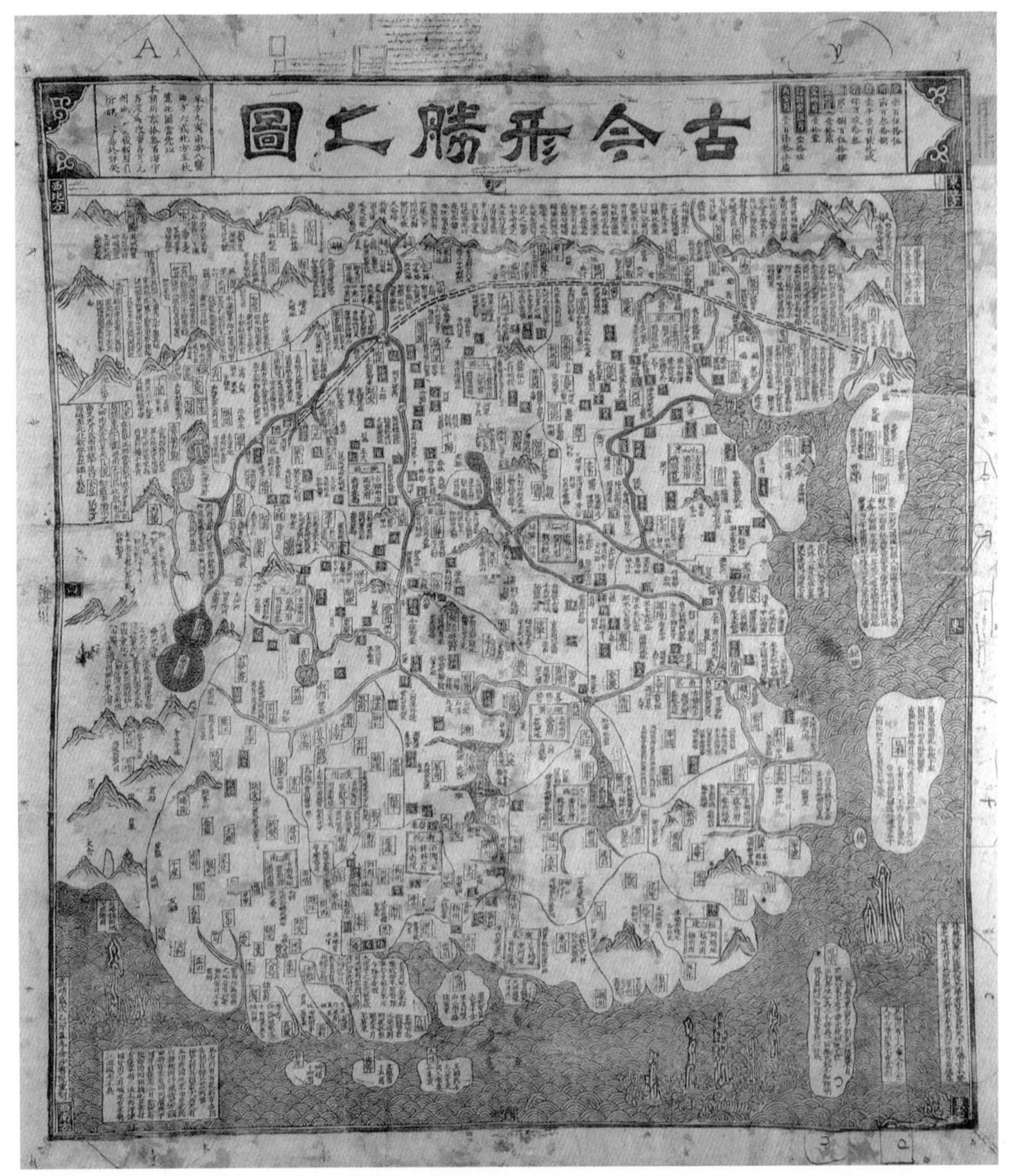

『고금형승지도』, 115×110cm, 스페인 인디아스 고문서관, 1555.

다. 한반도의 서남쪽에는 제주도가 탐라로 표기되어 있고, 대마도로 보이는 섬은 중계衆背라고 표기되어 있다. 동쪽 바다에는 장비長臂, 장각長脚, 모인毛人, 소인小人, 장인長人 등 『산해경』에 나오는 지명도 보인다.

이 지도에 묘사된 조선의 이미지는 1555년(가정嘉靖 34)에 제작된 『고금형승지도古今形勝之圖』에서도 유사하게 나타난다. 조선은 길쭉한 반도의 형상으로, 압록강 부분에서 매우 잘록하게 표현되어 있다. 압록강이 중국과의 경계 지점에 그려져 있고, 그 위쪽에 장백산이 있다. 길쭉하게 묘사된 한반도에는 조선이라는 국명과 함께 정원定遠, 동녕東寧, 도호부都護府, 서해사西海祠 등의 지명이 기재되어 있다. 한반도의 서남쪽에는 지금의 제주인 탐라耽羅가 그려져 있고 대마도의 모습은 보이지 않는다. 우리나라의 연혁에 대해서도 주기가 기재되어 있는데, 다음과 같다.

> 기자가 봉한 나라이다. 한나라 초에는 연나라 사람 위만이 그 땅에 웅거했다. 한 무제 때 조선을 평정하고 4군으로 나누었다. 당나라 때 고려(고구려)를 정벌하고 안동도호부를 두었다. 오대 때에는 왕건이 신라 백제를 병합하여 팔도를 만들고 주군현을 통합했다. 동서 2000리이고 남북 4000리이다. 북으로는 여진과 접하고 있다. 풍속은 시서詩書를 숭상한다.

이는 『명사』의 「조선전」에 수록된 내용과 유사하다. 이 내용은 이후에 제작된 『황명대일통지도』에 동일하게 수록되어 있다. 이들 지도에 묘사된 잘록한 형태의 조선 이미지는 서양의 지도에서도 그대로 나타나 그 영향력을 짐작해볼 수 있다.

『광여도』와 『황여전람도』가 그려낸 조선

16세기에 접어들어 윤곽을 갖추게 되는 조선의 이미지는 16세기 중반을 거치면서 단독의 지도에 표현되기에 이르렀다. 그 가운데 대표적인 것으로 1555년 나홍선羅洪先이 제작한 『광여도廣輿圖』를 들 수 있다. 『광여도』는 현존하는 중국 최고最古의 세계지도집으로 평가되는데, 주사본朱思本의 여지도를 참고하고 이택민도李澤民圖의 동해 남해 부분을 취했다. 여느 지도와는 달리 특수 지도들을 수록한 것이 특징인데, 조선도朝鮮圖 또한 별도로 수록되어 있다. 이는 중국에서 제작된 최초의 단독 조선도가 된다. 이 지도는 그 후 1558년, 1561년, 1564년, 1566년, 1572년, 1579년(만력萬曆 7), 그리고 가장 마지막으로는 1799년(가경嘉慶 4)에 간행되었다.

『광여도』에 수록된 조선도를 보면, 반도의 형상으로 표현되어 있지만 윤곽은 상당히 왜곡되어 있다. 지명들은 위치상의 오류가 있으나 상세하게 기재되어 있다. 나홍선이 원대 주사본의 여지도를 기초로 『광여도』를 제작했다면 『광여도』의 조선도도 원대의 지도 즉, 고려의 전도로 볼 수 있겠지만 수록된 지명을 토대로 판단해볼 때 조선의 전도를 토대로 제작한 것이다.

지도에 표현된 한반도의 모습은 동서보다는 남북으로 압축된 느낌을 준다. 이는 이 지도의 저본 지도가 이와 같은 형상을 하고 있어서 그렇게 그려진 것일 수도 있고, 또는 책의 판형에 맞추다보니 불가피하게 남북이 축소되었을 수도 있다. 산지는 조선의 전통적인 연맥식 방법과 달리 독립된 모습으로 표현했는데, 주로 동쪽과 북쪽으로 많이 배치되어 있다. 하계망은 실재에 비해 과장되어 있다. 제일 북쪽에 압록강이 그려져 있고 그 아래로 대령강大寧江, 대동강, 한강, 금강 등이 보인다. 한편 유로의 오류가 매우 심각하다. 영산강이나 섬진강의 모습은 아예 보이지 않고 낙동강의 모습도 매우 과장되어 있다. 섬으로는 군산도, 진도, 제주, 거제 등이 그려져 있다.

행정구역의 명칭으로는 경기도를 제외한 나머지 팔도 지명이 수록되어 있다. 군현은 대부분 작은 원과 마름모를 사용하여 표현했는데, 마름모는 주州, 원은 현縣을 나타낸 것이다. 계界와 로路의 부호는 보이지 않는다. 조선에서 팔도의 체제가 확립된 것이 1413년이고, 함경도의 경우 1509년(중종 4) 함흥부 및 관찰사영을 복구하고 함흥咸興과 경성鏡城의 첫 글자를 따서 영안도에서 함경도咸鏡道로 개칭한 점을 고려한다면, 조선도는 1509년에서 1540년 사이의 상황을 반영하고 있다. 따라서 이 조선도의 기초 자료로 사용했던 조선의 지도 또한 이 시기에 제작된 것이라고 할 수 있다.

『광여도』에 수록된 조선도는 이후 여러 지도 제작에 영향을 주었다는 점에서 조선의 이미지 형성에 큰 역할을 했다고 평가된다. 이 지도는 이후 1561년 명의 정약증鄭若曾이 간행한 『조선도설朝鮮圖說』과 1607년 왕기王圻가 편찬한 『삼재도회三才圖會』에도 실리면서 중국인의 조선에 대한 인식에 영향을 끼쳤다.

중국에서 제작된 지도 가운데 조선이 가장 자세하게 표현된 것은 『황여전람도』에 수록된 「조선도」이다. 『황여전람도』는 1708년

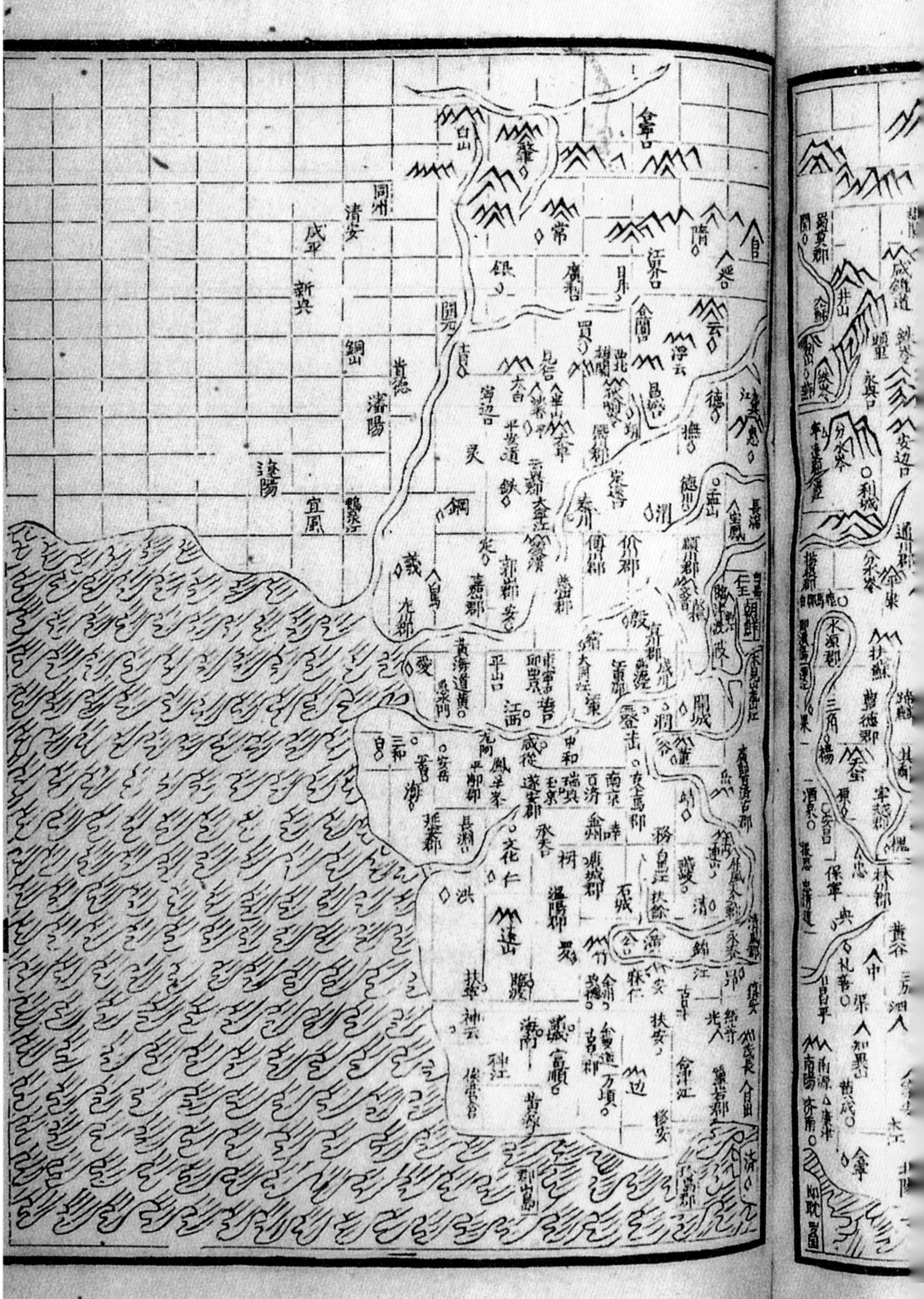

白山
同州
清安
咸平
新興
銅山
瀋陽
遼陽
宜風
平安道
黃海道
朝鮮
開城
咸鏡道
利城
水原郡

『광여도』의 「조선도」, 28.5×39.5cm, 런던 브리티시 도서관.

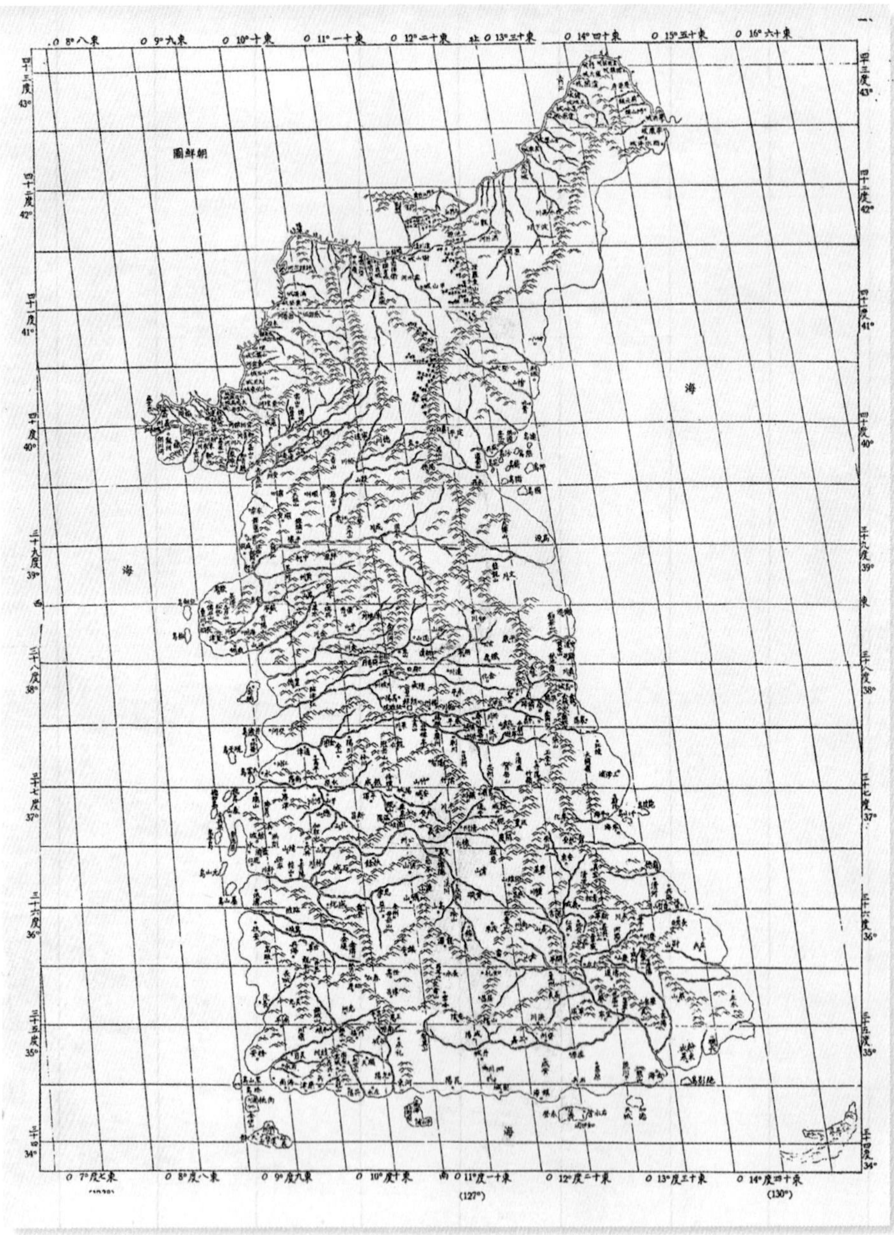

『황여전람도』의 「조선도」, 58×43cm, 1721년 판본, 런던 브리티시 도서관.

「조선왕국지도」, J. B. B. 당빌, 36.6×53.7cm, 1737, 서울역사박물관. 『황여전람도』 「조선도」를 그대로 이어받아 그렸다.

(강희 47)부터 1717년까지 측량사업으로 제작된 지도이다. 여기에 수록된 조선도는 이전 시기의 지도에서는 볼 수 없을 정도로 상세한 것으로, 최신의 조선전도를 입수하고 만주 지역의 측량 성과를 반영하여 제작한 것으로 보인다.『황여전람도』의 일부로 「조선도」를 제작한 것은 조선과의 경계를 분명히 하기 위해서였다. 이에 따라 지도 제작자는 조청 국경지역에 대한 측량과 정확한 표현에 주력하였다. 그 결과 압록강과 두만강 수계 지역의 표현은 조선에서 당시까지 제작한 지도와 견주어볼 때 더욱 정교해졌다.

조청 국경지역이 천문 측량 결과에 기초해 제작한 반면에, 이외의 지역은 대체로 조선에서 확보한 지도와 한성의 경위도 측정 결과 등의 지리 정보를 토대로 제작한 것으로 보인다. 그 결과 「조선도」의 수록 내용은 왜곡이 심하여 당시 조선의 지도 제작 수준을 반영하고 있지 못하다. 「조선도」의 내용을 그대로 담고 있는 조선 측 지도는 현존하지 않으며, 다만 지도에 수록된 해안선, 도서, 산줄기와 물줄기의 표현은 여러 계통의 지도에서 채택된 것임을 확인할 수 있다. 지도에 수록된 행정구역 명칭을 근거로 감안할 때, 「조선도」의 모본은 대략 1600년대의 지리 정보를 수록했던 것으로 추정된다.『황여전람도』에 수록된 「조선도」는 유럽에 소개되어 1737년 프랑스의 당빌의 「조선왕국지도」에 그대로 전재되었다. 이 지도는 이후 유럽에서 조선 지도의 전형이 되어 큰 영향을 미쳤다.

일본이 그린 조선도
반도와 섬의 불분명한 인식

일본도 일찍부터 자기 나라의 국토뿐만 아니라 주변 세계에 관심을 갖고 지도를 제작했다. 일찍이 백제계 왕인王仁의 자손인 교오키行基는 행기도를 그렸는데, 이 지도는 천 년 동안 전사되면서 일본 전도의 주류를 형성했다.

일본은 중국이나 한국과 달리 불교적 세계관에 기초한 지도를 많이 제작했다. 1364년에 제작된 법융사의 『오천축도五天竺圖』가 대표적인 예이다. 인도를 중심으로 하는 세계지도로 동쪽 모서리에 중국, 그 동쪽 바다에 일본이 그려져 인도·중국·일본으로 세계가 구성된다는 삼국세계관을 반영하고 있다. 여기에는 한국이 그려져 있지 않은데, 삼국세계관에서 한국은 중국에 포함되는 것으로 인식되었기 때문이다.

이처럼 일본의 전통적인 행기도와 불교적 세계관에 입각한 오천축국도 유형의 지도에서는 우리나라의 모습이 거의 드러나지 않고 있다. 일본지도에서 조선에 대한 이미지가 확실하게 표현되기 시작한 것은 서구식 세계지도에서 볼 수 있다. 일본은 포르투갈 상선이 다네가 섬에 기착한 1543년부터 서양과의 교류가 시작되어 서양 문물을 서서히 받아들였다.

정득사淨得寺에 소장된 세계도 병풍은 16세기 말에 제작된 것으로 초기 서양과의 교류 결과로 이루어졌다. 이 지도는 일본에 현존하는 서구식 세계지도로는 가장 오래된 것으로 추정된다. 나가사키를 통해 수입된 서구식 세계지도를 기초로 제작했지만 조선과

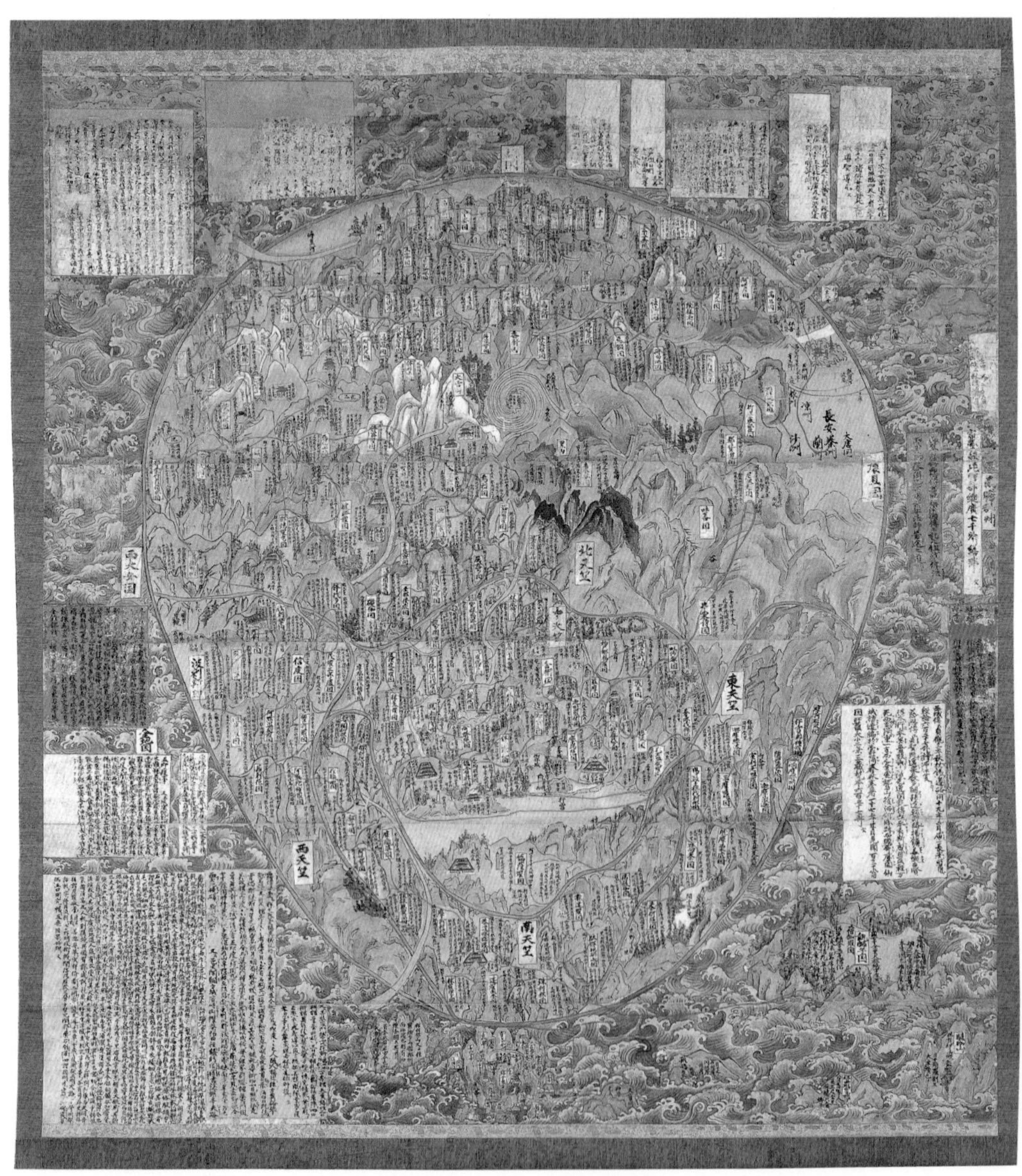

「오천축도」, 주카이가 서사한 것, 1364, 호류 사 기타무로인.

일본 등은 새롭게 추가하여 그려 넣었다. 이 시기 서양에서 제작된 대부분의 세계지도에는 조선의 모습이 드러나지 않지만 이 지도에는 조선이 뚜렷한 반도국으로 표현되어 있다. 즉 조선에 대한 인식의 진전을 볼 수 있는데, 조선에 대한 이미지는 이 시기 조선에서 들여온 지도를 바탕으로 만들어낸 것으로 보인다.

서구식 세계지도에 보이는 진전된 조선의 이미지는 일부 동아시아를 그린 세계지도에서도 찾을 수 있다. 이것의 대표적인 예는 16세기 말에 제작된 도요토미 히데요시豊臣秀吉의 『선면일본도扇面日本圖』이다. 여기에는 일본, 중국, 한국 등의 동양 3국이 그려져 있다. 중국은 황하, 양쯔강 등의 하천을 묘사하고 남경과 북경은 붉은색의 원으로 강조했다. 명대의 행정구역인 13성은 일본 문자로 표기되어 있다. 한국은 반도국으로 그려져 있으나 국명은 고려로 되어 있다. 한강·낙동강·대동강·압록강·섬진강 등의 주요 하천이 잘 그려져 있고 서울은 붉은색 원 안에 '京(경)'이라는 글자로 표기되어 있다. 제주도의 위치는 동쪽으로 치우쳐 있어 정확성이 떨어진다. 대마도는 그 위치는 올바르지만 제주도보다 크게 그려졌다. 일본은 전통적인 행기도의 형태를 따르고 있다.

조선에 대한 인식이 진전되면서 일본의 전통적인 세계지도인 천축국도에도 변화가 나타난다. 이전 시기 삼국세계관에 기초하여 그려진 천축국도는 인도·중국·일본을 중심으로 그려진 데 반해, 이 시기 천축국도에는 우리나라의 이미지가 표현된 것이다. 이것의 대표적인 예는 일본 최초의 인쇄본 세계지도인 1607년 『습개초』에 수록된 천축국도이다. 이 지도는 1607년 『법계안립도法界安立圖』의 「남섬부주도」의 이미지와 유사하다. 중국의 동쪽 해안에

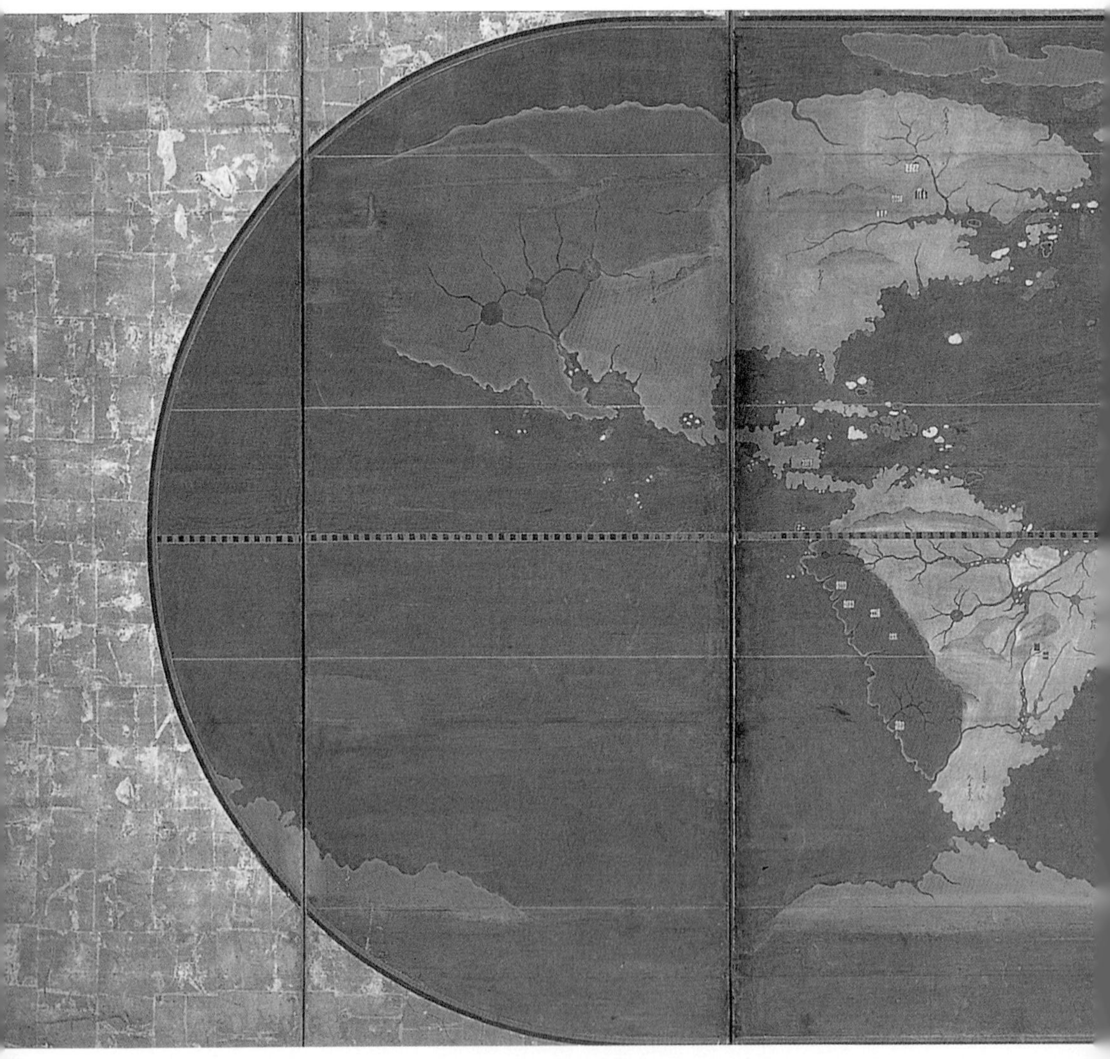

정득사淨得寺 소장의 세계도 병풍.

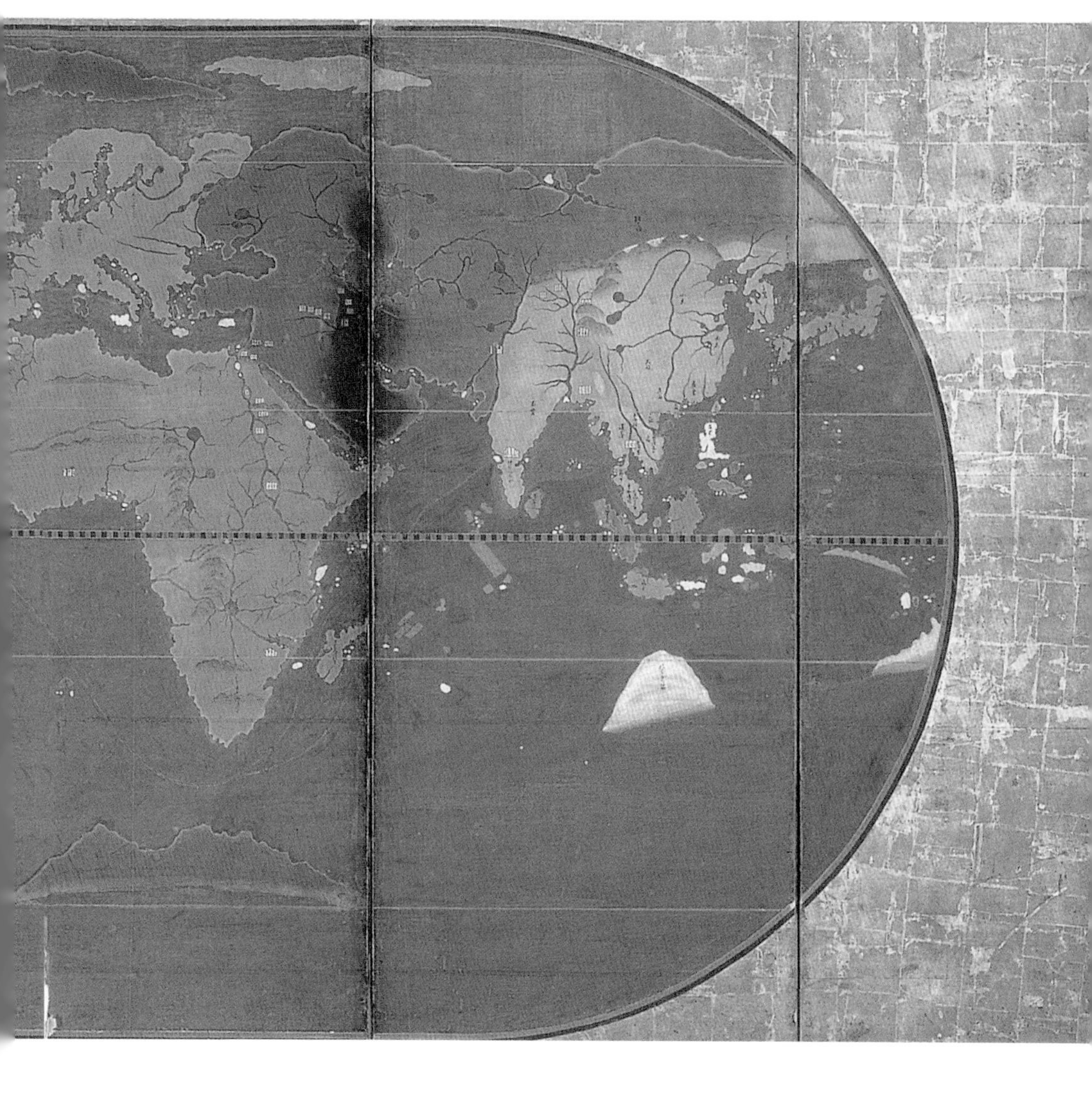

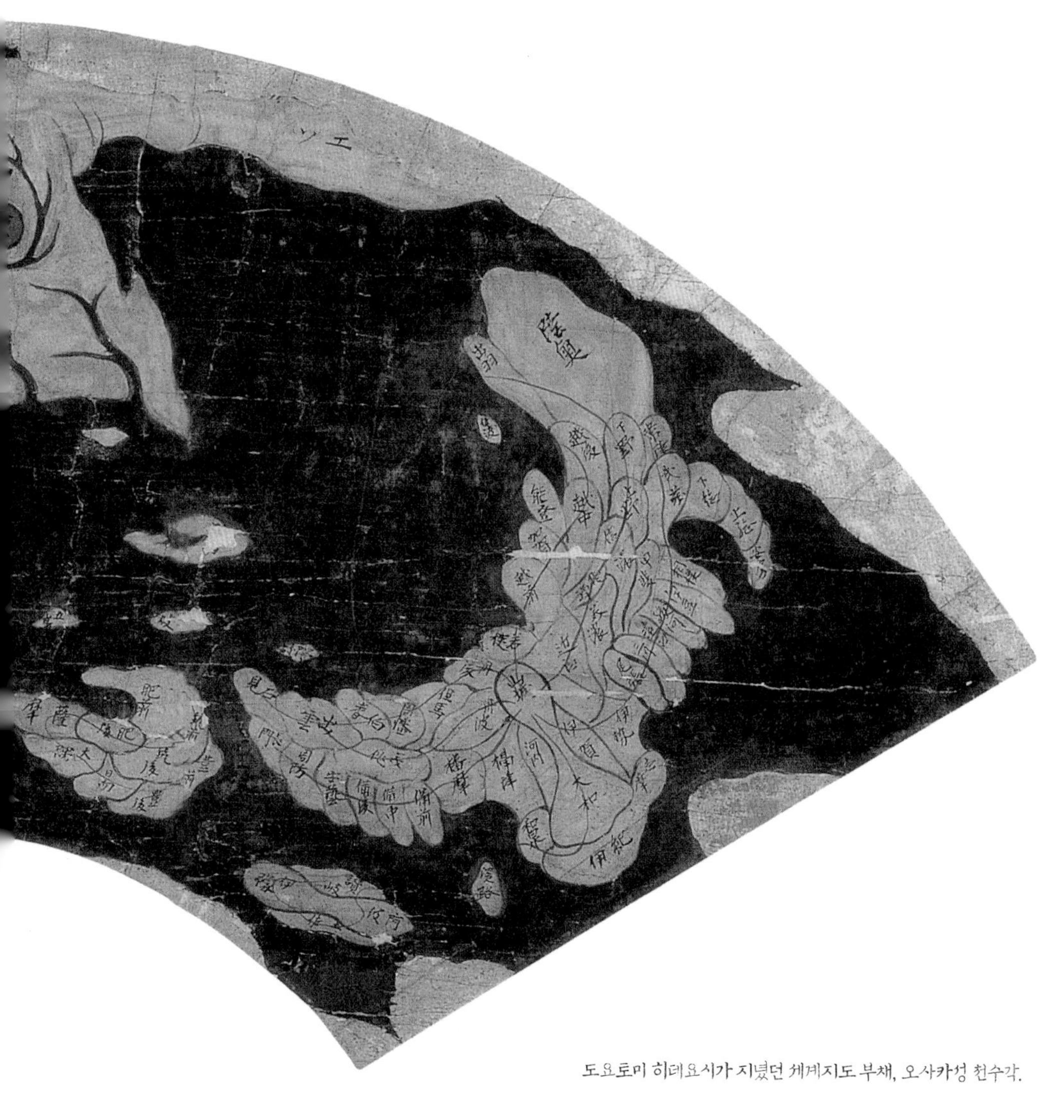

도요토미 히데요시가 지녔던 세계지도 부채, 오사카성 천수각.

'고려'가 그려져 있는데, 반도가 아닌 섬으로 표현되어 있다. 그렇지만 쌍선으로 대륙과 연결시켜 긴밀한 관계임을 암시하고 있다. 이 지도는 한국이 단일 국가로 분명하게 그려졌다는 점에서 의의가 있다. 그러나 조선이 아닌 '고려'로 표기된 것은 과거 지향적, 복고적 성격을 보여준다.

정교해지는 조선의 이미지

일본은 조선을 통해서도 조선과 인접 국가의 지리 정보를 수집하고 이를 지도 제작에 활용하였다. 특히 임진왜란 때에는 조선의 지도 상당수가 일본으로 유출되었던 것으로 보인다. 『혼일강리역대국도지도』와 같은 세계지도뿐만 아니라 정척·양성지의 『동국지도』 유형의 조선전도가 일본으로 반출돼 일본인들의 지도 제작에 중요한 자료로 활용되었다. 아울러 중국을 통해 유입된 조선지도도 중요한 자료로 활용되었다. 이러한 지도를 기초로 하여 조선 단독의 지도가 제작되면서 조선에 대한 인식은 점점 구체화되었다.

1686년(조쿄貞享 3)에는 조선을 단독으로 그린 지도가 제작되었다. 『조선양지지도朝鮮壤墜之圖』라는 것으로 지금까지 알려진 바로는 일본에서 제작된 최초의 단독 조선지도이다. 이 지도는 중국에서 제작된 나홍선의 『광여도』에 수록된 「조선도」를 저본으로 삼은 것이다. 『광여도』의 지도와는 달리 서쪽을 지도의 상단으로 배치하였다. 『광여도』의 「조선도」는 북쪽을 지도의 상단으로 배치했는데, 별도의 방위 표시는 없다. 반면에 이 지도에서는 서쪽을 지

『조선양지지도』, 1686.

도의 상단으로 배치했기 때문에 '동서남북' 글자로 별도의 방위 표시를 했다.

지도 하단에는 조선 팔도의 군현을 도별로 수록하고 있는데, '군郡 41개, 주州 58개, 부府 33개, 현縣 69개로 모두 202개'라는 주기가 있다. 조선의 군현은 태종 시기 지방행정구역이 정비되면서 330여 개의 군현으로 구획되어 그대로 조선말기까지 이어졌는데, 이 수치와는 다르게 되어 있다. 지도의 대부분의 내용이 『광여도』의 「조선도」와 유사하지만 『광여도』에 없는 팔도 행정구역의 경계가 그려져 있고, 팔도의 명칭도 누락된 것이 없고 전부 기재되어 있는 점이 다르다.

18세기에 접어들어서는 민간에서 조선을 상세히 묘사한 지도가 제작되었다. 1785년(덴메이天明 5) 하야시 시헤이林子平가 간행한 『삼국통람도설三國通覽圖說』에 실려 있는 「조선팔도지도」가 대표적이다.

『삼국통람도설』의 「조선팔도지도」는 폭 75.2센티미터, 길이 50센티미터의 규격으로 나가사키長崎의 네덜란드통인 '유임'이 소유하고 있던 지도를 참고로 작성한 것이다. 목판으로 인쇄된 지도이면서도 채색이 되어 있다. 한반도의 전체적인 형상은 조선 전기의 지도 양식을 따르고 있어서 일본으로 유입된 조선 전기의 전도 유형을 토대로 제작된 것으로 보인다. 동서남북의 방위가 한자와 한글, 일본음 세 가지로 표기되어 있다. 위도가 사선 형태로 그려져 있는데, 동쪽과 서쪽의 위도에 차이가 있다. 지도 하단에는 사신의 왕래가 있던 영남로의 좌로, 중로, 우로의 도리道里가 수록되어 있다. 북방의 경계인 두만강은 이칭으로 혼돈강混同江이라 표기되

『삼국통람도설』의 「조선팔도지도」.

어 있고 조선과 올랑합兀浪合의 분계선임을 밝히고 있다. 압록강, 두만강 이북의 강역을 요동과 여진으로 구분하여 그린 점도 특이하다. 특히 여진을 오랑캐 지방으로 표기하여 중국의 영토와 구분하고 있다.

동쪽에는 세 개의 섬이 그려져 있는데 울릉도가 크게 그려져 있다. 울릉도의 지명 옆에는 우산국을 잘못하여 '천산국千山國'으로 표기했다. 지금의 성인봉에 해당되는 산에는 '궁숭弓嵩'이라 표기하고 일본음으로 '이소다케'라고 적었다. 이는 울릉도, 독도의 지명과 관련하여 중요한 단서가 된다. '궁숭'은 신성한 산인 '왕검산'의 이두식 표기이며 이를 다시 일본음으로 훈독한 것이 '이소다케'이다. 이것은 이후 '기죽도磯竹島(이소다케시마)'로 변하고 이것을 줄여 '竹島(다케시마)'로 부르게 된 것이다. 즉 '다케시마'라는 일본 지명의 유래가 우리나라의 지명에서 비롯된 것이라는 단서가 된다.

제국주의 시선으로 표현된 조선의 이미지

전통적인 조선전도의 유형은 메이지 유신 무렵에도 민간에서 계속 제작되는데, 1873년의 『조선국세견전도』, 1874년의 『오기팔도 조선국세견전도』 등이 대표적이다. 이 지도는 조선 전기 정척·양성지의 『동국지도』 계열에 속하는 지도를 기본도로 삼아 제작한 것으로 화려한 색채감이 돋보인다. 이러한 지도들에서는 압록강, 두만강 이북 지역도 같이 그려지는 것이 보통이고 동해에는 울릉도와 독도가 그려지는데, 『동람도』처럼 우산도가 울릉도의 서쪽에 그려진다.

근대적인 성격의 조선지도는 이전의 전통적인 조선지도를 참고하여 제작되지만 서양의 해도나 새로운 측량 성과를 반영하여 정교하게 제작되는 경향이 있다. 특히 메이지 유신 이후 일본이 제국주의로 나아가면서 주변국에 대한 상세한 지리 지식이 필요해지자 실측에 입각한 정교한 지도의 제작이 더욱 성행하게 되었다. 중앙집권적 근대국가를 수립한 일본은 홋카이도, 류큐, 오가사와라小笠原제도 등을 영토에 편입시키는 한편 조선이나 대만을 넘보는 정한론征韓論이나 정대론征臺論을 일으킴으로써 침략주의를 강화해나갔다.

이 무렵 인접 국가의 군사적 현황과 지리 정보의 파악을 주도했던 것은 일본의 참모본부였다. 참모본부는 한반도를 식민지로 삼기 위한 준비 작업을 치밀하게 진행하던 19세기 중엽부터 조선의 지도를 제작하여 한일강제병합 때는 우리보다도 더 정교한 지도를 제작했다. 1875년 일본의 육군 참모국에서 제작한 『조선전도』는 그 대표적인 사례이다. 이 지도는 『조선팔도전도』와 『대청일통여지도』, 영국과 미국에서 간행된 측량해도 등을 참고 자료로 삼고 당시 일본에서 실시한 측량 성과를 반영하여 제작된 것이다. 이 지도는 이후 제작되는 조선전도의 기초 자료로 널리 활용되었다. 이로부터 조선전도는 일본 제국주의의 조선 지배를 위한 강력한 수단으로 기능하기 시작했다.

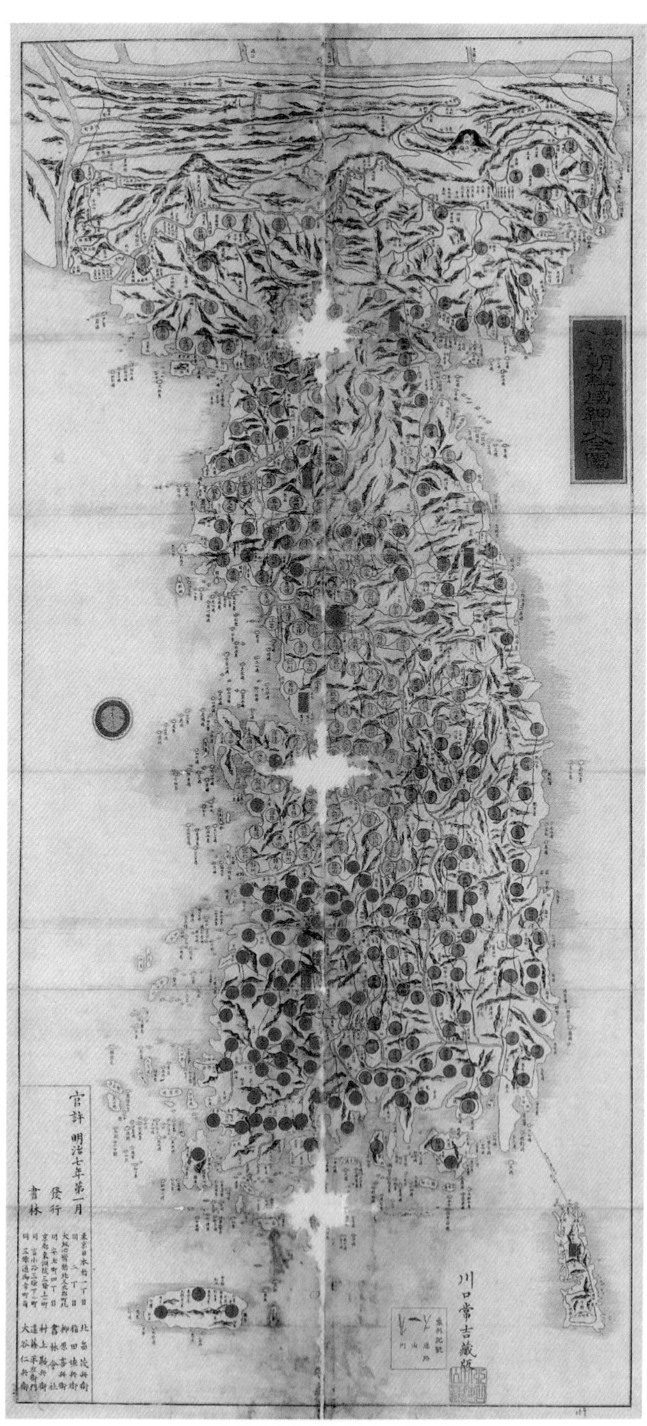

『오기팔도 조선국세견전도』, 1874.

육군참모국에서 제작한 『조선전도』, 1875.

프랑스 이방인의 조선 관찰기

극동지역에 파견된 선교사 이야기

조현범

독특한 이방인

동치同治 5년(1866) 1월 11일 신미辛未. 상上께서 창덕궁에 계셨다. 좌우 포도청에서 이렇게 보고하였다. 이달 9일 유시酉時에 수상한 놈을 체포하였는데 키는 7, 8척尺쯤 되었고 나이는 50세 정도 되었으며 눈은 우묵하게 들어가고 콧마루는 덩실하게 높았는데, 우리나라 말도 잘하였습니다. 입은 옷들을 보면 모포천으로 만든 두루마기를 걸쳤는데 그 안에는 양가죽을 댔으며 무명 저고리에 무명 바지를 입었고 우단羽緞으로 만든 쌍코신을 신었습니다. 엄하게 조사하여 공초供招를 받으니, 그의 공초에 '저는 불랑국佛浪國 사람으로서 병진년丙辰年(1856)에 조선에 와서 홍봉주洪鳳周의 집에 거주해 있었습니다. 그리고 성교聖敎를 전파하기 위하여 서울과 지방을 자주 왕래하였습니다'라고 하였습니다. (『고종실록』 권3, 고종 3년 1월 11일 신미)

포도청에서 체포한 '수상한 놈'이란 당시 조선 천주교회의 수장이었던 프랑스 선교사 시메옹 베르뇌Siméon François Berneux(1814~1866,

한국식 이름은 장경일張敬一) 주교였다. 포도청에서도 이 사실을 알고 있었다. 그냥 오다가다 우연히 수상한 사람을 발견하고 체포한 것이 아니었다. 이미 열흘 전부터 포졸들이 베르뇌 주교의 집 주위를 치밀하게 조사했으며, 언제쯤 덮쳐서 주교를 붙잡을지도 미리 정해놓았던 것 같다. 포도청에서 일차로 조사를 받고 다시 의금부로 압송되어 심문을 받은 베르뇌 주교는 심문관이 죽이지 않고 석방하여 본국으로 돌려보내겠다고 말하자 이렇게 대답했다.

> 이 나라에 머무른 지 이미 10여 년이 지났고, 이 나라 말을 배워 익혔습니다. 천주교를 자못 널리 전하여 교우들도 많아 이미 이 땅에서 편안히 사는 즐거움을 누립니다. 참으로 돌아갈 마음이 없습니다. 정말로 만약 죽이지 않고 그대로 살게 한다면 큰 다행이 될 것입니다. 그렇지 않으면 비록 죽더라도 돌아가기를 바라지 않습니다. (『추안급국안』 29, 「죄인 종삼 봉주 등 국안」, 동치 5년 정월 19일)

도대체 이 사람들은 누구일까? 왜 머나먼 이방의 땅에까지 왔던 것일까? 죽이지 않고 자기 나라로 돌려보내겠다고 해도, 싫다면서 죽어도 이 나라를 떠나지 않겠다던 사람들. 그들 가운데에는 무려 20년 동안이나 조선 땅에서 조선 사람들과 섞여 살면서 천주교를 전한 선교사도 있었다. 가까운 이웃 나라 중국과 일본 사람도 함부로 들어와서 사는 것이 금지되어 있었던 19세기 조선에 프랑스 천주교 선교사들이 살고 있었다는 사실은 낯설다 못해 기이하다는 느낌마저 준다. 상인이나 여행가, 군인, 외교관처럼 조선을 잠깐 다녀가는 것이 아니라 아예 터를 잡고 살다가 죽을 생각으로 왔

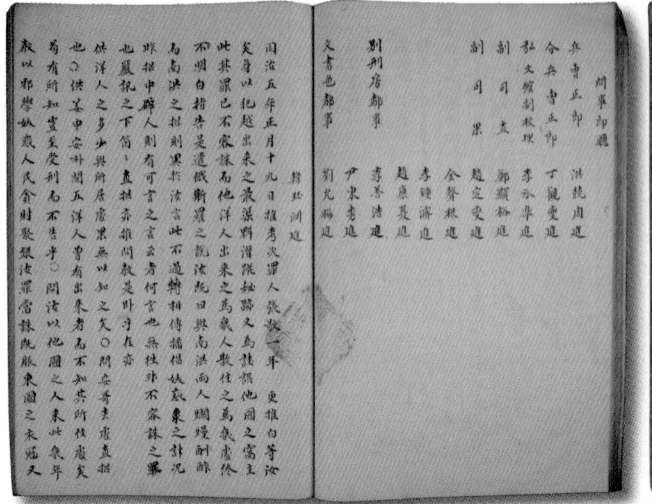

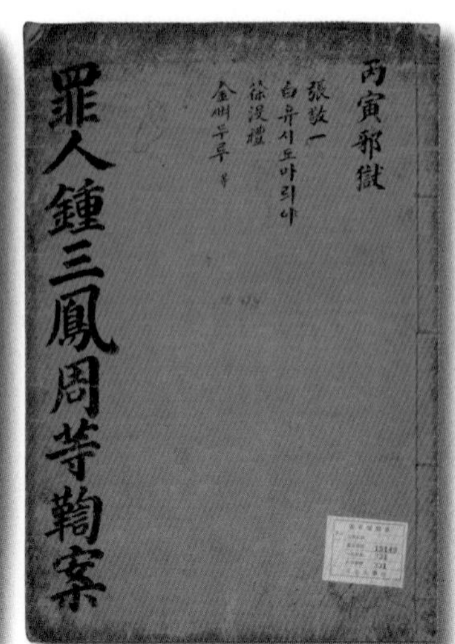

『추안급국안』「죄인 종삼 봉주 등 국안」, 규장각한국학연구원. 베르뇌 주교에 대한 심문 기록이 적혀 있다.

다니 더욱 그러하다. 이 사람들의 행적을 더듬으면서 개항 이전 조선 사회를 샅샅이 훑고 다니던 낯선 시선의 정체를 파헤쳐보자.

파리외방전교회, 아시아 전역에 선교사를 파견하다

이야기는 콜럼버스가 아메리카 대륙에 상륙하던 때로 거슬러 올라간다. 개량된 항해술과 선박 제조기술을 바탕으로 해외 영토 개척에 나선 포르투갈과 스페인은 대서양과 태평양 곳곳을 누비면서 새로운 식민지를 확보하는 일에 몰두했다. 이 모습을 지켜보던 교황청은 유럽 바깥 지역에 선교사를 파견하는 일에 세속 국가의 도움을 받기로 결심했다. 포르투갈과 스페인 왕실에 식민지 영토의 점유권을 인정해주면서 천주교 전파의 의무도 함께 짊어지게 하자는 것이었다. 그렇게 하면 이들 나라의 국왕이 식민지에 성당을 건설하고 선교사의 생계유지와 신변 안전을 보장해줄 것이라는 계산이었다.

이처럼 남의 땅에 금을 긋는 행위의 종결판은 교황 알렉산데르 6세가 1494년 스페인의 토르데시야스라는 곳에서 포르투갈과 스페인 양측을 중재하여 조약을 체결하도록 한 것이었다. 이 조약에 따라서 대서양 위에 남북으로 선을 그어 오른쪽은 포르투갈, 왼쪽은 스페인이 차지하게 되었다. 그리하여 아프리카와 아시아 지역은 포르투갈이, 아메리카 지역은 스페인이 영토 개척의 우선권

424 TRAVELS *of the* JESUITS.

Inscription on the first Column.

HE IS INFINITELY GOOD, AND INFINITELY JUST; HE ENLIGHTENS, HE SUPPORTS, HE RULES ALL THINGS, WITH SUPREME AUTHORITY, AND SOVEREIGN JUSTICE.

Inscription on the second Column.

HE NEVER HAD A BEGINNING, AND WILL NEVER END. ALL THINGS WERE CREATED BY HIM FROM THE BEGINNING: THEY ARE GOVERN'D BY HIM, AND HE IS THE TRUE LORD OF THEM.

Father JARTOUX, *to the Procurator General of the Missions of* India *and* China.

Peking, 12 of April, 1711.

Reverend Father,

THE Map of *Tartary*, which we are now drawing by the Emperor's Order, procured us an Opportunity of seeing the famous Plant *Gin-seng* *, so

『예수회 신부들의 여행기』, 로크만, 21.8×14cm, 1783, 서울역사박물관. 신대륙과 아시아 포교의 선봉에 섰던 예수회 신부들의 보고 기록과 편지글 등을 모아 편집한 것이다.

예수회 신부의 모습. 예수회 신부들은 서구 세계를 넘어 미지의 땅인 동양으로 앞 다투어 파견되었다.

파리외방전교회의 극동지역 주교들, 1920, 한국교회사연구소.

을 확보했다. 단 브라질만은 포르투갈이 선점한 곳이기 때문에 포르투갈의 기득권이 인정되었다. 그래서 지금도 남아메리카 지역에서 유일하게 브라질만 포르투갈어를 쓴다.

한편 비유럽 지역에 선교사를 파견하여 천주교회를 세우는 일 역시 포르투갈과 스페인 국왕의 권한에 속하게 되었다. 그런 까닭에 아시아 지역에서는 포르투갈 국왕의 허가 없이는 제아무리 교황청이라고 해도 새로 교구를 설립할 수 없고, 주교를 임명할 수도 없었다. 선교사를 선발하여 파견하는 것도 일일이 포르투갈 국왕의 허가를 얻어야 했다. 대신에 포르투갈 국왕은 아시아 지역에 천주교를 전파하는 일을 전폭적으로 후원했다. 하지만 이 일은 숱한 폐단을 일으켰다. 선교사로 파견된 주교와 신부들이 선교활동보다는 자기 나라의 이익을 지키는 일에 더 많은 관심을 기울였던 것이다. 게다가 예수회, 도미니코회, 프란치스코회 등 여러 수도회가 경쟁적으로 선교사를 파견하면서 서로 갈등을 빚는 일마저 벌어졌다.

그런 와중에 베트남에서 선교활동을 벌이다가 추방된 프랑스 예수회 선교사 알렉상드르 드 로드Alexandre de Rhodes(1591~1660) 신부가 1649년 로마에 도착했다. 그는 자신의 경험을 바탕으로 천주교가 아시아 지역에 뿌리를 내리려면 현지인 성직자를 양성해야 한다는 주장을 펼쳤다. 그리고 이를 위해서는 포르투갈 국왕이 파견한 주교의 관할권을 축소시키고, 교황청 포교성성布敎聖省이 직접 선발한 주교를 파견하여 선교사업을 관할하도록 해야 한다고 역설했다.

교황청의 반응이 신통치 않자 드 로드 신부는 파리로 가서 자신의 생각에 동조하는 사람들을 규합하였다. 포교성성은 1655년에 가서 드 로드 신부의 제안을 수용했다. 그리하여 1658년 프랑수아 팔뤼(1626~1684) 신부와 랑베르 드 라 모트(1624~1679) 신부를 교황 대리 감목으로 임명하여 오늘날의 베트남 지역인 코친차이나와 통킹으로 파견하였다. 이 두 사람을 설립자로 하여 탄생한 것이 바로 파리외방전교회Société des Missions Etrangères de Paris이다. 이 단체는 프랑스의 교구 사제들을 회원으로 받아들여서 선교 지역으로 파견했는데, 현지인 성직자를 양성하여 지역 교회가 독립할 수 있도록 돕는 것이 주목적이었다. 1658년부터 시암, 베트남, 중국 등 주로 아시아 지역에 선교사를 파견하였다.

왜 하필 프랑스 선교사가 조선으로?

천주교의 특성상 신자들의 신앙생활에서 사제의 존재는 필수적이다. 사제만이 각종 성사聖事를 베풀고 미사를 집전하는 권한을 지녔기 때문이다. 이에 조선의 초기 천주교 신자들은 북경 교구에 사제를 파견해달라고 요청했다. 이에 따라 중국인 주문모周文謨(1752~1801) 신부가 조선으로 와서 선교활동을 펼쳤다. 하지만

LE CATHOLICISME EN CORÉE

SON ORIGINE ET SES PROGRÈS

AVANT-PROPOS.

Pays et ses habitants.

[illegible] l'histoire de l'église de Corée, sa fondation, [illegible] ses progrès, sa situation actuelle, il n'est [illegible] elques mots de ce curieux pays, jadis sur- [illegible] me Ermite", parce que, hier encore, fermé [illegible] et que seul l'héroïsme des missionnaires catholi- [illegible] les dangers des édits de proscription, put autre- [illegible] faire connaître au monde.

[illegible] préliminaires diront surtout ce que fut la Corée [illegible] rée dans la civilisation, c'est-à-dire, avant les traités qu'elle finit par conclure avec le Japon et les puissances occidentales, à la fin du XIXème siècle.

SOL ET PRODUCTIONS. — La Corée, d'une superficie de 220.000 kilomètres carrés, est avant tout un pays montagneux. Une grande chaîne, partant des Chan-yan-alin de Mandchourie, se dirige du Nord au Sud, en suivant parfois d'assez près le rivage de l'Est, dont elle épouse les contours. Les contreforts de cette chaîne, en se ramifiant à leur tour, couvrent le pays presque tout entier. On signale bien quelques plaines en quelques régions de l'Ouest, mais n'entendez pas par là une surface unie et très étendue, c'est plutôt un endroit où les montagnes sont moins hautes et plus espacées qu'ailleurs.

Les forêts furent jadis très nombreuses: les bois de construction y abondaient, les pins et sapins surtout. Mais le déboisement s'est fait de telle façon dans ces 40 dernières années, qu'il n'en reste pour ainsi dire plus. Le sol de Corée recèle des mines abondantes d'or, d'argent, de cuivre, de graphite. Le minerai de

파리외방전교회에서 발행한 『한국 천주교회의 기원과 발전』, 21.5×14cm, 1924. 제목 그대로 한국 천주교회의 전교 상황을 쉽게 살펴볼 수 있도록 삽화와 함께 기록한 책이다.

1801년에 벌어진 신유박해 때 그는 순교하고 말았다. 그 뒤 조선의 신자들은 교회를 재건하는 과정에서 또다시 북경에 사제 파견을 요청하기 시작했다. 여러 가지 어려움에 부딪혀 번번이 좌절되었지만, 1824년 무렵에 보낸 사제 요청 서한이 북경을 거쳐서 마카오에 있던 포교성성 극동대표부에 전달되었다. 정하상丁夏祥(1795~1839)과 유진길劉進吉(1791~1839) 등이 작성했을 것으로 추정되는 이 서한을 받은 극동대표부의 움피에레스 신부는 한문을 라틴어로 번역한 다음 자신의 의견서를 첨부하여 로마로 보냈다. 움피에레스 신부의 의견은 이번 기회에 조선 천주교회를 북경 교구에서 독립시켜 별도의 선교회가 관할하도록 하자는 것이었다.

로마에 있던 포교성성 장관 카펠라리(1765~1846) 추기경은 움피에레스 신부의 의견을 받아들여 조선 교회를 맡아줄 선교회를 물색했다. 당시 교황청의 해외 선교에 관한 방침을 가장 잘 따르던 곳은 파리외방전교회였다. 이에 카펠라리 추기경은 1827년 파리에 있는 외방전교회 본부로 서한을 보내 조선의 문제를 의논했다. 파리외방전교회는 새로운 선교 지역을 관할하는 문제를 결정하기 위해서는 아시아 각지에 흩어져 활동하던 소속 주교들의 의견을 수렴해야 한다고 답했다. 그렇지만 속마음은 골치 아픈 일을 맡지 않으려는 쪽으로 기울어 있었다. 왜냐하면 조선을 떠안게 되면 북경, 남경, 마카오 교구의 포르투갈 선교사들과 갈등을 빚게 될 우려가 있었기 때문이다. 하지만 약속한 대로 소속 회원들에게 조선의 문제를 상의하는 회람 서한을 보냈다.

본부에서 보낸 서한을 받고 즉각 반응을 보인 것은 시암에서 활동하고 있던 브뤼기에르(1792~1835) 주교였다. 그는 파리 본부에

김대건 신부와 조선에서 활동했던 12명의 파리외방전교회 신부들의 모습을 동판화로 새긴 것, 한국교회사연구소.

있는 사람들이 미온적인 태도를 보이는 것에 분개하면서 자신만이라도 조선 선교사로 가겠다고 자원하고 나섰다. 이리하여 사태는 급진전되었고, 1831년 카펠라리 추기경이 그레고리오 16세 교황으로 선출되자 로마에서 조선 대목구를 새로 설정하고 그 초대 대목구장으로 브뤼기에르 주교를 임명하는 칙서를 반포하였다.

하지만 브뤼기에르 주교 자신은 조선으로 가기 위하여 중국 대륙을 종단하는 등 갖은 고생을 다했음에도 불구하고 끝내 입국하지 못하고 만주에서 사망하고 말았다. 대신 브뤼기에르 주교를 따라서 조선 선교사로 가겠다고 자원했던 모방(1803~1839) 신부와 샤스탕(1803~1839) 신부가 1836년과 1837년에 각각 압록강을 건너 조선으로 들어왔다. 뒤이어 1837년 말에는 두 번째 대목구장으로 앵베르(1796~1839) 주교가 입국했다. 이리하여 조선 천주교회는 파리외방전교회가 관할하는 선교 지역으로 편입되었다. 이후로 프랑스 선교사들이 지속적으로 조선에 파견되어 선교활동을 펼쳐나갔다.

중국 대륙을 종단해 조선으로 잠입하다

아시아로 떠나는 프랑스 선교사들은 대서양 연안에 위치한 르아브르 항구나 보르도 항구에서 배를 타고 남쪽으로 항해하여 아프리카 대륙을 남쪽으로 한 바퀴 돌아서 인도양으로 나갔다. 또는 프랑스 남쪽의 마르세유 항구에서 배를 타고 지중해를 가로지른 후 북아프리카의 알렉산드리아 항구에 이르러 육로를 이용해서 수에즈까지 간 후 다시 배를 타고 홍해를 거쳐서 인도양으로 빠져

나가기도 했다. 1869년에 수에즈 운하가 개통된 뒤에는 대부분 마르세유 항구에서 출발하여 수에즈 운하를 통과한 후 아시아로 향하곤 했다.

인도양을 가로지른 배는 인도의 고아 항구에 잠시 정박한 다음에 인도 대륙을 남쪽으로 돌아서 스리랑카를 지났다. 거기서 조금만 더 동쪽으로 항해하면 말레이 반도와 수마트라 섬 사이에 있는 믈라카 해협을 통과하게 된다. 믈라카 해협 끝에 있는 싱가포르를 지난 배는 북쪽으로 올라가서 중국 남쪽의 항구 도시 마카오에 도착했다. 마카오에는 포교성성 극동대표부와 파리외방전교회 극동대표부가 있었다. 이곳에서 선교사들은 잠시 휴식을 취한 다음 시암, 베트남, 중국의 사천, 귀주, 운남 등 각자의 임지로 흩어졌다.

조선에 배속된 선교사들에게 조선으로 가는 길은 두 가지였다. 마카오를 떠나 중국 대륙을 종단하여 북상한 다음 북경과 만주를 거쳐서 압록강을 넘어 조선으로 들어가는 것이 첫 번째 방법이었다. 초기에 입국한 모방 신부, 샤스탕 신부, 앵베르 주교 등은 모두 이 길을 이용했다. 하지만 최초의 조선인 사제 김대건 신부가 해로를 개척한 뒤에는 대부분 상해나 홍콩에서 출발하는 중국 어선을 타고 조선 연안까지 왔다. 백령도 부근의 무인도에 조선인 신자들이 배를 대고 기다리다가 선교사들을 태워서 조선에 상륙시켰다. 이처럼 선교사들은 조선 관헌들의 눈을 피하여 몰래 입국했다.

한양에 도착한 선교사들은 주교가 상주하던 비밀 거처에서 조선어를 배우기도 했고 경기도나 충청도의 한적한 시골로 가서 신자들만 모여 사는 마을에 한동안 머물렀다. 이들이 어느 정도 조선어에 익숙해져서 간단한 의사소통을 할 수 있고 또 신자들의 고

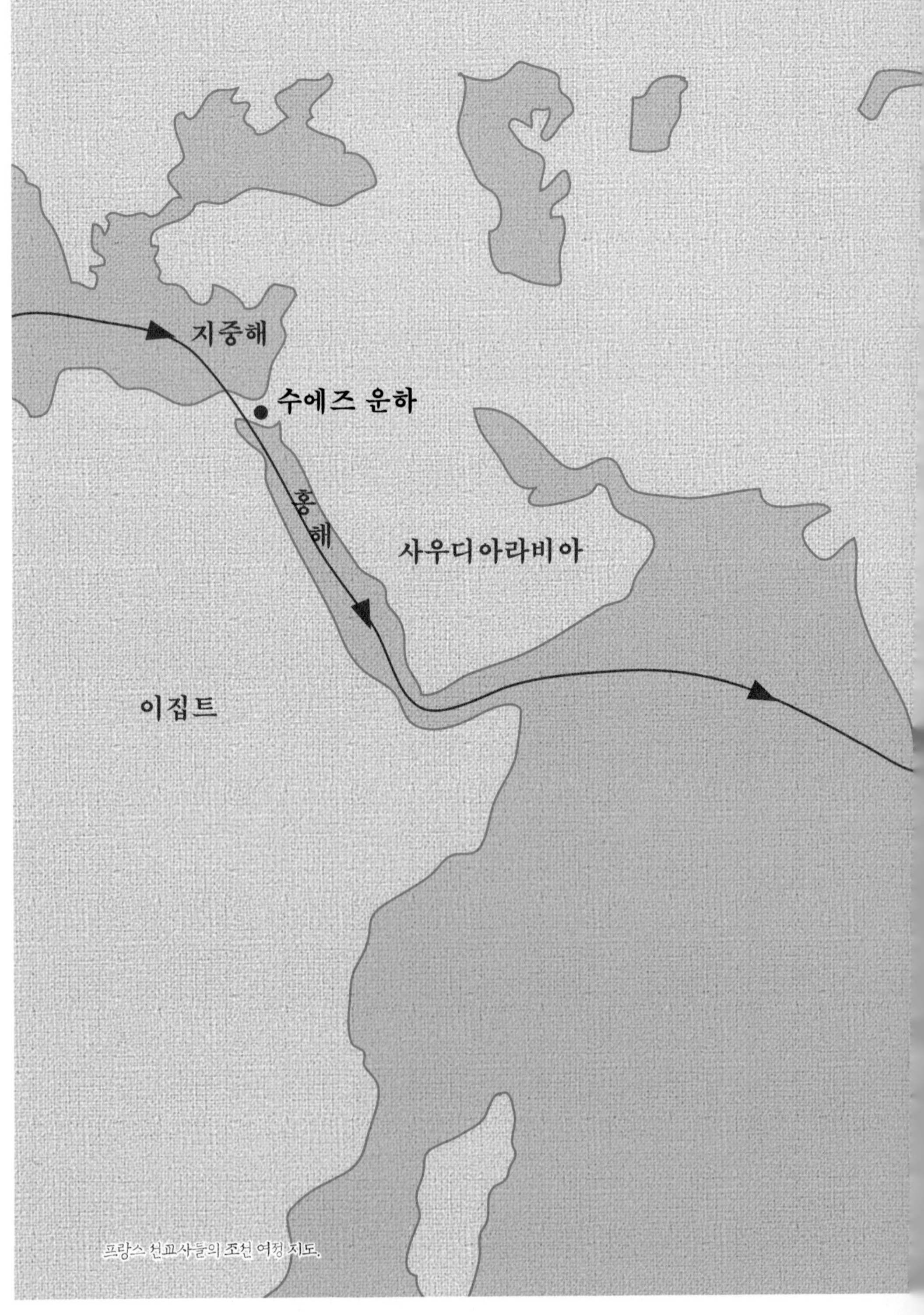

프랑스 선교사들의 조선 여정 지도.

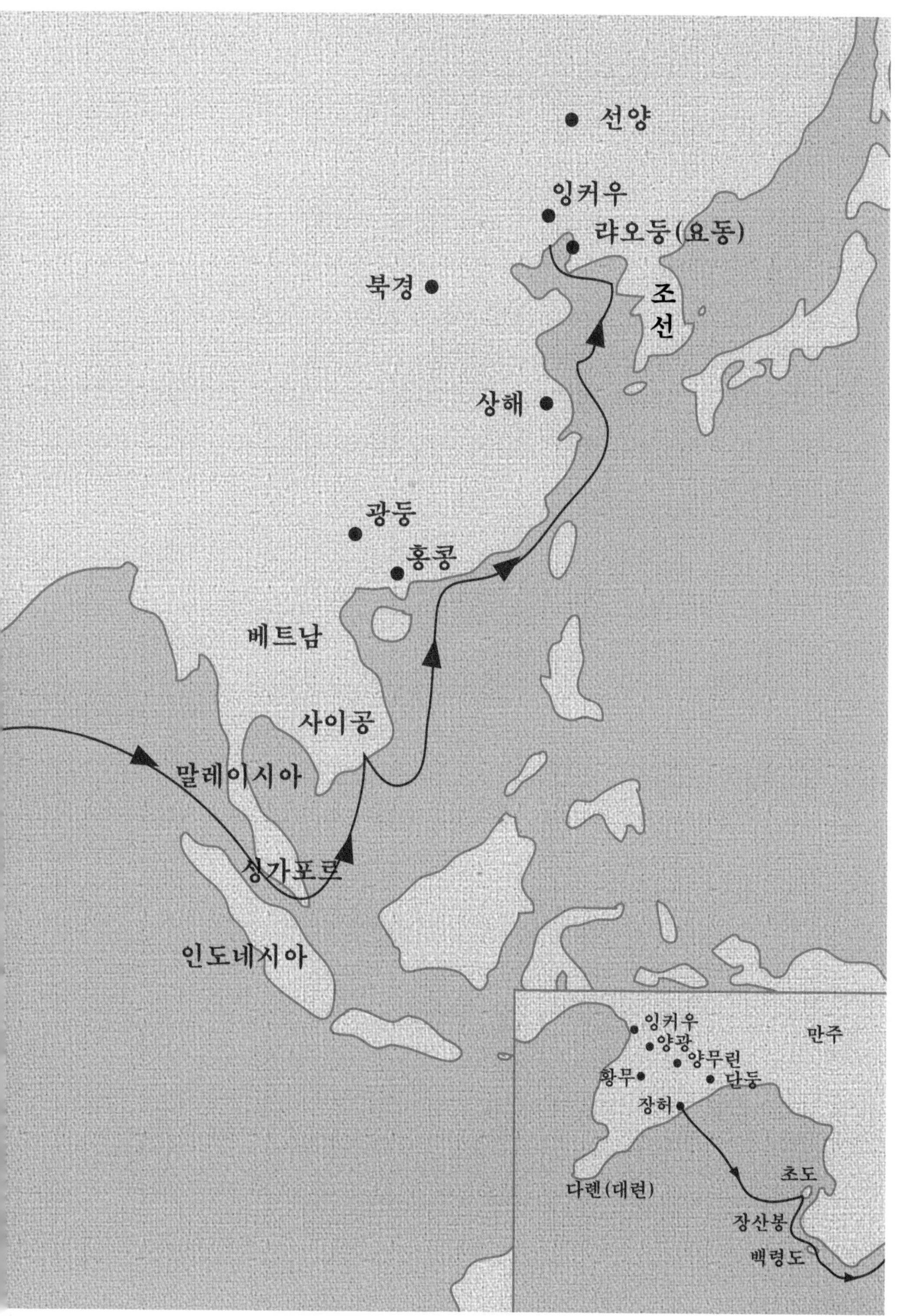
선양
잉커우
랴오둥(요동)
북경
조선
상해
광둥
홍콩
베트남
사이공
말레이시아
싱가포르
인도네시아
잉커우
양광
양무린
만주
황무
단둥
장허
초도
다렌(대련)
장산봉
백령도

백을 알아듣게 되면 본격적으로 사목활동을 하도록 주교가 선교사 개개인에게 지역을 할당해주었다. 이들의 주된 활동 무대는 한양과 경기도, 충청도, 강원도 서부 지역, 전라도와 경상도의 북부 지역 정도였다. 19세기 중엽 조선에 들어와서 천주교 선교활동에 종사한 프랑스 선교사들은 모두 합쳐 20명 남짓이었다. 이들은 평균 7년 정도 조선에 체류하면서 활동했다. 그 가운데 12명은 조선 관헌에게 체포되어 참수형을 당했고, 5명은 병으로 사망했다. 나머지 3명은 1866년 병인박해가 터졌을 때 중국으로 탈출했다.

"임금은 게으르고 양반은 혹세무민한다"

선교사들은 파리 본부나 고향의 가족들에게 편지를 보내면서 조선 사람들에 대한 이야기를 많이 써 보냈다. 그 속에는 조선의 산업과 정치, 법률제도와 가족제도, 조선 사람들이 사용하는 언어와 생활 관습 등 온갖 이야기가 다 들어 있다. 19세기 중엽 조선 사회의 생생한 현장을 담아냈기에 오늘날의 우리는 잘 알지 못하는 귀중한 내용도 많이 실려 있다. 하지만 그들 역시 유럽인이었던 까닭에 편견에 얽매여 조선을 제대로 이해하지 못한 점도 많았다.

가령 당시 유럽 사람들은 대개 조선이나 중국, 일본 등 아시아 사람들을 미개하다고 생각하는 경향이 있었다. 산업문명에 필수적인 철도나 기차도 갖추지 못했고, 증기기관으로 움직이는 기선도 없다는 게 그 이유였다. 게다가 대포나 총 등 전쟁하는 데 필요한 무기도 보잘것없는 수준에 머물러 있었다. 발달된 과학기술도

조선에 들어와 활동했던 프랑스 신부들의 모습, 한국교회사연구소.

서구의 선교사들 역시 조선을 보고 미개한 나라라는 인식을 떨치지 못했다. 특히 조선인들이 무속신앙을 믿는 것은 서구인이나 일제에 의해 많이 촬영되었는데, 그것은 곧 조선의 미개성을 입증하는 것이었기 때문이다.

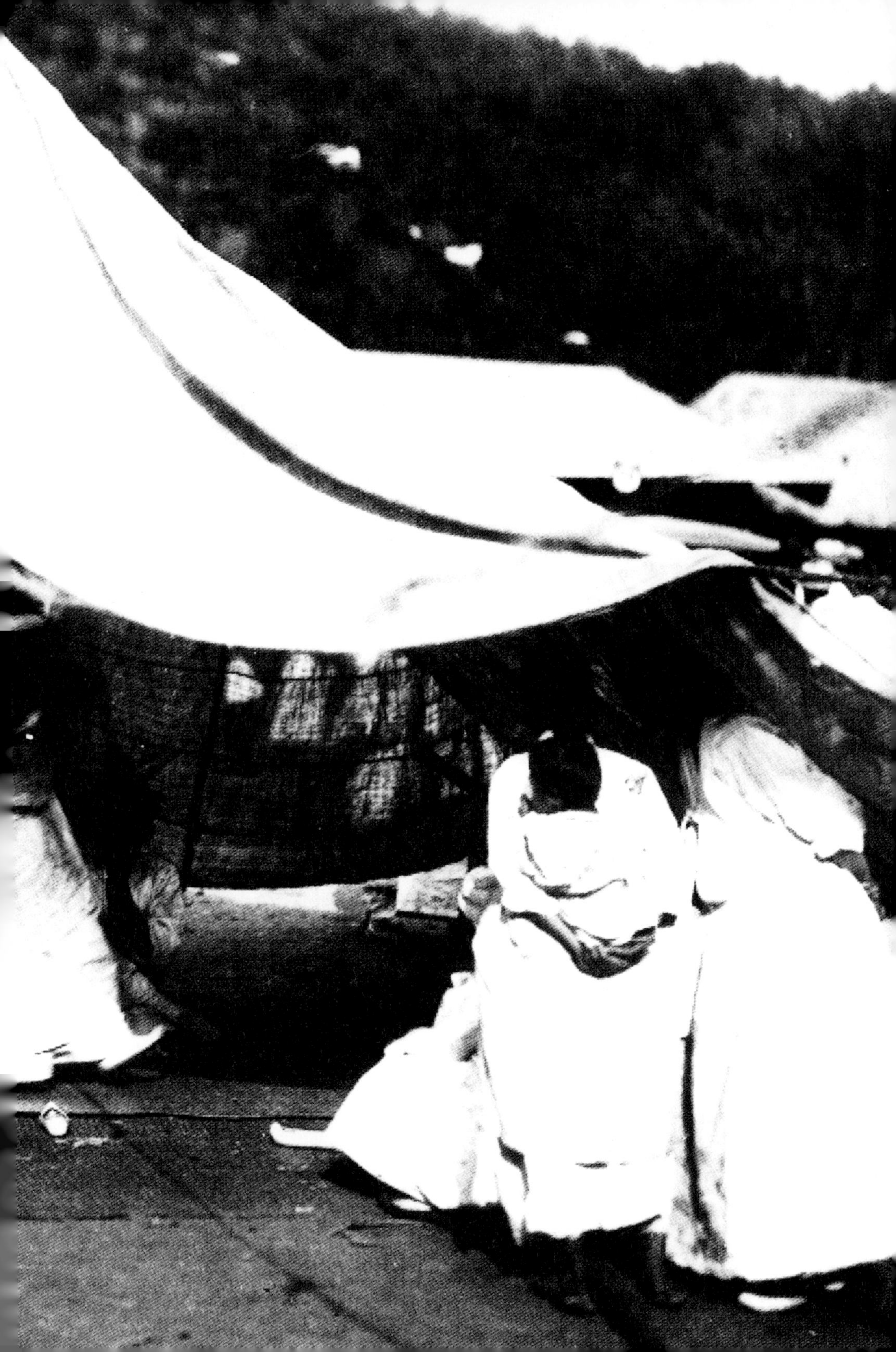

선교사들이 보기에 조선의 양반들은 혹세무민한 존재들이었다. 사진은 1910년 전통 의상을 하고 있는 양반들의 모습.

없고, 상품을 만드는 대규모 공장도 없다는 이유로 아시아 나라들을 문명화되지 못한 미개한 지역이라고 낮추보았다. 아시아 여러 나라를 방문했던 영국이나 미국, 프랑스, 독일 등 유럽 사람들은 대부분 그렇게 생각했다. 조선에 왔던 프랑스 선교사들도 편견의 시각을 견지했다.

한발 더 나아가 선교사들이 조선의 정치 상황을 바라볼 때 조선의 임금들은 게으름뱅이에다 멍청하고 무능한 자들이라는 식으로 묘사하는 경우가 자주 눈에 띈다. 온갖 특권을 누리는 지배층인 양반들이 백성을 괴롭히고 가혹한 세금을 매겨서 다른 사람들의 재산을 빼앗는데도 임금은 방관하고 있다는 것이었다. 대부분의 선교사는 조선의 임금이나 양반을 좋게 보지 않았다. 아마 힘없는 백성들이 헐벗고 굶주리면서 어렵게 사는 것을 곧잘 목격했기 때문일 것이다. 게다가 법률제도나 행정제도가 갖추어져 있다고는 하나 제대로 시행되지 않아서 백성들이 극심한 고통을 겪고 있다고 생각했다.

선교사들은 보통의 조선 사람의 성격을 묘사할 때도 경박하고 호기심이 지나치게 많으며, 까다롭고 탐욕스럽다는 말을 곧잘 했다. 한마디로 야만인 특유의 민족성이 그대로 드러나 있다는 것이다. 이런 생각은 유럽인으로서 비유럽 지방의 민족들을 폄하하는 태도에서 나온 것이기도 하거니와, 근엄한 선교사의 입장에서 조선인들의 생활 방식을 못마땅하게 여겼기 때문일 수도 있다. 어쨌거나 유럽적인 생활 방식과 천주교 신앙을 우월한 것으로 여기는 선입견이 들어 있었음은 분명하다.

유럽의 이기주의에 경각심을 준 조선의 가족애

한편 선교사들은 보통의 유럽인들이 보지 못하던 것들을 보기도 했다. 서양의 상인이나 탐험가, 군인들은 조선에 대해 유럽에서 간행된 책에 실려 있는 내용만 알고 있거나, 잠시 조선을 들러서 겉으로 보이는 것만 구경한 사람들이었다. 이에 비해 선교사들의 처지는 사뭇 달랐다. 길게는 20년 넘게 조선에서 살면서 별별 광경을 다 목격했던 것이다. 그래서 조선 사람의 생활에 관한 것도 무척 잘 알고 있었고, 또 조선에서 벌어지는 정치적인 일이나 사회적인 일들도 비교적 소상하게 들어 알고 있었다. 그렇기 때문에 잠깐 조선을 다녀간 서양 사람들과는 비교가 되지 않을 정도로 상세한 정보를 보유하고 있었다.

선교사들이 인상 깊게 보았던 조선의 모습에는 어떤 것이 있었을까? 다블뤼(1818~1866) 주교의 기록을 읽어보면 선교사들이 사랑한 조선 사람들의 생활이 잘 나타나 있다. 몇 가지만 추려서 이야기해보자. 먼저 그는 조선 사람들이 무척 따뜻한 가족애를 지녔다고 적었다.

> 조선 사람들은 자기 아이들을 끔찍이 생각하며, 너무나도 사랑합니다. 그러므로 이 나라에서는 딸이든 아들이든 어떤 자식도 내버리지 않습니다. 대기근이 들 경우에 어떤 부모들은 극단적인 방법을 택하여 자식을 내버리기도 합니다. 그러나 이런 경우에도 약간이나마 여유가 생기면 무슨 수를 써서라도 아이들을 다시 데려오려고 합니다.

외국인 신부들이 보기에 한국의 어머니들은 특별히 따뜻한 애정을 갖고 있었다. 특히 그들의 자식사랑은 끔찍했다.

유럽에 비할 때 조선 사람들은 아이가 많은 것을 덜 짐스럽게 여깁니다. 그리고 자연의 가르침에 순종하여 조선 사람들은 자기에게 주어진 모든 것을 솔직하게 받아들입니다. 가난하다고 자녀들을 내버리는 유럽 사람들은 창피해할 줄을 알아야 합니다.

다블뤼 주교는 시골이나 작은 도시의 마을에서 마주친 조선 사람들에게서 가족이나 친척들과 매우 평화롭게 어울려 사는 모습을 발견하고 감동하곤 했다.

우리가 볼 때 조선 사람들 사이에서 친척 관계는 솔직하며 형제애가 넘칩니다. 자주 서로를 찾고 또 만나면 기쁨과 행복으로 대합니다. 이것이 바로 가족이지요. 심지어 가족의 친구나 아버지의 친구도 동등하게 대합니다. 자주 서로를 찾아가 보고, 상대방의 주변 형편을 보살펴서 쌀쌀하게 대하지 않으려고 노력합니다. 그렇게 하지 않으면 조선 사람들은 불명예스러운 것으로 여깁니다. 유럽 사람들의 차갑고 부자연스러운 풍속과 비교하면 얼마나 다른지요!

다블뤼 주교는 또한 조선 사람들이 이웃끼리 서로 돕는 착한 마음씨를 지녔다고 편지에 적었다.

조선 사람들은 자선 행위를 정말 소중하게 여기고 실천합니다. 적어도 식사 때 먹을 것을 달라면 거절하지 않습니다. 심지어 어떤 경우에는 일부러 밥을 다시 하기도 합니다. 들에서 일하는 일꾼들은 식사하다가 가난한 나그네가 지나가면 자기 밥을 나누어줍니다. 잔치가 벌어지면 언제나 이웃 사람들을 초대하여 형제처럼 모든 것을 나눕니다. 없는 사람과 나누는 것, 이것이 바로 조선 사람들이 가진 덕성 가운데 하나입니다.

심지어 조선 사람들의 공동체 생활에 무척 감동했고, 차갑게 메말라버린 유럽 사람들도 조선 사람들을 본받아야 한다고까지 말할 정도였다.

조선 사람들에게 서로 돕는 것은 자연스럽습니다. 우리는 여러 번 큰 감동을 받았습니다. 천주교를 알지도 못하는 사람들이 형제애를 실천하는 것을 보면서 부끄러움을 느꼈습니다. 또 그만큼 우리 유럽 사람들이 지닌 근대적인 이기주의에 대해서 증오와 가증스러움을 느꼈습니다. 조선 사람들은 이웃집에 결혼식이나 장례식이 있을 때에 마치 자기 일처럼 가서 도와줍니다. 화재를 당한 집이 있으면 이웃들이 각자 조그마한 것이라고 조금씩 가져다주고, 또 집을 다시 지을 수 있도록 공짜로 일을 해줍니다.

다블뤼 주교 외에도 많은 프랑스 선교사가 조선의 공동체 문화를 긍정적으로 묘사했다. 유럽인으로서의 자의식을 약간 유보하는 듯한 모습마저 보인다. 어떻게 그런 일이 가능했을까? 그들은 오랫동안 조선 사람들과 한데 어울려서 같은 옷을 입고 같은 음식을 먹으면서 같은 모양의 집에서 생활했다. 그러다보니 조선 사람들의 마음을 훨씬 더 잘 이해할 수 있었고, 또 겉으로 보면 알 수 없는 내적인 맥락도 잘 파악하고 있었던 듯하다. 아메리카 원주민들에게 이런 속담이 있다고 하지 않는가. '남의 신발을 신고 1킬로미터를 걸어보아야 그 사람을 제대로 이해할 수 있다.' 개항 이전 조선에서 프랑스 선교사들이 살았던 모습도 이와 비슷하다.

개항 이전 조선에서 활동한 프랑스 선교사 명단

번호	이름	출생 연도	입국 연도(나이)	사망 연도(나이)	사망 원인
1	브뤼기에르Bruguière	1792	입국 실패	1835(43세)	병사
2	모방Maubant	1803	1836(33세)	1839(36세)	순교
3	샤스탕Chastan	1803	1837(34세)	1839(36세)	순교
4	앵베르Imbert	1796	1837(41세)	1839(43세)	순교
5	페레올Ferréol	1808	1845(37세)	1853(45세)	병사
6	다블뤼Daveluy	1818	1845(27세)	1866(48세)	순교
7	메스트르Maistre	1808	1852(44세)	1857(49세)	병사
8	장수Jansou	1826	1854(28세)	1854(28세)	병사
9	베르뇌Berneux	1814	1856(42세)	1866(52세)	순교
10	프티니콜라 Petitnicolas	1828	1856(28세)	1866(38세)	순교
11	푸르티에Pourthié	1830	1856(26세)	1866(36세)	순교
12	페롱Féron	1827	1857(30세)	1903(76세)	
13	랑드르Landre	1828	1861(33세)	1863(35세)	병사
14	조안노Joanno	1832	1861(29세)	1863(31세)	병사
15	리델Ridel	1830	1861(31세)	1884(54세)	
16	칼레Calais	1833	1861(28세)	1884(51세)	
17	오메트르Aumaître	1837	1863(26세)	1866(29세)	순교
18	위앵Huin	1836	1865(29세)	1866(30세)	순교
19	볼리외Beaulieu	1840	1865(25세)	1866(26세)	순교
20	도리Dorie	1839	1865(26세)	1866(27세)	순교
21	브르트니에르 Bretenières	1838	1865(27세)	1866(28세)	순교

7장

"나는 한국에서 살인충동을 느꼈다"

⊙

좌파 작가 잭 런던이 본 대한제국의 몰락

조형근

새로운 마부가 필요한 말

1904년 3월 초의 어느 날에 일어난—잭 런던의 표현을 빌리자면—"평범하기 이를 데 없는" 사건 하나에서부터 시작하자. 그러니까 러일전쟁이 막 발발하던 참이었다. 한반도와 만주 일대의 지배권을 둘러싸고 갈등하던 일본과 러시아의 대립은 결국 군사적 충돌로 비화하고 말았다. 1904년 2월 8일, 일본군은 러시아의 조차지 뤼순 항을 기습 공격해 정박 중이던 러시아 함선들을 침몰시켰다. 2월 9일에는 인천항에 정박 중이던 러시아 함대를 역시 기습, 격파했다. 다음 날 일본은 러시아에 선전포고했다. 일본은 중립을 선언한 대한제국 정부의 결정을 무시하고 군대를 서울에 진주시켰다. 기습을 받은 러시아군은 의주까지 내려와 반격을 준비하기 시작했다. 결전을 각오한 일본군은 서울을 떠나 의주로 북진, 북진 중이었다.

세계가 제국주의 열강들 사이의 각축장이 되어 이리저리 분할된 지도 이미 오래. 아직 제국주의의 먹잇감이 되지 않은 얼마 남지 않은 땅 한반도가 누구의 지배 아래 들어갈지는 열강들 사이에서도 관심거리였다. 물론 한반도 자체의 운명은 그들의 관심사가 아니었다. 일본이라는 야심에 들뜬 나라가 백인이 지배하는 세계에 어떤 방식으로 자신의 모습을 드러내게 될지가 서구 언론들의 흥미로운 취재 포인트였다. 러시아와 일본의 대결은 그렇게 백인종과 황인종, 서양과 동양의 대결을 상징하는 축도로 부상했다. 유감스럽지만 한국과 한국인은 이 전쟁의 전장을 제공했을 뿐 주인공이 아니었다.

서구 여러 나라의 신문과 잡지가 이 전쟁에 종군기자들을 파견했다. 북상하는 일본군 대열 속에도 이제 곧 목격하게 될 전쟁의 기운에 묘하게 들떠 있던 일단의 종군기자들이 뒤섞여 있었다. 미국의 『허스트』 『뉴욕 헤럴드』 『콜리어스』 『이그재미너』 등 몇 개 신문과 잡지의 특파원을 겸하여 파견된 스물여덟 살의 미국 작가 잭 런던도 그들 중 한 명이었다. 이제 막 빛나는 성공의 대열에 들어서던 이 모험심 가득한 젊은이는 전장에 다가갈수록 흥분에 빠져들고 있었다.

그렇게 전장으로 발걸음을 재촉하던 3월 초의 어느 날 터진 사건이었다. 말 한 마리가 자꾸 뒤처지더니 급기야 앞으로 나아가길 거부하는 사태가 일어났다. 런던은 조선인 마부에게 말의 발굽 상태를 살펴보라고 지시했다. 평생토록 말만 돌보면서 살아왔을, 그 자신 절반쯤 말이기도 한 이 마부는, 그러나 제대로 살펴보지도 않고 문제가 없다고 대답했다. 런던이 채찍으로 위협하면서 네 번째 명령을 내리고서야 마부는 두 개의 앞발굽을 들어 살펴본 다음 또다시 이상이 없다고 답했다. 마부는 뒷발굽이랑 살펴볼 것도 없

러일전쟁의 발발 장면. 1904년 한반도와 만주의 패권을 놓고 벌어진 이 전쟁을 취재하기 위해 서구의 여러 신문과 잡지는 종군기자들을 파견했다. 유명한 소설가 잭 런던 역시 그렇게 파견된 인물 중 하나였다.

이 문제가 없다고 우겨댔다. 몇 번이나 채찍으로 위협을 가하자 마지못해 말 뒤로 4미터쯤 떨어진 곳에서 천천히 살펴보더니 역시 이상이 없다는 마부의 대답이 돌아왔다. 더는 어쩔 수 없어 더욱 강하게 협박을 하자 비로소 마부는 뒷발에 이르렀지만, 말은 뒷발질을 해댔고 마부는 부리나케 도망쳤다. 어쩔 수 없는 일이었다. 평생토록 말이라곤 모르고 살아온 런던 자신이 직접 나서야 했다.

"말에 대해 아는 것은 하나도 없었으나 단 한 가지 유리한 점이 있다면 그것은 그(잭 런던)가 한국인이 아니라는 점이었다." 힘차게 말을 쓰다듬은 뒤 뒷발을 잡았을 때 말은 뒷발질을 했고, 그는 나동그라졌다. 구경꾼들이 놀라서 크게 소리쳤다. 하지만 그는 굴하지 않았다. 등으로 말을 굳게 받친 다음 발굽을 들어보았다. 이번에는 말이 저항하지 않았다. 맙소사, 편자가 깨져 절반이나 떨어져나가 있었다.

런던은 이렇게 소감을 전한다. "나는 한국인이 얼마나 비능률적이며 무능력한지를 구체적으로 보여주기 위하여 평범하기 이를 데 없는 이 사건의 전말을 이야기한 것이다. 마부에게 일어난 일은 모든 경우에, 모든 사람에게 적용된다. 그들은 어떻게 하는지도 모르고 배우려고도 하지 않으며 관심도 없다. 말은 언젠가는 그 부서진 편자 때문에 다리병신이 되었을 것이다. 수 세기 동안 한국인과 한국 정부는 다리를 절었으며, 우수한 마부가 발을 들어 편자를 고칠 때까지 그렇게 계속하여 다리를 절고 다닐 것이다." 잭 런던이 지목한 '우수한 마부'는 물론 일본이었다.

잭 런던, 모순에 찬 인물과 삶

잭 런던Jack London이 남긴 러일전쟁과 한국인에 대한 인상기는 계약을 맺은 여러 신문과 잡지에 흩어져 있다가 1982년, 프랑스의 출판사에 의해『잭 런던의 조선 사람 엿보기』(원제는 전쟁 속의 한국La Corée en Feu)라는 제목의 단행본으로 묶였다. 전후 상황을 따져보면 그의 종군기사 전체가 이 책에 묶인 것 같지는 않다. 사실 관계의 확인을 위해서는 때로 불가피하게 다른 텍스트들로 외출을 해야 한다. 하지만 런던의 궤적을 쫓아가는 우리의 여정은 기본적으로 이 책을 따라가면서 진행될 예정이다.

그의 한국 경험이 그저 젊은 날의 사소한 에피소드 정도의 의미는 아니었던 듯하다. 그는 러일전쟁에 참가한 서구의 종군기자들 중 가장 많은 기사를 전송했다고 알려졌다. 그만큼 열심히 관찰하고 열심히 써댔다. 사망하기 전해인 1915년에 발표한 마지막 소설『별 방랑자The Star Rover』에는 부당하게 감옥에 갇혀 오랜 시간 고문을 받는 대럴 스탠딩이라는 주인공이 등장한다. 주인공이 고문을 이겨내는 방법은 상상 속에서 가없는 전생의 삶을 사는 것이었는데, 그 전생의 인물들은 북극해의 빙산에 갇혀 실종된 남자에서부터 예수의 출현을 지켜보는 고대 로마 시대 인물, 프랑스의 백작, 미국 서부 개척기의 여덟 살짜리 소년 등이 포함된다. 그중 한 명으로 16세기 조선에 난파한 영국인 애덤 스트랭이 등장한다. 애덤은 이용익이라는 이름을 받고 권신의 총애를 받으며 조선 여인과 사랑을 나눈다. 소설 속에서는 다양한 조선의 일상생활, 풍습이 묘사될 뿐만 아니라 서구인으로서의 편견 또한 여과 없이 드러나고 있다.

잭 런던의 대표작 『야성이 부르는 소리』의 최초 연재분을 담은 잡지 *The Saturday Evening Post*.

잭 런던은 한국에 약간의 관심은 가졌으되 결국 서구인의 편견을 벗어나지는 못했던 제국주의자라고 단정하면 사태는 간단하다. 대신 일본에 비판적이면서 한국인의 비극적 운명에 동정과 연민을 보여준 또 다른 작가들, 예를 들면 『한국과 그 이웃 나라들』의 저자 이사벨라 버드 비숍이나 『대한제국의 비극』을 쓴 프레더릭 매켄지 같은 사람들을 통해 위안을 얻으면 그만일 수도 있다.

문제는 런던이 그렇게 단순하게 보아 넘길 사람이 아니라는 데 있다. 본명이 존 그리피스 체이니John Griffith Chaney(1876~1916)인 이 미국 작가는 한국에 대한 저술을 남긴 수많은 서구인 중 이사벨라 버드 비숍과 함께 당대의 대중적 명성이 가장 높은 인물이었다. 비숍의 한국 여행기는 서구사회에서 베스트셀러가 되었고, 한국에 대한 런던의 지식 중 상당 부분도 비숍의 책에서 나온 것이었다. 비숍이 여성 최초의 영국왕립지리학회 회원이자 저명한 여행 작가로서 세계에 이름을 알렸다면, 런던은 "미국 작가 중 가장 많은 외국어로 번역된 작가" "미국 작가 중 상업적으로 가장 성공한 작가"의 반열에 오른 인물이었다. 그의 작품들은 80여 개 이상의 나라에서 번역되었고, 그중 『야성이 부르는 소리The Call of the Wild』 『늑대개White Fang』 등은 지금도 고전으로 평가받고 있다. 그의 상업적 성공은 기념비적인 수준이었다. 『야성이 부르는 소리』는 1909년 한 해에만도 75만 부가 팔렸다. 헤리엇 스토의 『톰 아저씨의 오두막』, 마크 트웨인의 『톰 소여의 모험』, 아서 코난 도일의 『셜록 홈스의 모험』의 판매 부수를 능가하는 기록이었다. 그의 작품들은 1913년에서 1958년 사이에만 무려 42편의 영화로 제작되었고 오늘날까지도 미국의 교과서에 실린다고 한다. 1913년 무렵 그는 세계에서 가장 인기 있고 많은 돈을 버는 작가라고 스스로 일컫고 있었다.

그러나 런던의 한국에 대한 편견이 문제인 것은 그가 세계적인 유명 작가였기 때문만은 아니다. 성공한 베스트셀러 작가 런던은 또한 매우 급진적인 좌파 사회주의자이기도 했다. 불운한 가정 환경 탓에 열한 살 무렵부터 노동을 시작해야 했던 그는 때 이른 사회 경험과 독학을 통해 스스로 사회주의자가 되었다. 스물다섯 살에 미국 사회당에 입당하였고, 『강철군화』 『밑바닥 사람들』과 같은 자본주의 비판 작품으로도 널리 이름을 알렸다. 작가로서 거둔 경이로운 대성공과 부, 화려한 삶의 맞은편에는 자신이 성공을 거둔 체제에 대한 혐오와 증오가 공존하고 있었다. 양자 사이에서 그의 인생은 모순으로 점철되었다. 그는 동료들과 불화를 빚다가 점차 자기 안으로 침잠해 들어갔고 말년에는 아예 세상과 담을 쌓아버렸다. 사인이 규명되지 않은 그의 때 이른 죽음이 여전히 자살로 믿어지는 데는 그의 삶이 이토록 강퍅한 모순 속에 뒤틀려 있었기 때문이다. 런던은 세속적 성공을 너무나 갈망했지만, 그 성공을 감당할 만한 뻔뻔함은 갖추지 못한 인물이었다.

런던의 조선여행기는 그런 모순된 삶, 모순된 인식의 어떤 극한적 상태를 보여준다. 사회주의자로서 그 누구보다 기득권자들에 대한 비판정신에 충만해 있던 한 작가가 이 여행기에서는 죄 없는 약소민족을 연민하기는커녕 오히려 강자로서 그들에게 경멸의 시선을 던지고 있다. 그의 시선에는 당대의 세계를 풍미하던 서구 중심주의와 사회진화론적 사유가 투영되어 있었다. 이 두 가지 사유방식은 런던과 같이 당대의 체제에 가장 비판적인 지식인이나 작가들마저 쉽사리 벗어나지 못했던 강력한 인식의 틀, 사유의 습관과도 같은 것이었다. 더욱 심각한 문제는 그 엄청난 영향력 때문에 약자들마저 어느덧 그러한 사고방식을 당연한 것으로 받아들이게 된다는 점이다. 이제 런던의 여행기를 따라 읽다가 어느 순간 독자가 그의 경멸과 냉소에 고개를 끄덕이게 된다면, 당신은 이 사고방식의 놀라운 힘을 스스로 실감하게 되는 셈이다.

서재에서의 잭 런던(1876~1916).

잭 런던의 여정

런던의 여정을 정확히 확인하는 것은 쉽지 않다. 유감스럽게도 여행기가 구체적인 날짜를 특정하지 않은 경우가 많기 때문이다. 따라서 그의 여정은 여행기로 묶인 책만이 아니라 여타의 자료를 통해 보완, 추정하는 수밖에 없다. 그럼에도 불구하고 확정적인 날짜가 아니라 요일만 표시했거나, 특정 날짜로부터 며칠 전후라는

미 샌프란시스코에서 시베리아 호를 타고 일본을 거쳐 잭 런던이 한국 땅을 처음 밟게 된 곳은 부산항이었다. 당시 부산 항구의 모습.

식의 기술이 적지 않은 탓에 반드시 정확하다고는 할 수 없다.

그가 미국 샌프란시스코에서 시베리아 호를 타고 일본 요코하마를 향해 출발한 날은 1904년 1월 7일이었다. 도쿄에 도착한 것이 1월 25일이니 태평양 횡단에 18일이 걸린 셈이다. 2월 3일까지는 시모노세키에서 부산으로 향하는 배를 구하고 있었던 것이 확인된다. 어렵사리 구한 증기선으로 부산에 도착한 것은 2월 7일 내지 8일이었을 것이다. 부산에서 증기선을 갈아탄 다음 목포까지 갔다가 거기서부터는 거룻배를 타고 군산을 거쳐 제물포로 향했다. 2월 13일 현재 그는 황해의 바다 위에서 격렬한 폭풍우를 맞고 있다. 런던은 원래 대단한 모험가였다. 알래스카와 캐나다, 북대서양의 광막한 자연 속에서 거친 모험을 수없이 겪은 터였다. 하지만 거룻배 하나에 의지한 이 모험은 그중에서도 특별히 강렬한 체험이었던 듯하다. 한 기사에서 그는 이 거친 순간을 이렇게 묘사하고 있다. "1904년 2월 13일 토요일. 맹렬한 눈보라. 황해 전체에 강풍이 몰아쳐서 우리를 두들기고 있음. 너무 추워서 소금물인 바다까지 얼었다. 오, 이곳은 거칠고 모진 해안이다." "겪어본 것 중 가장 거칠고 화려했던 일"을 뒤로하고 그는 2월 16일경에 제물포에 도착했다. 제물포에서 해전이 발발한 지 일주일 후에 거기 도착했다는 기록이 맞다면 말이다.

일본에서 만났다가 친구가 된 종군기자 로버트 던이 런던보다 며칠 앞서 제물포에 와 있었다. 막 입항한 런던을 보고 그가 남긴 인상기를 보면, "나는 그를 알아보지 못했다. 그는 육체적으로 완전히 수척해져 있었다. 그의 귀는 얼었고, 손가락도 얼었으며, 발도 얼어 있었다. 그는 전선에 갈 수만 있다면 제 몸이 어떻든 개의

치 않는다고 말했다. 나는 잭 런던이야말로 가장 용감한 사람 중 한 명이며, 그를 만난 것이 내 인생의 큰 행운이라고 말하고 싶다"라고 적혀 있다.

2월 26일자 기록에서 런던은 서울에서 말을 구하고 있다. 즉 서울에 도착한 것은 최소한 2월 25일 이전이었을 것이다. 2월 28일에 평양 외곽에서 코사크기병대로 구성된 러시아군 정찰대와 일본군 사이에 첫 지상전이 벌어졌다는 소식에도 불구하고 그는 곧바로 전선으로 내달릴 수가 없었다. 열일곱 마리의 말과 마부, 일본인과 한국인 통역 각 한 명씩, 그리고 다양한 물자를 구하는 데 적지 않은 시간이 걸렸기 때문이다. 이윽고 두 명의 다른 종군기자와 함께 평양을 향해 출발한 시점은 3월 2일에서 5일 사이로 추정된다. 적어도 3월 7일에는 평양에 당도했을 것이며, 3월 8일 오후 2시 30분경에 평양을 떠나 안주로 향했다. 3월 12일 전후에는 순안에서 북상을 위한 일본군 당국의 허가를 기다리고 있었다. 북상 허가는 쉽지 않았다. 전선이 형성되어 있는 의주에 도착한 것은 4월 21일경이 되어서였다. 마침내 4월 29일에서 5월 1일 사이에 압록강을 사이에 두고 벌어진 치열한 전투를 목격, 취재한다. 이 전투에서 무리하게 정면 돌파를 감행한 일본군은 1000여 명에 이르는 막대한 사상자를 내지만 결국 압록강 도하에 성공한다. 5월 1일, 잭 런던은 압록강 너머 안동(현재의 단둥)으로 이동했다. 그는 적어도 6월 2일까지는 안동에 머물고 있었다. 『이그재미너』에 따르면 그가 미국에 도착한 날은 6월 31일이다. 그의 귀국에 대해선 책에는 소개되지 않은 에피소드가 있다. 런던은 자기 말의 사료를 훔친 일본인을 공격한 혐의로 일본군에 체포되었다. 사형의 위협

잭 런던이 한국을 방문하게 된 것은 러일전쟁을 취재하기 위함이었다. 사진은 러일전쟁 당시 러시아 군대의 대포.

뤼순의 203미터 고지를 점령한 일본 육군 부대의 모습.

二〇三高地我軍之墓標

속에서 동료 기자 리처드 하딩 데이비스가 미국 대통령 시어도어 루스벨트에게 구명을 요청했다. 런던은 즉시 미국으로 돌아간다는 조건으로 석방되었다.

요컨대 런던은 1904년 2월 7일경부터 그해 5월 1일경까지 4개월이 조금 못 되는 짧은 기간 동안 한국에 머물렀다. 그의 한국 방문 목적은 러시아와 일본 사이에 벌어진 전쟁을 취재하는 것이었지, 한국인의 삶을 관찰하는 것은 아니었다. 따라서 그의 한국 관찰기가 일면 피상적인 것은 당연한 일이다. 그것까지 그에게 책임을 묻기는 어렵다. 하지만 바로 이 날것 그대로의 피상성이야말로 이 무렵 서구인들이 공유하고 있던 단단한 사유의 얼개를 고스란히 보여준다는 점에서 주목할 가치가 있다.

살인충동을 느끼게 하는 한국인들

잭 런던의 한국과 한국인에 대한 인상은 부정확한 관찰과 편견으로 가득 차 있다. 그러나 여기서는 그의 관찰이 실제로 정확한 것인지, 그의 평가가 얼마나 타당한 것인지에 대해서는 따지지 않기로 한다. 그보다는 그의 시선을 따라가면서 있는 그대로의 편견을 드러내는 데 주력하고자 한다.

그가 한국과 한국인에 대해 갖게 된 인상을 집약적으로 보여주는 진술을 찾아보자. "백인 여행자가 처음으로 한국에 체류할 경우 처음 몇 주 동안은 기분 좋은 것과는 영 거리가 멀다. 만약 그가 예민한 사람이라면 두 가지 강력한 욕구 사이에서 씨름하며 대부분의 시간을 보낼 것이다. 하나는 한국인들을 죽이고 싶은 욕구이며, 또 하나는 자살하고 싶은 욕구다. 개인적으로 나라면 첫 번째 선택을 했을 것이다."

도대체 한국이 얼마나 엉망이었기에 살인충동까지 느꼈던 것일까? 기본적인 공공시설이나 장비, 물자 따위가 엉망인 것도 심각한 문제이기는 했다. 서울을 떠나 북경으로 이어지는 길은 명색이 황제의 사신이 다니던 왕도王道임에도 불구하고 사실은 우스꽝스런 웅덩이의 연속이었다. 여정은 끊임없이 지체되었다. 한국에서는 장비 하나 하나가 다 문제를 일으켜서 "말이 다섯 마리면 20개의 편자가 필요하고, 20개의 편자는 20개의 문제를 일으"켰다. 그러나 그에게 살인충동까지 일으킨 가장 큰 골칫거리는 그런 물질적인 조건들이 아니었다. 그보다는 견딜 수 없이 나약하고 게으르며 도둑질 잘하고 약자에게 강한 한국인의 심성, 또 그러면서도 불필요하게 호기심 많은 한국인들의 태도였다.

용감함에 대해서라면 다른 사람보다 물러설 생각이 없던 런던 같은 인물의 눈에 한국인은 세계에서 가장 나약하고 겁 많은 민족으로 보였다. 그는 겁 많은 마부와 같은 한국인을 수도 없이 만나야 했다. 그들은 러시아 침략군을 '영원한 적'으로 생각하면서도 맞설 생각은커녕 잔뜩 겁을 집어먹은 채 모두 도망만 치고 있었다. "러시아군에 대한 그들의 두려움은 맹목적이었다." 사진을 찍을 때면 겁 많은 한국인들의 태도가 극적으로 드러났다. 부지런히 사진을 찍어대는 런던의 기호를 완벽히 파악한 통역이자 심부름꾼 만영이가 하루는 아이를 업고 가구를 머리에 인 피난민을 잡아왔다. 그 남자와 아이는 마치 목숨을 빼앗기기라도 하듯 울부짖고 있었다. 그 남자는 번쩍이는 카메라가 자신의 목숨을 앗아가리라는 두려움에 떨고 있었다. 그 터무니없는 믿음은 그럴싸한 사진을 위해서는 꽤 괜찮은 것이었다. 카메라 렌즈를 직시하도록 억지로 그를 돌려세우자 그의 눈물과 흐느낌이 절정에 달했기 때문이다.

한국인들은 몹시 게을렀다. 한국어에는 속도를 내야 할 필요를 강조하는 단어가 적어도 스무 개는 되는데, '바삐' '얼른' '속히' '얼핏' '급히' '냉큼' '빨리' '잠깐' 등과 같은 것이 그 사례이다. 이 단어들은 서양인이 한국에서 가장 먼저 배우는 단어들이다. 이런 단어가 무수히 많다는 것은 한국인들이 그만큼 게으르다는 것을 보여준다.

한국인들은 도둑질하는 데 능했고, 약자에게 더 강한 민족이기도 했다. 황주에 도착했을 때의 일이다. 런던의 일행은 숙소를 구하려 했지만 도착하는 마을마다 "10리만 더 가라"는 상투적인 대답만 돌아올 뿐이었다. 또다시 "10리만 더 가라"는 대답이 돌아온 어느 마을에서 일행 중 두 명, 즉 종군기자 존스와 맥로드가 마침내 권총을 꺼내들었다. 그러자 한국인들은 2분 만에 일행과 말들을 편안한 곳으로 안내했다. 다음 날 아침, 말을 덮어주었던 담요 두 장이 없어졌다. 집주인은 수없이 '죄송'이라는 말만 늘어놓을 뿐 어떤 실질적인 조치도 취하지 않았다. 분노한 런던 일행은 집주인은 물론이고 마을의 우두머리까지 쓰레기더미 위에 세워놓고 담요를 찾아내지 못하면 그들을 평양까지 데려가서 처벌하겠다고 협박했다. 그때 갑자기 한 짐꾼이 가까운 땅에서 담요를 파내기 시작했다. 그 순간 수많은 한국인이 달려들어서 그 짐꾼을 때리기 시작했다. 영문을 모르는 런던 일행은 어리둥절해 있었다. 그 기이

한 폭력 사태는 "약자가 강자와 화해하려면 자신보다 더한 약자를 때려야 한다는 (아시아적) 사고방식"이 빚어낸 결과였다.

한국인들의 또 다른 특성은 못 말리는 호기심이었다. 그들은 기웃거리는 것을 몹시도 좋아했다. 한국말로 '구경'이라 불리는 이 행동이야말로 그들에게는 최고의 즐거움처럼 여겨졌다. 평양 북쪽 순안에서의 경험을 런던은 이렇게 기록하고 있다. 도피했던 순안 사람들은 일본 군인들이 함부로 대하지 않는다는 것을 안 다음부터는 은신처에서 매일 내려왔다. 목적은 오직 구경이었다. 런던은 대로변 빈집에 머물렀는데 문 앞에는 "하루 종일 감탄하느라 넋이 나간 한 무리의 사람들이 몰려들었다." 군중은 아침식사 전부터 몰려들어서 하루 종일 그의 일상을 구경했다. 가장 인기 있을 때는 면도를 할 때였다. 만영이가 뜨거운 물을 날라다주고 런던이 얼굴에 비누칠을 시작하면 너무나 많은 사람으로 길이 막혀서 군대가 행진을 못 할 지경이었다. 그에게 프라이버시 따위는 허락되지 않았다.

한국인들도 잘하는 일이 딱 하나 있는데, 그것은 짐을 지는 것이었다. 한국인들은 마치 짐 끄는 동물이라도 되는 양 묵묵히 짐을 지는 데는 선수였다. 그렇다고 해서 한국인들이 그 일을 능률적으로 하는 것은 아니었다. 능률의 관점에서 보자면 지구상에서 가장 비능률적이라 할 만했다. 서양인이라면 혼자서 할 가래질을 한국인은 세 명이 달려들어 했다. 한 명이 삽질을 하고 두 명은 그 삽에 묶인 줄을 당겼다. 묵묵히 일하는 데는 능했지만, 그 일의 효율성은 서양인의 3분의 1에 그치는 것이었다. 한국인들은 그들의 상전인 '왜놈'들을 몸집으로 훨씬 능가하는 근육이 발달된 건강한

3인조 삽가래질. 잭 런던이 본 한국인의 노동 방식은 비능률의 전형이라고 할 만했다. 가래질을 하는 데 3인1조가 되어, 한 사람이 삽자루를 쥐고 삽 끝을 흙에 갖다대면 다른 두 사람은 3.6미터쯤 떨어진 거리에서 힘껏 줄을 잡아당긴다. 더욱이 오른쪽에는 이를 감시·감독하는 사람이 한 명 서 있다.

런던이 보기에 한국인이 잘하는 것은 묵묵히 짐을 지는 것이었다. 20세기 초반 외국인들이 한국을 방문하면서 가장 많이 남긴 사진 가운데 하나가 짐꾼의 모습인데, 이 장면은 돼지를 지고 장에 가는 모습이다.

민족이었지만, 결정적으로 그들에게는 기개가 없었고 어떤 맹렬함도 없었다.

황화黃禍에 대한 경계심

한국과 한국인에 대한 경멸적인 평가에 비한다면 일본군에 대한 런던의 인상은 매우 호의적이었다. 일본군은 질서, 규율, 효율성, 호전성이라는 측면에서 최고 수준에 도달해 있었다. "일본 군대보다 더 질서정연하고 조용한 군대는 본 적이 없는 것 같다"며 그는 감탄했다. 일본군은 여자들을 건드리지도 민간인의 재산을 빼앗지도 않았다. 그래서 민간인들은 일본군을 전혀 두려워하지 않았다. 그러면서도 일본군은 호전적이었다. 일본 보병은 보병의 장점이란 장점은 모두 갖추고 있었다. "일본군 보병은 지구상의 어디에 내놓아도 손색이 없다. 그들은 어딜 가든 명성을 얻을 것이다." 그들은 19킬로그램이나 나가는 무거운 군장을 지고서도 지친 기색 없이 흐트러지지 않은 모습으로 행군했다. 일본군은 하나처럼 움직이는 단체였고, 능률 있게 일했으며 한 목표 아래 모두 같이 움직이는 것처럼 보였다. 일본군 고위 장교들은 서구에서 온 기자들에게 가능한 한 우호적인 태도를 보였다.

그렇다고 해서 런던이 일본군을 일방적으로 찬양한 것은 아니다. 압록강 도하 작전에서 보듯 일본인들에게는 생명에 대한 존중이 전혀 없는 듯했다. 인명 피해를 훨씬 줄일 방법이 명백히 있음에도 불구하고 무리한 정면 돌파를 시도했고 1000여 명의 일본군이

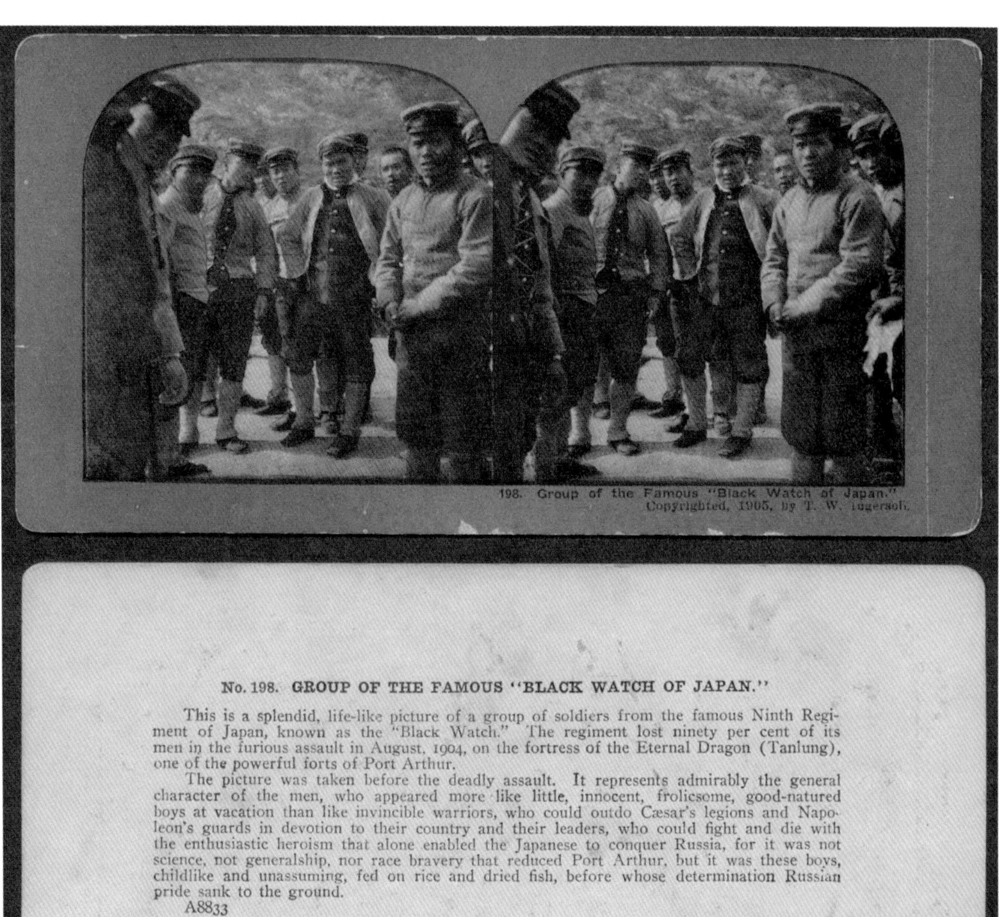

No. 198. GROUP OF THE FAMOUS "BLACK WATCH OF JAPAN."

This is a splendid, life-like picture of a group of soldiers from the famous Ninth Regiment of Japan, known as the "Black Watch." The regiment lost ninety per cent of its men in the furious assault in August, 1904, on the fortress of the Eternal Dragon (Tanlung), one of the powerful forts of Port Arthur.

The picture was taken before the deadly assault. It represents admirably the general character of the men, who appeared more like little, innocent, frolicsome, good-natured boys at vacation than like invincible warriors, who could outdo Cæsar's legions and Napoleon's guards in devotion to their country and their leaders, who could fight and die with the enthusiastic heroism that alone enabled the Japanese to conquer Russia, for it was not science, not generalship, nor race bravery that reduced Port Arthur, but it was these boys, childlike and unassuming, fed on rice and dried fish, before whose determination Russian pride sank to the ground.

A8833

일본군 제9연대. 1904년 8월 뤼순 항에서의 궤멸적인 기습으로 이 연대의 90퍼센트가 전사했다.

런던이 보기에 일본보다는 중국인들이 잠재적으로 서구의 위협이 될 만한 상대였다. 20세기 초반 중국 만주의 거리 풍경.

전사했다. 그것은 자살 공격이었다. 서구에서라면 어떤 지휘관도 그런 무모한 작전을 감행하지 않을 것이다. "그러나 일본은 아시아 인종이다. 그리고 아시아인들은 우리만큼 생명에 커다란 비중을 두지 않는다. 일본 장교들은 승리를 위하여 치른 대가에 관해서라면 언론이나 국민으로부터 받을 질책을 무서워하지 않는다."

런던이 보기에 일본인이 아무리 동양의 영국인이라고 해도 그들 역시 결국은 아시아인이라는 사실은 변함없는 진리였다. 일본인

에게는 고통에 대한 연민이 없었다. 일본인들은 서구의 기술은 들여왔지만 윤리적 발전은 무시했다. 서양인의 모든 나쁜 행위조차 그 뒤에는 서양인만의 것인 올바름, 바른 양심, 삶에 대한 책임감, 동정심, 우정, 인간의 정 등이 깔려 있는데, 이것은 동양인에게 가르쳐줄 수 없는 것이었다. 서양인의 역사는 영적인 싸움과 노력의 역사였고 서양인은 종교적인 민족이었던 반면, 일본인에게는 이런 면이 전적으로 결여되어 있었다. 여기서 런던은 일본에서 만난 한 미국인 부인의 말을 떠올린다. "일본인은 영혼이 없는 것 같아요." 하지만 그의 결론은 다르다. 일본인들에게도 서구인의 종교만큼이나 위대하고 효율적인 종교가 존재한다. 다만 그 종교의 신은 국가이다. 일본인에게 절대적인 존재는 천황이며, 일본에서 가장 찬미받는 정신은 애국심이다.

런던은 이 무렵 작성한 「잠자는 호랑이 중국」이라는 글에서 중국을 중심에 두고 한국, 일본을 대조하고 있다. 한국인이 비능률성의 전형이라면, 중국인은 근면성의 전형이다. 중국인은 세계에서 가장 근면하며, 일이야말로 중국인이 사는 이유라고 할 수 있다. 중국인에게는 차라리 자유가 고통이었다. 만주에서 한 요새를 점령할 때 선봉대로서 사다리를 성벽에 갖다댄 이들도 중국인이었는데, 그들이 그렇게 용감하게 행동한 것은 애국심 때문이 아니라 그저 일당을 받을 수 있기 때문이었다. 한국인과 달리 중국인은 겁쟁이가 아니다. 중국인들은 다른 나라 군대가 자기 마을을 점령하면 도망가는 대신 남아서 닭과 계란 등 재산을 끝까지 지켜냈다. 그다음에는 즉시 그것들을 점령군에게 팔아넘기는 데 주력하는 것이 중국인이었다.

런던이 보기에 정복의 길에 들어선 일본은 위협적인 상대이지만, 서구세계가 진짜 위협을 느껴야 할 대상은 일본이 아니라 중국이었다. 누군가가 중국을 경쟁력 있는 방향으로 잡아만 준다면 중국은 급속도로 성장할 것이었다. 그리고 일본이야말로 이 역할을 수행할 수 있는 준비가 다 되어 있는 것으로 보였다. 중국 4억의 인구가 무기력한 상태에서 벗어나 과학적이며 현대적 전쟁에 귀재인 일본에 의해 재정비되고 방향을 제시받아 다시 태어난다면 위협적인 존재가 될 것이며, 서구세계는 황화黃禍에 떨게 될 것이라고 런던은 예측했다.

약육강식의 세상에서
계급의 약자와 인종의 약자

잭 런던이 한국과 한국인에 대해 맥락 없이 언제나 경멸어린 시선만 보낸 것은 아니다. 어쩌면 급진적 사회주의자로서 착취당하는 민중에 대한 측은지심은 당연한 것이었는지도 모른다. 4월 20일경, 의주에서의 기록은 전쟁으로 상처받고 손상된 둑과 도랑과 논을 바라보며 탄식하는 그의 심경을 잘 보여준다. 자신의 죄가 아닌 전쟁 탓에 "농부의 오랜 노고는 헛수고가 되고 말았다."

그에게서 분노와 경멸의 대상은 한국인 모두라기보다는 한국의 지배계급에 집중되어 있는 듯도 하다. 일본군이 정당한 돈을 주고 식량을 징발하더라도 한국 민중이 불만을 느끼는 이유는 관리들이 중간에서 돈을 '착취'하기 때문이라고 보았다. "한국에는 착취하는 계급과 착취당하는 두 부류의 계급만이 존재하고 있다."

순안군수 박순성의 착취에 대한 런던의 개입이 그 대표적인 예다. 그는 순안에 머물던 중 군수 박순성이 일본군이 지불한 가격의 3할만 백성들에게 주고 나머지는 착복하고 있음을 알게 되었다. 양반들은 모두 도둑이라는 것을 깨닫고 분노한 런던은 만영이를 관아로 보냈다. "만영이, 양반의 허세가 무언지 알아봐야겠어. 관아로 가서 사또를 만나 내가 2시까지 갈 것이라고 해. 날 기다리고 있지 않으면 내가 무척 화를 낼 것이라고 해, 알았지?" 다음 날 런던 일행이 관아에 도착하자 군중이 구름같이 몰려들었다. 그 군중 속에서 만영은 민중의 지도자로 우뚝 일어서고 있었다. 그 광경을 바라보며 런던은 만영의 머릿속에서도 프랑스혁명과 같은 인권의 기운이 싹트고 있으리라는 기대를 품게 된다. 런던 일행이 누구인지조차 몰랐지만 그 혁명의 기운 앞에서 군수 박순성은 어떤 공포를 느꼈다. 결국 일행은 박순성에게 한 푼이라도 남김없이 백성들에게 돌려주겠다는 약속을 받아내고 관아를 나왔다.

하지만 런던은 자신의 백인됨을 잊지 않는 인물이기도 했다. 그는 서구 문명의 우월성을 믿어 의심치 않았으며, 서구인에 의한 세계 지배를 '사실'로 받아들였다. 일본군에 배속된 종군기자로서 일본군과 우호적인 관계를 맺고 있었지만, 같은 백인종인 러시아군에 대한 심경은 복잡 미묘한 것이었다. 압록강을 도하한 런던이 포로가 된 러시아군을 만난 일화는 인상적이다. 계량정이라는 곳까지 가는 동안 그는 수많은 일본군 시체와 부상병을 목격하면서 전쟁의 끔찍함 앞에서 마음의 동요를 느꼈다. 계량정에 도착했을 때, 그는 병사들이 몰려드는 중국식 집을 발견하게 되었다. 그 또한 호기심에 창문 안을 들여다보았다.

> 나는 마치 주먹으로 머리를 얻어맞은 것처럼 정신이 멍해졌다. 피부는 희고 눈이 파란 사람 한 명이 나를 바라보고 있었다. 그는 더러웠고 그의 옷도 마찬가지였다. 그는 지금 막 맹렬한 전투를 치르고 온 것이었다. 그의 눈은 나보다 더 파랗고 그의 피부는 나보다 더 희었다. 그곳에는 다른 백인이 아주 많이 있었다. 나는 숨이 막혔다. 목을 조이는 듯

한 느낌이 목구멍까지 올라왔다. 그들은 나와 같은 종족이었다. 나는 갑자기 창문을 통해 나와 같이 들여다보고 있는 황인종들 사이에서 내가 이방인이라는 사실을 새삼 실감하게 되었다. 그리고 이상하게 내가 창문 저편에 있는 사람들과 연대를 맺고 있는 것처럼 느껴졌다.

런던은 수개월 동안 동행하면서 자신이 어느새 아시아인 병사들에게 익숙해져 있었다는 사실을 새삼스레 깨닫는다. 그들의 존재, 태도, 용모를 '자연적 질서'로 받아들이게 되었던 것이다. 그랬던 그였지만 결국 시체로 나뒹구는 일본군보다는 포로가 되어 있는 러시아군의 모습이 더 충격적으로 다가왔다. 사회주의자로서 그는 세계를 계급과 계급 간의 투쟁으로 바라보았지만, 백인으로서 그는 세계를 백인종과 황인종 사이의 투쟁으로 이해하고 있었다. 그리고 적어도 그 순간, 그는 사회주의자이기 이전에 백인으로서 포로가 된 러시아군에게 정서적 연대감을 느끼고 있었던 것이다.

그의 태도는 이 무렵 서구의 지식인, 엘리트, 일반 민중 사이에서 특별히 예외적인 것이 아니다. 서구 중심주의와 사회진화론이 결합된 이 기묘한 사조는 실제로 이 시기의 국내외 정치를 결정지은 가장 중요한 힘 가운데 하나였다. 특히 사회진화론이 중요했다. 영국의 사회학자 허버트 스펜서와 미국의 심리학자 윌리엄 섬너 등이 다윈의 진화론을 조악하게 단순화하고 왜곡한 사회진화론은 이 시대를 지배한 사조였다. 인간사회의 생활은 본질적으로 생존경쟁이며, 이 경쟁에서 강자가 생존하고 약자가 도태된다고 파악하는 것이 사회진화론의 기본 인식이었다. 생존경쟁을 제약함으

19세기 말에서 20세기 초는 사회진화론이 세계를 지배하던 때로, 진보든 보수든 관계없이 오도된 진화론이 지배적인 관념으로 자리 잡았다. 사진은 열강의 침략의 하나인 1900년 독일군의 북경 진입 장면.

로써 도태되어야 할 약자를 보호하는 행위는 자연의 질서에 반하는 것으로 여겨졌다. 따라서 사회적 약자에 대한 국가의 보호는 철폐되어야 할 정책이었다. 사회진화론은 국내정치적으로는 강자의 기득권을 옹호하는 보수주의의 이데올로기로 작동했고, 국제정치적으로는 당대의 제국주의적 침략과 지배를 정당화하는 식민주의 이데올로기 노릇을 수행했다. 강한 민족이 약한 민족을 지배하는 것은 약육강식이라는 자연의 원리에 합당한 현상이라고.

자연세계에 적용되는 진화론을 사회세계에 단순 적용한 것도 심각한 문제이지만, 사회진화론은 다윈의 진화론 자체도 매우 왜곡된 형태로 이해했다. 다윈의 진화론은 약육강식의 논리로만 볼 수 없기 때문이다. 다윈에게서 생존하는 것은 강자가 아니라 적자適者다. 약육강식이 아니라 적자생존이 진화의 메커니즘인 것이다. 강하거나 뛰어나거나 우수해서 생존하는 것이 아니라, 변화된 환경에 적합한 종이 생존하고 번성한다는 것이 다윈 진화론의 핵심이었다. 그래서 공룡은 가장 강했지만 멸종했고, 매머드 또한 코끼리보다 훨씬 크고 강했지만 멸종했던 것이다. 자연계에는 '약한 것에서 강한 것으로, 열등한 것에서 우수한 것으로'의 진화의 방향성 따위는 없다.

이처럼 왜곡된 사회진화론은 정치적으로 거의 반동적인 역할을 수행했다. 문제는 이토록 보수적·반동적인 이 사조가 보수주의자들은 물론 사회적 약자를 옹호하는 진보주의자들 상당수에게도 영향력을 행사했다는 점이다. 런던은 그런 시대정신의 한 표본이었다. 그의 대표작 『야성이 부르는 소리』는 벅이라는 이름을 가진 한 마리 개가 따뜻하고 안온한 문명의 세계에서 알래스카의 거친 황야로 옮겨진 후 치열한 생존경쟁 끝에 야성을 되찾는 과정을 매우 극적으로 묘사하고 있다. 1901년에 발표한 『마이다스의 노예들』이라는 작품에서는 무고한 사람들을 죽이겠다고 위협하여 자본가들에게 돈을 뺏는 지식인 프롤레타리아 테러조직이 등장한다. 거기서 그는 자본가 헤일에게 보내는 조직의 편지를 빌려서 이렇게 말하고 있다.

> 강자만이 살아남을 수 있다. (…) 이러한 방법들로 당신(자본가 헤일)은 살아남은 것이다. 그렇다고 그런 결과를 탓하자는 것은 아니다. 우리 스스로도 꼭 같은 자연법칙을 인지하고 있으며 그것에 따라 살고 있기 때문이다. 우리는 묻는다. '당신과 우리 중 누가 주어진 사회관계 속에서 살아남게 될 것인가?' 우리 생각엔 우리가 더 강한 자인 것 같다. 결정은 물론 시간과 법칙이 내려줄 테지만…….

잭 런던은 그렇다고 치자. 좌파든 우파든 간에 그는 강한 민족의 일원이었으니까. 문제는 약소민족의 일원으로서 이 이데올로기를 받아들이고 내면화하는 인물들이다. 『서유견문』의 저자 유길준은 도쿄 유학 중 사회진화론을 접하고 크게 감동하여 이를 받아들인다. 이후 미국 유학 중에는 저명한 사회진화론자 모스를 직접 찾아가서 그에게서 사회진화론을 배우기에 이른다. 일본 유학 중이던 1883년에 유길준이 집필한 『경쟁론』은 인욕人慾을 경계 대상으로 삼고 "군자는 경쟁하는 법이 없다"고 생각해온 조선의 유학자가 경쟁을 국가와 개인의 삶의 기본 원리로 받아들였음을 보여주는 최초의 전향서라고 볼 수 있다.

> 대개 인생의 만사가 경쟁을 의지하지 않는 일이 없으니 크게 천하 국가의 일부터 작게 한 몸 한 집안의 일까지 실로 다 경쟁으로 인해서 먼저 진보할 수 있는 바라. 만일 인생에 경쟁하는 바가 없으면 어떤 방법으로 그 지덕과 행복을 증진시킬 수 있겠는가? 만약 국가들 사이에 경쟁하는 바가 없으면 어떤 방법으로 그 광위와 부강을 증진시킬 수 있겠는가?

윤치호 또한 미국 유학생활에서 사회진화론을 받아들인다. 인종차별을 당한 경험은 역으로 '힘이 곧 정의'라는 사회진화론의 주장을 수용하는 계기가 된다. 물론 유길준보다는 내면이 훨씬 복잡한 인물인 윤치호에게서 사회진화론의 수용은 그렇게 간단한 일은 아니었다. 특히 신학을 공부하면서 받아들인 기독교 신앙과 사회진화론 사이의 부조화는 그의 고민거리였다. 1892년 어느 날의 일기에서 그는 이렇게 고뇌를 털어놓고 있다.

> 나의 신앙이나 믿음의 가장 큰 방해물은 인종 간의 불평등과 그로 인해서 발생하는 여러 해악이다. 왜 하나님께서 코카시안과 몽골리안, 아프리카인 등에게 평등한 기회와 동등한 심신의 능력을 부여하시지 않았는가? (…) 하나님께서 그렇게 하고자 하심에도 못 하셨을까? 그렇다면 그의 지혜는 어떤 것인가? 그렇게 하실 수 있으심에도 일부러 하지 않으셨는가? 그렇다면 그의 사랑은 어떤 것인가? 오호, 수수께끼로다!

윤치호는 사회진화론이 지닌 역설을 잘 알고 있었다. 강한 것을 긍정하고 찬미하는 일은 자신에 대한 지배와 착취를 찬미하는 것에 지나지 않음을. 러일전쟁이 마침내 일본의 승리로 끝난 직후의 일기에서 그는 이렇게 탄식하고 있다.

> 섬나라 사람들은 황인종의 명예를 장려하게 지켜냈다. (…) 일본이 단독으로 이 저주를 깨뜨린 일은 착상만으로도 웅대한 일이다. 황인종의 한 사람으로서 나는 일본을 사랑하고 공경한다. 그렇지만 한국인으로서 나는 한국으로부터 모든 것을, 독립 그 자체를 빼앗아가는 일본을 증오한다.

약육강식의 질서를 승인하는 약자에게 미래는 없다. 독립투쟁은 무의미한 것이다. 신분의 차별, 계급적·계층적 차별을 철폐하기 위한 투쟁도 소용없는 짓이다. 그들은 지배할 만해서 지배하는 것이고, 우리는 지배당할 만해서 지배당하는 것이다. 윤치호가 다른 일기에서 쓰고 있는 것처럼 모욕감을 느끼면서도 강국이 조선에 대해 취하는 어떤 고압적인 조치도 이상하게 여기지 않을 만큼 힘이 곧 정의라는 규칙을 믿게 되는 것이다. 잘 알려져 있다시피 윤치호는 일제에 협력하면서 3·1운동을 포함한 모든 종류의 독립운동에 반대했다. 힘을 키우기 위한 실력양성 운동이 그가 기대한 최선의 방책이었다. 사회진화론은 피지배자를 온순하게 길들이는 최상의 이데올로기였던 것이다.

잭 런던은 혼란기의 한국에 잠시 머물다가 기록을 남기고 떠난 수많은 이방인 가운데 한 명에 지나지 않는다. 그가 남긴 여행기가 특별한 문학적 가치나 사료적 가치를 지닌 것도 아니다. 그러나 그의 여행기는 그 무렵 세계를 지배하던 사조의 일단을 한국과 한국인을 대상으로 어떤 체면치레도 없이 드러내고 있다는 점에서 소중하다. 문제는 잭 런던의 사유가 어느덧 한국인들의 사유에도 스며들었다는 것, 어쩌면 오늘날까지 이어지고 있을지도 모른다는 것이다.

8장

유럽 몰락 귀족이 조선 관료가 된 까닭

⊙

묄렌도르프, 조선에서 참판이 되다

김현숙

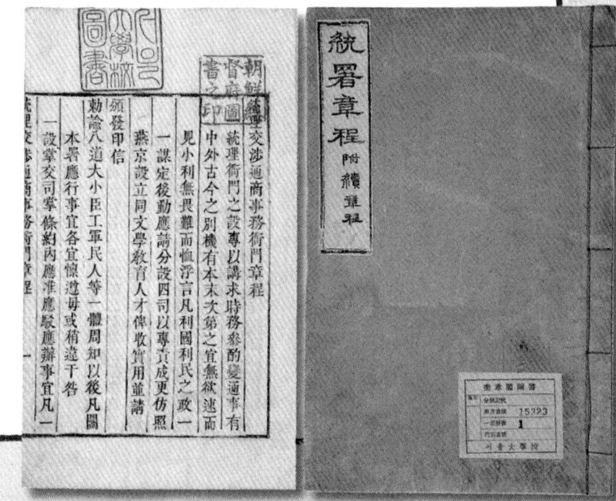
統理交涉通商事務衙門章程
統理衙門之設專以講求時務參酌變通事有
中外古今之別機有本末次第之宜無欲速而
見小利無畏難而恤浮言凡利國利民之政一
一謀定後動應請分設四司以專責成更仿照
燕京設立同文學敎育人才俾收實用並請
頒發印信
勅諭八道大小臣工軍民人等一體周知以後凡關
本署應行事宜各宜懍遵毋或稍違干咎
一設掌交司掌條約內應准應駁應辦事宜凡一
統理交涉通商事務衙門章程　一

'쇄국의 나라' 조선에서 서양인을 고용하다

19세기 중반, 영국의 동양 함대 및 러시아의 코사크 기마대의 개국과 통상 요청을 일언지하에 거절하고 프랑스와 미국 함대를 담대히 물리쳤던 조선은 세계 유일의 난공불락 국가였다. "양이洋夷가 침범하여 싸우지 않으면 화친을 하는 것이고, 화친을 하면 나라를 팔아먹는 것이다"라며 전 세계에 쇄국과 척사의 메시지를 통렬하게 날렸던 조선 정부가 불과 10년도 안 되어 그토록 박해하고 사형까지 불사했던 양이(서양 오랑캐)에게 참판이라는 벼슬을 내린 것은 그야말로 세상이 바뀌었기 때문이다.

'척왜양斥倭洋, 반개화反開化'를 부르짖는 1만여 명의 영남 유생들의 상소시위(영남만인소)에도 아랑곳하지 않고, 서른 살의 젊은 고종은 '도덕군자의 나라'에서 '개명 군주의 나라'로 국가를 개조하려 했다. 그렇지만 고종이 서양식 군사훈련에 대한 자문을 얻기 위해 서양인이 아닌 일본인 교관 호리모토 레이조堀本禮造를 고용한 것은 유생들과 조선 민중의 눈치를 보았기 때문이다. 그러다가 청국 군대를 차용하여 임오군란을 압제한 다음 고종은 개방과 개화의 슬로건을 본격적으로 내걸었다. 그의 배후에는 든든한 청국 군대와 동양 최고의 지략가인 북양대신 이홍장이 있었기 때문이었다. 이제 국내에는 더 이상 개화나 서양인 고용을 반대할 세력과 집단이 없었다. 고종은 대담하게 양귀洋鬼(서양인을 일컫는 당대의 비속어)를 고용하여 서양 문물을 본격적으로 도입하기 시작했다.

묄렌도르프P.G. von Möllendorff, 穆麟德(1848~1901)라는 젊은 독일인이 이홍장의 추천을 받아 고종의 외교고문으로 내한한 1882년 12월 이후부터 정부가 외국인에 대해 임명권을 행사한 1904년 2월까지 정부 각 부처에는 약 226명의 서양인이 고문관, 행정관, 기술관, 교육관 및 군사교관 등으로 고용되어 일하고 있었다. 그들의 국적은 미국, 영국에서부터 프랑스, 독일, 러시아, 벨기에, 이탈리아, 덴마크 등에 이르렀다. 이제 서울 거리에서 '노랑머리 코쟁이'와 마주치는 것은 일상이 되었다. 그 많은 서양 고용인 중 왜 우리는 유독 묄렌도르프에게 끌리는 것일까?

묄렌도르프는 조선 정부가 채용한 최초의 서양인이자, 거주가 허용된 최초의 서양인이기도 하다. 그의 존재는 당대 조선의 고위 정치가뿐만 아니라 양반 유생과 민중에게까지 관심의 대상이었다. 묄렌도르프 부인이 "도시(서울)의 주민은 40만 정도가 되었는데, 우리가 괴물이라도 되는 듯 우리를 보기 위해서 정말이지 40만 명 모두가 나와 있는 것 같았다"고 회고했듯이, 묄렌도르프와 그의 가족은 조선인들에게 미지의 서양을 가늠해볼 수 있는 창구이자 재미난 구경거리였다. 묄렌도르프는 서양인 특유의 오리엔탈리즘에 물들은 고압적이고 자만심 가득한 태도를 취한 것이 아

한복을 입은 묄렌도르프.

니라, 조선어를 배우고, 사대부의 예의범절에 따라 관계를 맺고, 한옥에서 한식을 먹으며, 조선의 관복을 착용하고 입궐하는 등 조선인들의 기호와 감각에 맞게 우호적이고 겸손한 이미지를 만들어 냈다.

묄렌도르프와 고종의 첫 만남 또한 치밀하게 연출된 것이었다. 묄렌도르프는 조선 관복을 입고 입궁하여 고종을 만난 후 안경을 벗고 엎드려 삼배(세 번 머리를 조아리고 절함)하고, 조선말로 "조선에 오게 해주셔서 감사합니다. 최선을 다할 터이니 저를 믿고 맡겨주십시오"라고 하였다. 이후 언어능력이 탁월했던 그는 조선어 실력도 일취월장하여 고종과 대화를 나눌 정도로까지 발전했다. 고종맨으로 현지에 적응하려 애썼던 이미지 덕분에 묄렌도르프는 지금까지도 한국인의 관심과 애정을 듬뿍 받는 서양인이 되었고 개화기 사극에 등장하는 단골 인물이 되었다.

독일인 묄렌도르프
청국의 야욕을 업고 조선으로 파견되다

묄렌도르프는 1848년 북부 독일에서 귀족의 후예로 태어났다. 그렇지만 귀족이라 해서 모두가 재정적으로 여유로운 것은 아니었다. 조선에 몰락 양반이 있는 것처럼 유럽에도 몰락 귀족은 있기 마련이었다. 특히 사회적 지위나 상속에서 배제된 귀족의 차남들이나 몰락 가문의 후예들, 새로운 부와 명예를 얻어야 할 중산층, 또한 유럽의 주변부에 속했던 독일이나 아일랜드 엘리트들의 꿈과

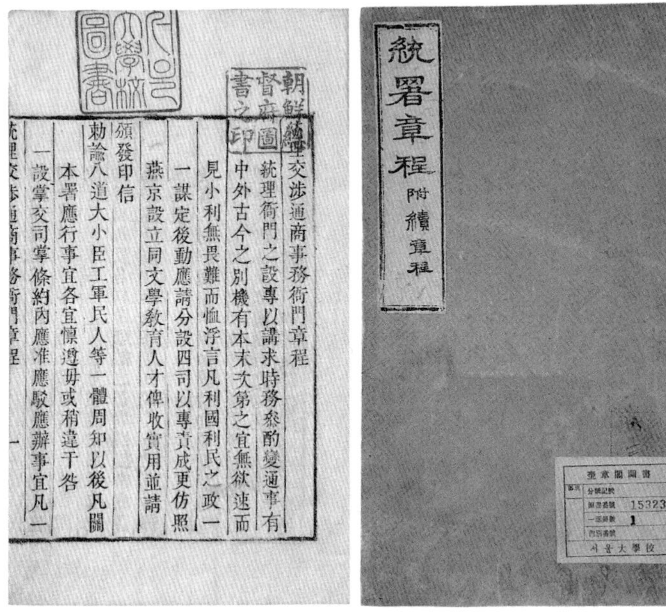
統理交涉通商事務衙門章程
統理衙門之設專以講求時務參酌變通事有
中外古今之別機有本末次第之宜無欲速而
見小利無畏難而恤浮言凡利國利民之政一
一講定後動應請分設四司以專責成更仿照
燕京設立同文學教育人才俾收實用並請
頒發印信
勅諭八道大小臣工軍民人等一體周知以後凡關
本署應行事宜各宜懔遵毋或稍違干咎
一設掌交司掌條約內應准應駁應辦事宜凡一

『통리교섭통상사무아문장정統理交涉通商事務衙門章程』, 30.6×20.2cm, 1887, 규장각한국학연구원. 개항 이후 외교·통상 사무를 총괄하던 기구인 통리교섭통상사무아문의 업무 규정을 기록한 책이다. 1882년(고종 19) 군국기무와 일반 정치를 총괄하던 관청인 통리기무아문統理機務衙門은 통리교섭통상사무아문으로 확대·개편되었다.

이상은 높았으나 현실 취업의 벽도 높았다. 더욱이 일찍이 부친을 잃고 경제적 형편이 어려워 모친을 부양해야 했던 묄렌도르프로서는 높은 연봉의 직업이 긴요했다.

이때 식민지와 주변부 국가에는 관료직, 군사직, 교사직, 의료직 및 기타 무역업 등 새로운 일자리가 만들어져 중심부의 엘리트들에게 열려 있었다. 정부기관에 고용되는 외국인들은 자신의 지위 및 국내 정치세력과 친분을 쌓으면서 확보한 인적 네트워크, 나아가 고급 정보를 이용하여 각종 경제 이권과 정부 구매용품을 알선하여 수수료를 챙길 수 있는, 이른바 재산 증식의 기회를 얻을 수 있었다. 뿐만 아니라 높은 보수, 이국적인 음식과 문화, 수십 명의 하인을 부리면서 누리는 귀족 같은 생활, 군사적 무훈, 열등한 인종을 문명화시키는 사명감과 기독교의 전파 등은 백인들의 인종적 우월감을 과시할 수 있는 무형의 보수였다. 동양은 부와 명예와 출세를 보장하는 기회의 땅이었다. 19세기 유럽을 강타했던 동양학 열풍에는 바로 이런 시대적 배경이 깔려 있었다.

묄렌도르프가 1865년 할레대학에 입학하여 법학, 언어학, 동양학을 공부하고, 졸업 후 곧바로 청나라 행 배에 오른 것은 유럽을 풍미했던 동양학의 세례를 받았기 때문일 것이다. 묄렌도르프는 1869년부터 양쯔 강변 한구漢口의 해관원으로 근무하다가, 1875년 주광동독일영사관의 임시 통역관으로 자리를 옮겼는데, 그것은 그가 외교관으로서 출세를 열망했기 때문이다. 마침 1879년 주천진독일영사가 장기 휴가를 신청함에 따라 임시 영사로 발령을 받자, 그는 정규직으로의 전환을 희망하면서 의욕적으로 근무했다. 그러나 독일 영사가 복귀한 후 다시 통역관으로 강등되자

청말 정치가로서 외교 문제를 섭렵해 이이제이以夷制夷로 열강들을 견제시키면서 타협 정책안을 끌어냈던 이홍장. 그는 묄렌도르프와 친분을 쌓고 그를 조선으로 파견했다.

실망을 금치 못했다.

울분과 좌절의 나락에 빠진 그에게 어느 날 한 줄기 빛이 보였다. 청나라 정부가 묄렌도르프를 조선의 고문관으로 추천한 것이다. 중국어와 만주어에까지 능했던 그가 천진(톈진)이라는 정치 도시에서 이홍장李鴻章, 마건충馬建忠, 주복周馥 등 이른바 청국의 정치 실세와 개인적인 친분을 쌓았던 것이다. 그들은 묄렌도르프가 청국을 위해, 나아가 이홍장에게 충성할 수 있는 인물로 판단하고 청의 대조선 정책의 도구로 이용하고자 했다.

조선의 고문직을 제의받은 묄렌도르프는 뛸 듯이 기뻐했다고 한다. 그는 조선의 고문직이 단순한 자문직이 아니라 권력을 행사할 수 있는 요직 중 하나로, 만약 계약서가 체결된다면 꿈같은 일이라고 토로했다. 그러한 꿈같은 일이 독일 몰락 귀족의 후예인 묄렌도르프에게 일어났다. 1882년 늦가을 묄렌도르프는 천진에 당도한 조영하趙寧夏와 아래의 계약서에 서명했다.

1. 묄렌도르프는 외교 사무에 자문을 한다.
2. 조선해관을 설립하며, 외국 해관원을 고용할 시 그들의 근무 기간을 명시한다.
3. 조선해관은 조선 정부 산하 기관으로 그 지시를 받으며, 묄렌도르프는 해관 업무를 총괄하고 보고할 임무가 있다.
4. 월급은 300원元(400달러)이며, 출장비와 주거비를 따로 제공한다.
5. 이 계약 조건을 위배할 시 3개월 전 미리 통지하고 해고할 수 있다.

그의 조선 부임 소식이 전해지자 수많은 이권업자, 조선과 교역

묄렌도르프와 천진에서 계약을 진행한 조영하.

구한말 정부 고용 서양인 고문관 목록

이름	국적	직위	고빙 기간	연봉 원元
P. von Möllendorf (목인덕穆麟德)	독일	통리아문내외문무협판	1882. 12~1885. 9	3,600
O.N. Denny (덕니德尼)	미국	협판내무부사 겸 외아문장교사당상	1886. 4~1890. 2	12,000
C.W. LeGendre (이선득李善得)	미국	협판내무부사 궁내부고문 의정부 찬무	1890. 2~1899. 9	9,300 6,000
C.R. Greathouse (구례具禮)	미국	협판내무부사, 우체국방판 외부고문 겸 법부고문	1890. 8~1899. 10	9,300 3,600
McLeavy Brown (백탁안柏卓安)	영국	해관총세무사 겸 탁지부고문	1893. 10~1905. 11	10,800
K. Alexeiev (알락섭戞樂攝)	러시아	탁지부고문	1897. 12~1898. 4	3,000
W.F. Sands (산도山島)	미국	궁내부고문 겸 임시 외부고문	1899. 11~1904. 1	3,600
R. Crémazy (김아시金雅始)	프랑스	법부고문	1900. 5~1905. 8	6,000
C. Deleoigue (대일광戴日匡)	벨기에	박문원 찬의 겸 내부고문	1903. 11 ~1905. 1	6,000

출전 : 『고종실록』, 규장각 소장 계약서

하고자 하는 무역상, 심지어는 조선과 조약을 체결하고자 하는 외교관까지 그를 방문하기 시작했다. 그가 예견했듯이 조선의 고문직은 권력과 부를 보장하는 꿈의 직장이었다.

목참판, 몸이 열 개라도 모자랐다

묄렌도르프가 고종을 알현하고 참판직을 제수받은 것은 1882년 12월 26일이었다. 그는 조선에 부임할 때 "조선 군대를 재조직하기 위해 독일에서 부사관들을 초빙할 것이며, 도로와 다리를 건설하고, 임업과 낙농업을 장려하며 조선 사람들의 옷과 머리 모양을 바꾸도록 권장하고, 자주적인 국가로 만들겠다"는 포부를 품었다. 이 시기 오리엔탈리즘의 세례를 받은 다른 서양 고문들처럼 그도 낙후된 조선에 서구 문물을 이식해 '문명화'시키겠다는 사명감과 열정을 나타냈다. 그러나 묄렌도르프의 공식 석상에서의 발언은 실제 활동에는 상당한 괴리가 있었다.

계약서에 명시되었듯이 묄렌도르프의 주요 업무는 외교·통상 업무, 해관 창설 및 근대화 사업을 추진하는 것이었다. 정부의 대

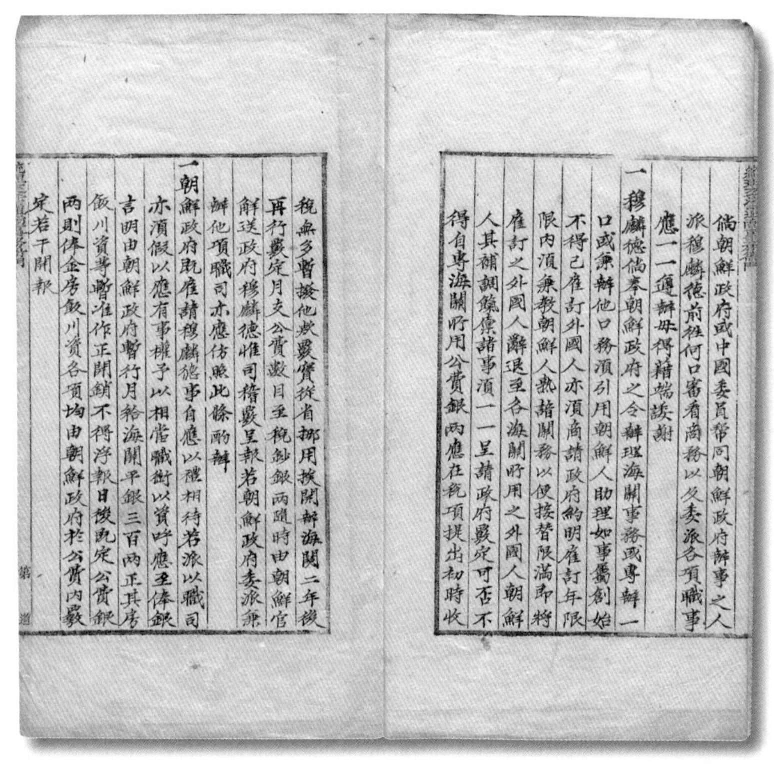
倘朝鮮政府或中國委員帶同朝鮮政府辦事之人
派穆麟德前往何口審看商務以及委派各項職事
應一一遵辦毋得藉端諉謝
一穆麟德倘奉朝鮮政府之令辦理海關事務或專辦一
口或兼辦他口務須引用朝鮮人助理如事屬創始
不得已雇訂外國人亦須商請政府約明雇訂年限
限內須兼教朝鮮人熟諳關務以便接替限滿即將
雇訂之外國人辭退至各海關所用之外國人朝鮮
人其補調黜陟諸事須一一呈請政府覈定可否不
得自專海關所用公費銀兩應在稅項提出扣時收
稅無多暫撥他款覈實從省挪用挨開辦海關二年後
再行覈定月支公費數目至稅鈔銀兩隨時由朝鮮官
解送政府穆麟德惟司稽覈呈報若朝鮮政府委派兼
辦他項職司亦應仿照此條酌辦
一朝鮮政府既雇請穆麟德事自應以禮相待若派以職司
亦須假以應有事權予以相當職銜以資呼應至俸銀
言明由朝鮮政府暫行月給海關平銀三百兩正其房
飯川資等暫准作正開銷不得浮報日後既定公費銀
兩則俸金房飯川資各項均由朝鮮政府於公費內覈
定若干開報

묄렌도르프 계약서, 규장각한국학연구원.

외개방 방침으로 영국, 독일, 이탈리아, 프랑스, 러시아 등 서구와 일련의 통상 교섭이 예정되었으나, 국제법이나 통상·관세에 밝은 인물이 없었으므로 묄렌도르프의 역할은 실질적이었으며 중요하게 작용했다. 더욱이 묄렌도르프는 고종의 첫 번째 외교고문이었던 까닭에 이후 고용된 고문들보다 더 큰 기대와 애정을 받았다. 고종과 관료들은 그를 해결사로 여겨 모든 외교와 경제 현안들을 그에게 묻고 나아갈 길을 찾는 데 의지했다.

조선 고문으로 재임한 3년 동안 묄렌도르프는 조영개정조약, 조독개정조약, 조로조약, 조이조약, 조일통장장정 및 관세협정 등 수많은 조약 협상을 실질적으로 주도했고, 조선 측 대표자로 조약문에 서명했다. 업무가 너무 과중한 나머지 이따금씩 피로감을 토로하기도 했으나 그럼에도 자신의 권위와 직무를 상당히 즐긴 것으로 보인다. 고종이 개화 업무나 외교 문제를 주조선미국공사 푸트 등 다른 서양인과 논의하면 싫은 내색을 감추지 않았다.

그의 업적으로 꼽히는 조약 체결의 공과를 한마디로 단언할 수는 없을 것이다. 조선의 개방과 국교 확대라는 측면에서는 바람직하지만, 세부 내용으로 들어가서는 다음과 같은 문제점이 지적되고 있다. 조미조약에서 얻어낸 10~30퍼센트의 유리한 관세를 묄렌도르프가 조영조약에서 5~7퍼센트로 인하하는 것을 허용하고, 또한 내지채판권內地彩板權을 인정하여 지방 시장을 개방한 점, 나아가 조일통상장정에서는 사도四道어업권, 연해운항권 및 연해무역권, 최혜국조관 및 8~10퍼센트의 저율 관세를 인정하여 후일 제주도민과 일본 어민 간의 어업 분쟁의 단초를 마련했을 뿐 아니라 수산업과 해운업을 개방한 점 등 여러 문제점이 지적되었다.

구한말 개방의 시대에 고종 황제의 모습을 찍어 엽서로 제작한 것이다. 엽서에는 폐하陛下 가 육하陸下로 잘못 쓰여 있다.

묄렌도르프는 정부의 유일한 서양인 고문이었기 때문에 근대 서구 문물의 도입 창구로서 영향력을 행사할 수 있었다. 그의 제안에 따라 다양한 개화사업이 입안·추진되었고, 이 사업들은 그의 지인들에게 불하되었다. 1883년 그와 친분이 있던 이화양행怡和洋行의 거빈스에게 상해-인천·부산 간 월 2회의 정기항로권을 부여하고, 상무총판商務總辦 진수당陳樹棠에게 청국에 유리한 초상국윤선왕래합약장정招商局輪船往來合約章程을 체결하여 상해-인천 간 월 1회의 정기운항권을 부여했다. 이후 독일계 세창양행世昌洋行과 윤선임조조약輪船賃租條約을 체결하여, 정부 조세를 운송하는 권한을 허여했다. 나아가 그의 지인인 독일인 메르텐스를 고용하여 잠상공사蠶桑公司를 설립했고, 독일인 크니플러를 초빙하여 연초 재배를 시도하였으며, 독일계 미국인 로젠바움을 고용하여 성냥, 유리, 도자기 공장 등을 설립하려 했으나 그가 퇴직하자 모두 해고되었다. 이밖에도 그가 해관총세무사로 재직할 당시 해관원 32명 중 10명이 독일인이었다.

이처럼 묄렌도르프의 지인들에게 주어진 각종 이권은 식산흥업 정책이라는 측면에서 커다란 주목을 받았으나 외국인에게 유리하게 체결된 계약 조건과 치밀하지 못한 사전 계획 등으로 인해 중도 폐기되어 재정만 낭비되고 말았다. 또한 묄렌도르프의 지인들과 독일인에게 상업 이권과 해관직이 집중되었다는 점에서 구설수에 오르기도 했다.

국립은행 제도를 신설하고 화폐 개혁을 주장했던 묄렌도르프는 현실에서는 당오전 인플레를 초래한 인물로 꼽히고 있다. 1883년 이후 임오군란의 보상비, 개화 시책의 추진에 따른 경비 증가 등으

묄렌도르프가 한국에서 머물던 저택.

로 인해 재정난에 봉착하자, 김옥균 등은 차관을 도입하여 은본위제로 바꾸자면서 근본적인 화폐 개혁을 주장했다. 반면 민태호와 청의 오장경吳長慶 등은 당오전 주조안을 내세웠고, 묄렌도르프는 집권파를 측면 지원하며 "눈앞의 급한 것을 피하기 위해 당오전·당십전·당백전 주조는 조금도 폐단이 될 것이 없소"라는 지지 발언을 하였다. 이것이 바로 김옥균과 묄렌도르프 간의 유명한 화폐 논쟁이다. 이 과정에서 민씨파가 승리함에 따라 독일에서 조폐기계를 도입하여 전환국을 설치했고, 묄렌도르프는 전환국 총판이 되어 당오전을 대량 발행하였다. 그러나 불행히도 이것이 이른바 '1880년대의 당오전 인플레'의 단초가 되었다.

묄렌도르프의 주요 업적 중 다른 하나는 조선해관의 창설이다.

1883년 1월 그는 해관 창설자금으로 초상국으로부터 20만 냥의 차관을 도입하고, 청해관에서 서양인 해관원들을 모집하여 청국 해관 조직을 모방하여 조선해관을 창설했다. 그 과정에서 일본 제일은행에서 24000원元 차관을 도입하는 대신 세 개 항구의 관세 징수권을 부여하여 일본 금융권 침투의 통로를 열어주었다는 점에서 비판의 대상이 되었다. 하지만 묄렌도르프가 해관을 운영했을 때는 조선인을 해관원으로 훈련시켜 고용한다는 목표가 있었고, 청나라 해관으로부터 독립되어 조선해관을 운영했다는 특징이 있었다.

이처럼 묄렌도르프는 조선 정부 최초의 외국인 고문이자 유일한 고문이었기 때문에 재임 기간 3년 동안 수많은 업무에 관여했다. 그 또한 정력적으로 너무 많은 분야에 개입한 나머지 자신이 모든 것을 이룰 수 있을 것이라는 환상에 빠지기도 했다. 그러나 업무가 과중한 나머지 조일통상조약과 해관 세칙에 대해서 "잘된 일인지 아니면 그저 그런지 나로서는 상관이 없고, 그 수고스러운 일을 끝낸 것만이 정말 기쁠 뿐이오"라는 무책임한 발언도 서슴지 않았다.

목참판, 한반도에 '북극곰' 러시아를 끌어들이다

조선의 위정자 고종의 자주권 수호 의지와는 달리 묄렌도르프는 부임 초부터 자신을 파견한 이홍장의 조선 정책 테두리 내에서 업무를 수행했던 것으로 파악된다. 조선에 대한 그의 초기 인식을 살펴보면, 조선은 독자적으로 자주권을 유지할 수 없을 만큼 약한 나라로 파악되고 있다. 그의 저서 『조선약기朝鮮略記』에서는 "조선 왕은 청제清帝의 유명무실한 노복奴僕이다"라고 서술하여 고종의 노여움을 사는 등 자신을 추천한 이홍장의 대조선 속방화 정책을 충실히 반영하고 있었다.

그러던 그가 1884년 초경에 이르자 친조선 자주화 정책 쪽으로 선회한 듯하다. 아마도 상관인 고종의 외교 정책에 위배되는 사안들을 추진하기 어려웠을뿐더러 자신의 권력과 고문직을 보존하기 위해 고종의 심복으로서 자리매김하기 위한 것으로 풀이된다. 뿐만 아니라 청나라가 1884년 베트남전쟁에서 프랑스에 패배하면서 약세를 노출하자, 조선에서의 후퇴를 예상했던 것으로 보인다.

청국이 갑신정변을 무력으로 진압하고, 청일 간의 대립 구도가 첨예화되면서 한반도에서 전쟁 발발의 가능성이 제기되는 등 사태가 긴박하게 돌아가자 외교고문인 묄렌도르프는 다음의 세 가지 방안을 고종에게 제안했다.

1안 : 조선의 주권과 안전을 러·청·일이 공동으로 보장하는 중립화안

2안 : 조선과 러시아가 조선의 방어를 공동으로 하는 군사방위안

3안 : 조선이 러시아의 보호국이 되고 러시아는 조선의 안전을 확실하게 보장한다는 보호국안

여기서 첫 번째 안이 이른바 묄렌도르프의 중립화안이고, 두 번째와 세 번째 안을 묶어 조로밀약(조선과 러시아 간의 밀약)이라고 부른다. 묄렌도르프는 고종의 밀명을 받아 도일하여 주일러시아

공사 다비도프를 만났으며, 러시아 교관을 조선에 파견하는 대가로 영흥만을 러시아에 조차할 수 있다고 제안했다. 이외에도 그는 러시아 측에 다양한 제안을 했던 것으로 보이는데, 5~6만 명의 조로연합군 창설과 거문도의 제공, 심지어는 조선의 보호국이 돼 줄 것까지 거론했다고 한다. 그리하여 러시아 측에서는 묄렌도르프에 대해 상당한 호감을 표했다.

> 묄렌도르프는 우리 이익을 위해 봉사할 준비가 완벽하게 갖춰졌음을 보여줬다. 귀관이 개인적으로 확신하고 있는 바와 같이, (조로)조약 체결 당시 그는 우리에게 실로 유익했으며, 특히 황제 폐하께서 수여하신 훈장을 고려하면 확실히 향후에도 우리에게 협력할 것이다.

이 같은 조로밀약의 후폭풍은 매우 심각한 것이었다. 청나라와 일본을 견제하기 위해 세계 강국 중 하나인 러시아를 한반도로 끌어들인 장본인이 바로 고종과 그 최측근인 묄렌도르프였다는 점은 고종의 정치적 지형의 단면과 한계를 드러낸 것이었다. 이를 계기로 청일 대립이 영러 대립으로 비화되어 영국은 거문도를 무단 점령(일명 거문도 사건)할 명분을 확보했고, 조선이 화이질서와 속방 체제에서 이탈하려 한다고 파악한 청나라는 위안스카이袁世凱를 파견하여 강력한 속방화 정책을 추진할 빌미를 얻게 되었다. 이렇듯 조로밀약은 영러가 첨예하게 대립하고 있는 19세기 말 치밀한 사전 준비 없이 성급하게 '인로책引露策'이라는 초강수를 두어 외세의 간섭을 질적으로 심화시켜놓는 계기가 되었다. 불행하게도 이러한 묄렌도르프의 철저하지 못함과 성급함은 다른 정책에서도 반복되어 나타났다.

묄렌도르프가 인로책을 편 이유는 무엇인가? 한 연구에 의하면, 묄렌도르프는 전직 독일영사로 독일의 극동 정책(러시아를 극동에 묶어두는 정책)의 테두리 내에서 조선의 대외 정책을 입안한 것이라고 한다. 이러한 견해는 당대에도 설득력이 있었던 듯하다. 주조선미국대리공사 포크는 묄렌도르프가 독일을 위해 비밀리에 일한다고 말한 쿤스의 지적이 옳았다고 했다. 그러나 묄렌도르프가 돈을 받고 모국 정부를 위해 일했다기보다는 모국에 대한 애국심에서 독일에 유리한 정책을 폈다고 봐야 할 것이라고 지적했다. 한편 묄렌도르프가 고종의 고용인이자 지시를 받고 정책을 수행하는 실무자라는 점을 고려해볼 때, 그가 고종의 의중을 벗어나는 일을 독자적으로 추진할 수는 없었을 것이다. 고종은 여러 목적에서 지속적으로 러시아 카드를 활용하고 있었는데, 묄렌도르프는 모국에 대한 애국심 이외에도 상관의 입장을 일정 부분 대변했던 것으로 보인다.

아! 그리운 조선

조로밀약으로 인해 묄렌도르프는 해임되었고 1885년 12월 청나라로 소환되었다. 묄렌도르프는 고종에게 고용된 고문에 불과했지만, 단순한 자문역의 고문관이 아니라 개화 초기라는 시대적 환경에 의해 실권을 쥐고 외교·통상·근대 문물 수입 분야에서 주도적으로 일을 처리했다. 훗날 수많은 고문이 제안했던 개혁안들이 까다로운 심의 절차를 거쳐 많은 부분 폐기되었음을 감안할 때 묄렌도르프의 제안은 대부분 정책화되었고, 그 어느 누구보다도 막강한 권력을 행사했다.

묄렌도르프에 대해서는 다양한 인물평이 있다. 조선의 근대화를 위해 불철주야 일했다가 퇴출당했다는 긍정론에서부터 상당한 야심가이자 권력을 추종하는 다혈질적인 인물이라는 부정론까지 제기된다. 그에 관한 긍정적인 평가는 20세기 후반 우호적인 한독 관계에서 비롯된 측면이 있으며, 오히려 당대의 평가는 부정론이 주를 이루었다. 그의 전직 상관이었던 브란트 주청독일공사 및 로버트 하트 청국총세무사의 고소나 비난은 차치하더라도, 묄렌도르프는 자신의 권위와 권력을 견제하는 김옥균 등 개화파들이나 푸트 등 서양 공사들과는 대립각을 세워 비난을 받았다. 특히 주일러시아영사 스페이에르(후일 주조선러시아공사)에 의하면 묄렌도르프는 부주의, 무절제, 금전욕과 같은 심대한 단점을 지니고 있었다고 한다.

묄렌도르프가 이권 양여의 반대급부로 금전을 수수했다는 확실한 기록은 나타나지 않는다. 다만 그가 조불조약을 주선하면서 천주교를 승인하고 다른 개신교나 러시아 정교를 불허하는 대가로 프랑스에 상당한 돈을 요구했다는 기록이 남겨진 것으로 미루어 그가 금전적으로 초연한 인물은 아니었음이 확실하다. 이 같은 사실은 다음의 사료에서도 뒷받침된다. 포크 주조선미국대리공사는 묄렌도르프가 뇌물을 바친 모든 자를 위해 비밀리에 일을 해주었다고 비난했고, 윤치호도 "묄렌도르프는 유럽의 전형적인 금전을 좇는 자fortune hunter로 권력을 신봉하기 때문에 나처럼 돈 없고 권

상해에 있는 묄렌도르프의 묘지.

력 없는 자에게는 매우 냉정하였다"라는 평을 내렸다.

이들의 부정적인 평가는 일면 설득력이 있다. 묄렌도르프는 조선에서 퇴출당한 후 '꿈의 직장'이었던 조선으로 복귀하기 위해 각종 연줄과 인맥을 동원했지만 청의 반대로 무산되었다. 그러자 이홍장의 환심을 사기 위해 자신의 후임이었던 데니Owen N. Denny의 『청한론China and Corea』(조선이 청의 속국이 아닌 독립국임을 국제법으로 논증한 책)에 대한 반박론을 청나라 신문에 게재했다. 여기서 그는 조선이 청국의 속방임을 국제법으로 증명하는 등 불과 3년 전 자신이 주장했던 조선의 독립론을 헌신짝처럼 내던졌다. 또한 1897년에는 러시아의 지원을 얻기 위해 러시아에 부동항과 시베리아 철도의 연결 및 군대 통과권을 허용할 것을 주장하기도 했다. 이처럼 그는 자신의 목적과 야심에 따라 변절할 수 있는 자였다.

고종과 정부는 묄렌도르프가 조선의 '히딩크'가 되기를 원했을 것이다. 그러나 묄렌도르프를 조선의 히딩크로 만드는 것은 우리의 몫이었고, 역량이었다. 충분한 봉급과 양호한 업무·거주 환경, 치밀한 인사 관리와 상벌 체제 등 많은 기반시설과 제도가 뒷받침되어야 했다. 그런 것 없이 그들에게 바라기만 한다면, 그것은 어쩌면 지나친 욕심이 아니었을까? 우리가 서구 문명을 접촉하고 도입하는 것은 많은 시행착오와 시련을 거쳐야 하는 일이었고, 묄렌도르프의 부임은 그런 귀중한 교훈을 깨닫는 계기가 되었다.

9장

이탈리아인의 독특한 오리엔탈리즘

⊙

로제티의 『꼬레아 꼬레아니』가 담아낸 서울

전우용

오리엔탈리즘의 시선과 앎의 의지

우리나라의 공식 국호는 '대한민국'이고 줄여서 '한국'이라 한다. 그러나 유감스럽게도 이 이름은 한자문화권에서만 통용될 뿐이다. 국제 행사에서 우리 국호는 Republic of Korea로 표기된다. 직역하면 코리아(고려) 공화국이다. 국내용 이름과 국제용 이름이 다른 것은 일본이나 중국도 마찬가지다. Japan은 '일본'의 중국 남방 발음이 유럽으로 건너가 다시 변한 것이고 China는 진秦에서 유래한 이름이다. 고려가 사라진 지 이미 800년 가까이 되었지만 한국은 여전히 고려로 불리며, 진나라가 망한 지는 2000년이 넘었지만 중국은 여전히 진나라다.

물론 한자문화권에 속한 나라들도 다른 나라 이름을 한자로 표기한다. USA는 미국美國 또는 미국米國, United Kingdom은 영국英國, France는 불란서佛蘭西, Bundesrepublik Deutschland는 독일獨逸, Austria는 오지리墺地利, Italia는 이태리伊太利 하는 식이다. 그렇지만 이런 이름들은 한자문화권 안에서만 통용되고 인지

될 뿐이다. 동아시아 사람들은 국내용과 국제용 국호 모두를 알아야 하지만, 유럽인과 미국인들에게는 극히 일부를 제외하면 나라 안팎에서 쓰는 국호가 다르지 않다. 그들은 자기 나라 언어가 아닌 것으로 만들어진 국호를 내걸고 국제회의나 행사에 나설 이유가 없다.

근래 이슬람권의 CNN으로 불리는 방송사 때문에 유명해진 알자지라al-Jazeera는 '섬'이라는 뜻의 아랍어다. 고대 아라비아인들은 티그리스 강과 유프라테스 강 사이에 펼쳐진 넓은 삼각주를 '알자지라'라고 불렀다. 이 땅이 다름 아닌 세계 4대 문명의 하나인 메소포타미아 문명의 발상지다. '메소포타미아'는 같은 땅의 그리스어 이름이다. 그 땅의 주인이 부르는 이름은 묵살되고, 외인外人인 그리스인들이 붙인 이름만 국제적으로 공인된 셈이다. 크리스토퍼 콜럼버스는 대서양을 횡단하여 신대륙을 발견하고도 그곳이 신대륙인 줄 알지 못했다. 그는 그 땅이 인디아라고 믿었고 그 땅에 사는 사람들을 인디언Indian이라 불렀다. 후에 아메리고 베스푸치는 이 땅이 신대륙임을 알고는 자기 이름을 붙여 아메리카라고 명명했다. 그러나 아메리칸American은 유럽에서 건너간 사람들의 새 이름이 되었고, 그 땅에서 수십만 년간 살던 사람들은 그대로 인디언으로 남았다.

15세기 중반 대항해 시대부터 유럽인들은 미지의 세계를 본격적으로 찾아 나섰으며, 지구 도처에서 새로운 항로와 영토를 발견했다. 그들은 자신들이 '새로' 발견한 땅에 자기들 마음대로 이름을 붙였다. 그 땅의 원주인들이 부르는 이름은 거의 참고조차 하지 않았다. 원주인들이 붙인 이름은 '지역적' 또는 '국지적' 명칭으로 남았을 뿐이고, 국제적 명칭은 유럽인들이 공인한 것으로 통일되었다. 지명뿐 아니라 방위와 거리도 유럽을 기준으로 명명되었다. 본래 고대의 아시아는 지금의 소아시아 반도만을 가리키는 것이었지만, 아시아 대륙에 대한 유럽인들의 정보가 축적되면서 몇 단위로 세분되었다. 유럽에 가까운 곳은 근동, 먼 곳은 원동, 그 사이는 중동, 아주 먼 곳은 극동이 되었다. 한국은 유럽을 기준으로 할 때에만 '극동極東' 아시아 국가인데도, 이제 한국인들 스스로 자신들의 지리적 위치를 극동이라고 표현한다.

유럽인들은 '발견자'로서 명명命名의 권리를 마음껏 향유했다. 명명은 곧 규정이거나 기대다. 어떤 사물이나 사람에게 특정한 이름을 부여하는 것은, 그 사물과 사람의 성격에 대한 명명 주체의 정의定義와 판단, 또는 그 변화 방향에 대한 기대를 담는 일이다. 물론 단순히 발견자의 공명심만 담는 경우도 있다. 이 세상 수많은 식물의 학명에 린네Linne가 들어가는 것처럼 말이다.

유럽인들은 비非유럽 세계에 이름뿐 아니라 별명도 붙였다. 별명은 더 구체적으로 해당 지역에 대한 유럽인들의 판단과 선입견을 담았다. 1882년 그리피스가 조선을 '고요한 아침의 나라The Land of Morning Calm'라고 부른 이래 많은 외국인 여행가들이 이 별명을 즐겨 썼다. 한국인들은 스스로의 판단과 선택에 의해서가 아니라, 유럽인들이 부르는 별명에 '어울리는' 나라를 만들기 위해 오랫동안 고민했다. 스스로를 규정하지 못하고 남의 규정에 자신을 맞추어야 하는 것은 피명명자의 숙명과도 같았다. 이른바 오리엔탈리즘이란 이름 붙이는 자와 이름 붙여지는 자 사이의 관계를 표현하는 것이라 해도 좋다.

일본 에도를 여행하는 네덜란드인들(위)과 말레이 원주민들에게 공격을 받고 있는 네덜란드 함선. 각각 18세기와 16세기의 상황을 나타낸 것이다. 유럽인들은 본격적인 항해에 나서면서 이처럼 발견자로서의 권리를 향유했다.

유럽인들은 자기 땅을 기준으로 비유럽 세계에 이름을 붙였던 것과 꼭 같은 방식으로, 자기 문화를 기준으로 다른 지역의 문화를 평가했다. 그들은 비유럽적인 것, 비기독교적인 것 일반을 낙후하고 불결하며 미개하고 야만적인 것으로서 가급적 빨리 청산해야 할 대상으로 지목했다. 여기에는 대항해 시대 이래 유럽인들이 획득한 명명의 권리에 덧붙여 산업혁명 이후 그들이 자부한 '문명의 사도'로서의 사명감도 작용했다.

산업혁명으로 본격적인 자태를 드러낸 자본주의는 '경쟁'을 자기 발전의 기본 동력으로 삼았다. 자본가들 사이의 경쟁과 노동자들 사이의 경쟁, 그리고 양자 사이의 경쟁이 승리를 향한 개인과 집단의 열망을 부추겨 모든 사회 구성원의 잠재력을 극대화한다는 논리가 사회 전반을 지배했다. 찰스 다윈은 이 담론을 자연계에 적용하여 진화론을 끌어냈고, 허버트 스펜서는 다윈의 진화론을 다시 사회 일반에 적용하여 『종합철학체계』를 저술했다. 이로써 생존경쟁은 발전과 진화의 기본 동력이며, 승자가 패자를 지배하는 것은 자연법적 철칙이라는 근대적 사고 체계가 완성되었다. 사회진화론은 자본과 노동 사이의 관계만이 아니라 민족과 민족, 인종과 인종 사이의 관계를 설명하는 틀이기도 했다.

19세기 유럽인들은 자신들이 '발견'한 신세계新世界를 이 관점에서 해석했다. 그들에게 비유럽 세계는 낙후되고 미개하여 경쟁에서 승리할 가능성이 없는 세계였다. 유럽인들은 스스로 이들 후진 제諸 민족의 미몽迷夢을 깨우쳐 문명세계로 인도할 사명이 있다고 믿었다. 그들이 세계를 지배하는 것은 문명의 사도로서 역사가 부여한 책임을 다하는 것인 동시에, 우승열패, 양육강식의 진화론

『텬로력뎡』 중 제1면 '크리스천이 복음전도사의 계도啓導를 받다', 김준근 그림, 게일 번역, 숭실대 한국기독교박물관. 서구 문명의 영향으로 비기독교적인 것은 계도의 대상으로 삼아졌는데, 한국에서도 많은 선교사들이 일반민을 계도의 대상으로 삼았다.

적 자연법칙에도 합치하는 것이었다.

한편 르네상스는 유럽 지성계를 덮고 있던 불가지론의 거대한 장막을 걷어냈다. 신의 섭리라는 이름으로 이성의 접근을 거부하던 숱한 영역이 과학이라는 새로운 신神의 눈으로 재탐색되기 시작했다. 지리상의 발견으로 촉발된 지식 영역의 확대는 유럽인들의 지적 욕구를 한층 더 자극했다. 1492년 콜럼버스가 신대륙을 발견한 지 반세기 뒤인 1543년, 코페르니쿠스의 『천구天球의 회전에 대하여』와 베살리우스의 『인체 해부에 대하여』가 출판되었다. 이로써 하늘과 땅, 인체에 대한 '과학적' 지식체계가 성립되기 시작했다. 이후 수 세기 동안 유럽인들의 지식 목록이 급속히 확대되는 한편 앎에 대한 의지가 불타올랐다. 새로운 것을 발명·발견하거나 새로운 작동 원리를 이해한다면 영원히 이름을 남길 수 있다는 기대가 앎의 의지를 보편적으로 자극했다. 모든 사람과 사물, 사건들에 관해 수집, 배열, 분류, 정의로 이어지는 일관된 지식의 구조화가 진전되었다. 이제 지식은 신의 뜻을 아는 방편이 아니라, 지식 '소유자'가 사람과 사물, 사건을 구체적으로 이해하고 지배·통제하기 위한 방편이 되었다. 제국주의 시대 유럽인들이 특히 열을 올린 새 지식의 대상은 '후진 지역들'이었다. 지배하기 위해서는 먼저 알아야 한다는 생각이 미지의 세계에 발을 디딘 유럽인들의 머릿속을 가득 채웠다. 그들은 탐험가적 열정을 가지고 모든 것을 주의 깊게 살피고 기록했다. 물론 자신들의 관점에서.

1880년대부터 조선에 발을 내딛기 시작한 외국인들은 이후 30년간, 100권이 훨씬 넘는 박물지博物誌적 저서를 남겼다. 당시 한국을 찾은 외국인의 수가 그리 많지 않았던 점을 감안하면 참으로 놀라운 수치다. 당시 조선에 대한 유럽인과 미국인들의 앎의 의지가 어느 정도였는지는 이것만으로도 충분히 짐작할 수 있다. 수백 쪽에 달하는 한국 종합 안내서 『꼬레아 꼬레아니Corea e Coreani』(『한국과 한국인』)를 저술한 카를로 로제티Carlo Rossetti도 1902년 서울에 도착하여 불과 8개월간 주한 이태리 총영사로 근무했을 뿐이다.

카를로 로제티와 『꼬레아 꼬레아니』

고대 지중해 세계의 중심으로서 로마 제국의 중심부에 있던 이탈리아는 르네상스의 발원지이기도 했다. 천체의 신비를 벗긴 코페르니쿠스는 폴란드인이었고, 각각 지구와 인체의 비밀을 밝힌 콜럼버스, 베살리우스는 이탈리아인이었다. 그러나 역설적으로 신대륙의 발견은 국제 교역의 중심을 대서양 연안으로 옮겨놓았고, 이탈리아 반도의 앞바다인 지중해의 비중은 줄어들었다. 17세기 이후 부쩍 힘을 잃은 베네치아, 피렌체, 제노바 등 이탈리아 반도의 도시국가들

카를로 로제티가 한국에 대해 기록한 『꼬레아 꼬레아니』.

은 오스트리아, 에스파냐 제국의 세력권 아래에 놓였다.

17세기 후반 이후 북이탈리아를 지배한 사르데냐 왕국과 오스트리아와 교황의 직접적인 통치 하에 있던 남이탈리아의 여러 도시 사이에 통일운동이 고조된 것은 19세기 중반 이후였다. 통일운동을 주도한 것은 비토리오 에마누엘레 2세가 다스리던 사르데냐 왕국이었다. 사르데냐 왕국의 총리 카보우르는 외교를 통해 롬바르디아를 오스트리아에서 해방시키고 토스카나 왕국과 교황령 등 중부 이탈리아의 병합을 추진했다. 여기에 사르데냐 왕국을 지지하는 가리발디 원정대가 시칠리아를 정복함으로써, 이탈리아의 통일 작업은 일단 완수되었다. 1861년 비토리오 에마누엘레 2세를 국왕으로 하여 수립된 이탈리아 왕국은 10년 뒤 로마를 점령하여 그 이듬해 수도로 삼았다.

통일 후 이탈리아는 토리노, 밀라노 등 북부 일대를 중심으로 빠르게 산업화했지만, 오스트리아, 에스파냐, 프랑스, 독일 등 주변 국가에 비해서는 상대적으로 후진성을 면치 못했고, 군사적으로도 열세였다. 20세기 벽두의 이탈리아는 유럽에서는 신생 독립국인 셈이었고, 강대국의 대열에 끼지도 못했다. 통일 직후 바로 식민지 획득 경쟁에 뛰어들어 아프리카의 에리트레아, 소말릴란드 등을 식민지로 편입시켰지만, 아시아에까지 힘을 쏟을 형편은 아니었다. 그저 다른 유럽 국가들의 영향력 확장 과정을 지켜보는 정도였을 뿐이다. 당시 이탈리아인들은 강대국의 틈바구니에 끼어 분열되어 있던 시절에 대한 기억에서 완전히 벗어나지 못했다. 그들의 역사적 경험은 비슷한 지리적 조건과 국제정치적 환경 아래에 있던 한국에 대한 '동정同情'을 자극할 소지가 있었다.

『꼬레아 꼬레아니』의 저자 카를로 로제티는 1902년 당시 이십대 중반의 혈기왕성한 젊은 이탈리아 해군 대위였다. 그가 승선한 해군 함선 풀리아 호는 인도양과 중국해를 순항하다가 그해 10월 말, 중국의 즈푸芝罘(현재의 옌타이煙臺)에 일시적으로 정박하던 중이었다. 그런데 귀국할 날짜만 손꼽아 기다리던 그에게 서울 주재 이탈리아 총영사를 맡으라는 명령이 떨어졌다. 총영사 프란체세티 디 말그라 백작이 발진티푸스에 걸려 갑작스레 사망했기 때문이다. 말그라 백작은 당시 스물다섯 살로 그의 절친한 친구이기도 했다.

로제티가 친구의 생명을 앗아간 전염병에 대한 두려움을 떨치지 못하고 인천항에 도착한 것은 그해 11월 3일이었다. 당시 서울에는 영사관 직원 말고는 이탈리아인이 없었던 까닭에 총영사가 할 일도 거의 없었다. 무료할 정도로 한가했던 그는 "역량이 허락하는 한도 내에서 이 우연한 기회를 한국인과 한국에 대해 연구할 계기로 삼고자" 했다. 그런데 8개월의 짧은 연구로 나온 저서라 하기에는 책의 내용이 굉장히 방대하고 치밀하다. 그에게는 연구에 대한 의욕과 열정 외에도 세 가지 행운이 뒤따랐다. 하나는 러일전쟁 직전 대한제국 정부의 초청으로 서울에 왔던 프랑스인 철도 기사 에밀 부르다레와 친분을 다진 덕에 그의 인류학적 조사 자료를 활용할 수 있었던 점이다. 그 자신 로제티와 거의 같은 시기에 『한국En Corée』(『대한제국 최후의 숨결』로 번역·출간됨)이라는 책을 출간했던 부르다레는 철도 기사이기 이전에 고고학자였다. 그는 자신의 직책을 이용하여 서울-개성 간 철도 공사장에 고용된 철도 노동자들의 신체검사를 의무화했고, 그 데이터를 로제티에게 제공했다. 그 덕에 로제티는 당시 한국인의 신체 특징을 정확히

궁궐을 방문하기 위해 가마를 타고 이탈리아 영사관을 나서는 로제티의 모습.

파악하고 기술할 수 있었다.

둘째는 동료이자 부하인 가리아조P.A. Gariazzo가 대단히 유능한 사진가였다는 점이다. 그 무렵의 카메라에는 당연히 노출과 초점을 자동으로 맞춰주는 기능이 없었다. 카메라도 필름도 아주 귀하던 시절이어서 다룰 줄 아는 사람이 매우 드물었다. 그러나 가리아조는 서울 구석구석을 돌아다니며 전경全景과 건축물, 인물들을 능숙하게 카메라에 담았다. 이 책에 실린 250여 점의 사진 중에는 '상점용' 사진도 일부 있지만 대개는 유일한 것들이다.

셋째는 대단히 박식한 통역을 얻었던 점이다. 당시 서른일곱 살

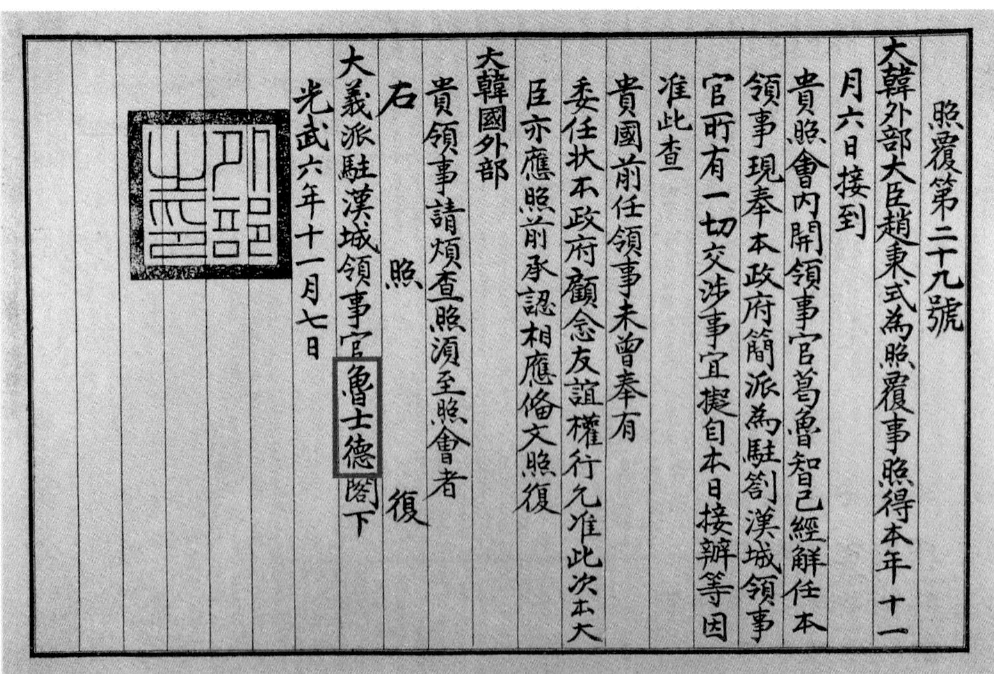

照覆第二十九號
大韓外部大臣趙秉式為照覆事照得本年十一
月六日接到
貴照會內開領事官葛魯智已經解任本
領事現奉本政府簡派為駐劄漢城領事
官所有一切交涉事宜擬自本日接辦等因
准此查
貴國前任領事未曾奉有
委任狀本政府顧念友誼權行允准此次本大
臣亦應照前承認相應備文照復
大韓國外部
貴領事請煩查照須至照會者
右 照 復
大義派駐漢城領事官魯士德 閣下
光武六年十一月七日

새로운 이탈리아 영사의 임명에 관한 외부의 조복문서. 문서에 로사덕魯士德이라고 표기된 것이 카를로 로제티를 가리킨다.

이던 그의 통역 양홍묵梁鴻默은 협성회에서 개화운동을 시작한 이래 독립협회, 만민공동회 운동에 적극 가담했고 독립협회가 해산된 뒤에는 사법위원 서기, 배재학당 교사, 『매일신문』 사장 등을 지낸 중견 개화파 지식인이었다. 이 시기 다른 외국인들의 한국 관련 저술과 비교해볼 때, 『꼬레아 꼬레아니』의 가장 두드러진 장점은 한국의 역사와 풍속, 문화에 관한 광범위하고도 믿을 만한 정보를 담았다는 점이다. 정작 로제티 자신은 양홍묵에게 얻은 지식이 거의 없다고 불평을 늘어놓았지만, 이 책에 담긴 고급 역사 정보들을 로제티 혼자서 얻을 수는 없었을 것이다.

> 한국에는 아직 단군 시대까지 거슬러 올라가는 오래된 기념물들이 보존되어 있으며, 전설에서는 단군이 하늘나라로 돌아갔다고 하나 평안도 강동군에는 그의 것으로 여겨지는 무덤이 있다.

> 삼한의 풍속과 풍습은 모두 동일하였는데 주민들은 풀을 섞은 흙덩어리로 집을 지었고 지붕에 문을 내었다. 그래서 한국어에는 지금도 지붕과 문을 나타내는 어휘가 동일하다.

> 5세기부터 7세기까지 한반도는 여러 국가 사이의 전쟁 혹은 중국과의 끊임없는 전쟁의 무대가 되었다. 한반도 내 국가 간의 싸움은 중국을 끌어들임으로써 한반도의 대부분을 파괴하였다. 백제와 고구려 두 왕조가 몰락한 뒤, 중국의 주권을 인정했던 신라가 그 경계를 전 한반도로 확장하고 신라 언어가 한반도의 공식어가 되는 642년까지 결고도 피비린내 나는 전쟁은 계속되었다.

카를로 로제티의 통역을 맡았던 양홍묵. 그는 일제강점기에도 조선총독부 군수로 발탁되어 1919년 5월까지 경주군수로 재직했다.

고려시대의 가장 두드러진 특징은 국교로 선포한 불교에 대한 숭배였다. 수많은 사찰이 수도와 다른 도시들에 세워졌고 승려들은 조정의 일에 엄청난 영향력을 행사하게 되었는데, 결국 이들의 영향력은 왕조에 큰 해를 입혔으며 고려의 멸망을 불러올 수밖에 없었다.

로제티 역시 유럽인 특유의 오리엔탈리즘에서 완전히 벗어나지는 못했지만, 특히 한일 관계에 대해서는 비슷한 역사적 경험을 가진 이탈리아인답게 한국에 대한 동정심을 두드러지게 나타냈다. 예컨대 그는 일본의 왕비 살해죄를 상세히 기술한 뒤 단발령에 대해 이렇게 평가했다.

예를 들어 우리 서양 여성들에게 짧은 머리만을 하고 다니게 한다거나 남자에게 긴 머리만을 하고 다니도록 강요하는 법이 만들어진다면 과연 그 법령의 부조리에 항의하지 않을 사람이 있겠는가?

『꼬레아 꼬레아니』에 담긴 1902년, 서울

로제티가 서울에 들어온 1902년은 대한제국에도 특별한 해였다. 이해는 고종의 나이 50세가 되는 해이자 즉위 40년이 되던 때였다. 그 전해부터 서울에서는 이른바 '황제 어극 40년 망 육순六旬 칭경稱慶 기념제전'을 범국가적 차원에서 대대적으로 치르기 위한 준비가 진행되고 있었다. 이 행사는 대한제국이 동양의 전통적 제

PIANTA DI SEÙL

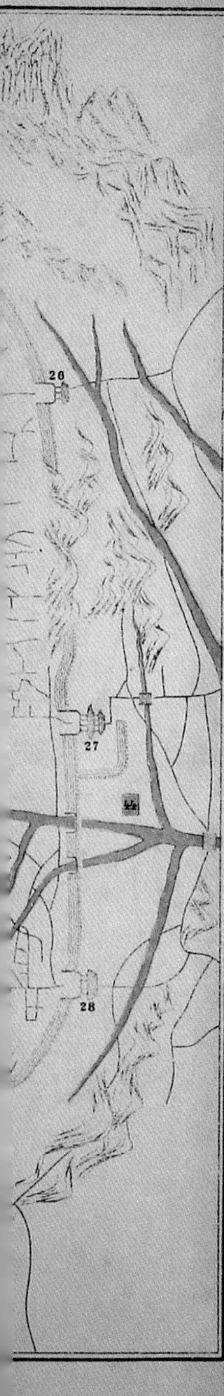

MONUMENTI, PALAZZI, PORTE, ECC.

1. Kyung Pok Kung - Pal. d'Estate
2. Ciang Tuk Kung - Pal. di Levante
3. Ciang Kyung Kung
4. Ciong Myo
5. Sung Kyun Kwan - Tempio di Confucio.
6. Kyung Mo Kung
7. Sa Gik - Altare della Terra
8. Arco dell'Indipendenza
9. Kyung Tuk Kung - Pal. dei Gelsi
10. Tempio degli Antenati
11. Kyung Un Kung - Pal. Imperiale
12. Tempio del Cielo
13. Tempio dei Re Guerrieri
14. Cattedrale Cattolica
15. Legazione Germanica
16. Consolàto Giapponese
17. Legazione Giapponese
18. Legazione Italiana
19. Legazione Francese
20. Legazione Americana
21. Legazione Russa
22. Legazione Inglese
23. Ton Eui Mun - Gran Porta di Ponente
24. Ciang Eui Mun - Porta di Maestro
25. Porta del Nord
26. He Wha Mun - Piccola Porta di Levante
27. Heung In Ci Mun - Gran Porta di Levante
28. Kwang Eui Mun - Porta della bocca d'acqua
29. Sung Ye Mun - Gran Porta del Sud
30. So Eui Mun - Piccola Porta di Ponente
31. Ministero degli Interni
32. Ministero degli Esteri
33. Ministero Pubblica Istruzione
34. Ministero Tesoro
35. Ministero Agric. Ind. Comm.
36. Ministero della Giustizia
37. Ministero della Guerra
38. Poste e telegrafi
39. Gran Campana
40. Pagoda di Marmo
41. Stazione ferr. Seul-Cemulpo
42. Gran Caserma
43. Laghetto
44. Laghetto
45. Monte Nam San
46. Monte Pu Han
47. Legazione Cinese
48. Consolato Belga

『꼬레아 꼬레아니』에 실린 서울 지도.

『꼬레아 꼬레아니』에 실린 정동 황궁의 풍경.

국인 동시에 만국공법이 인정하는 근대적 제국다운 면모를 두루 갖춘 국가가 되었음을 내외에 과시하려는 의도에서 기획되었다. 1901년의 극심한 흉작에 따른 재정 곤란과 한반도를 둘러싸고 러일 간에 긴장이 고조되는 국제 정세의 변화로 인해 행사는 예정대로 치러지지 못했으나, 대한제국 선포 직전에 시작된 서울 도시 개조사업은 행사 직전까지 대체로 마무리되었다.

로제티가 본 대한제국의 수도 서울은 동양의 중세적 제후국 도시이던 조선왕조의 수도 서울과는 판이했다. 대한제국의 정궁은 제왕남면帝王南面의 원칙에 따라 도성의 북쪽 귀퉁이에 자리 잡은 경복궁이 아니었다. 사세事勢가 부득이한 측면이 있었다고는 해도, 황궁皇宮을 도성의 서쪽 끝 경운궁으로 정한 것은 주례周禮적 도성 조영의 원칙에서, 나아가 동양적 수도의 전통에서 분명 일탈

한 것이었다. 더구나 이 일대는 이미 1880년대 초부터 서양인 거류지로 지정되어 영국, 프랑스, 러시아 등 열강의 웅장하고 화려한 공관이 자리 잡은 곳이었다. 경운궁은 동양적 황궁의 격식을 지키면서도 이들 양관洋館에 위축되지 않는 면모를 갖추어야 했다. 궁궐 안에 정관헌靜觀軒, 돈덕전惇德殿, 수옥헌漱玉軒 등의 양관이 들어섰고, 1901년에는 주변의 외국 공관들을 압도하는 대규모의 석조전石造殿 공사가 시작되었다. 궁궐에서 종로와 남대문로, 새문안길 등 기존의 대로大路를 잇는 도로들도 새로 개착되거나 확장되었다. 대한제국 선포 후 불과 4~5년 사이에 경운궁 주변은 서양 도시의 한 구역 같은 느낌을 줄 정도로 그 모습이 확 바뀌었다.

서울 거리 중 특히 큰 변화가 일어난 곳은 종로였다. 1896~1897년 종로와 남대문로 일대의 임시로 지은 집假家을 철거하고 국초國

初의 길의 너비路幅를 회복하는 작업이 진행된 뒤, 1898년 10월 17일 종로에 전차 궤도를 부설하는 공사가 시작되었다. 이 공사는 같은 해 12월 25일에 완공되었고, 다음 해에는 바로 종로-남대문 노선이 증설되었다. 이후 새로운 전차 노선의 부설과 기존 노선의 복선화 공사가 대한제국기 내내 계속되었다.

1900년경부터는 새문안길을 사이에 두고 경운궁과 마주한 경희궁을 정비하는 사업이 시작되었다. 거대한 홍교虹橋가 건설되어 경운궁과 경희궁을 연결했는데, 협소한 경운궁의 태생적 한계를 극복하기 위해서는 이 방법밖에 없었을 것이다. 이로써 두 궁궐은 하나로 묶였고, 종로는 예전 육조거리(현재의 세종대로)에 상응하는 도로이자 바로크적인 장대한 직선 경관축의 위상을 갖게 되었다.

대한제국 선포를 전후하여 서울에는 독립문, 환구단, 탑골공원, 남대문시장 등 예전에는 볼 수 없던 새로운 양식의 건조물과 시설들이 들어서기 시작했다. 이들은 나라의 자주독립과 황권의 존엄성, 위민爲民 사상을 상징했다. 특히 1902년 칭경기념예식을 앞두고는 서대문로와 종로변에서 활발한 건축 공사가 이뤄졌다. 종로 입구에는 '황제 어극 40년 망육순 칭경 기념비전'이 세워졌고, 경희궁 옆 야주개夜珠峴에는 칭경기념예식을 거행할 원형극장이 건설되었다. 종로 탑골공원 안에는 민民의 위상을 표현하는 팔각정이 신축되었으며, 보신각 맞은편에는 시계탑이 달린 2층의 한성전기회사 사옥이 준공되었다. 서대문 옆에는 촉한蜀漢의 유비劉備를 모신 서묘西廟가 건설되어 동대문 밖의 동묘東廟와 짝을 이뤘다. 이 무렵에는 민간 자본가들도 본격적으로 서양식 건축물을 짓기 시작해 한성은행, 대한천일은행, 황국협회 등의 사옥과 회관이 소공로와 광교 주변에 신축되었다.

1902년 겨울 로제티가 서울에 들어왔을 때는 이 모든 숨 가쁜 변화가 일단락된 뒤였다. 그와 가리아조의 카메라를 기다린 것은 넓고 깨끗한 데다 전차까지 다니는 대로, 경운궁 안의 양관과 그 주변의 외국 공관, 서양식 호텔과 철도역, 외국인을 위한 관광지로 개방된 옛 궁궐들, 전차를 타고 쉽게 접근할 수 있는 교외지역, 이미 서양 문물에 익숙해진 사람들이었다. 로제티도 당대 유럽인 특유의 오리엔탈리즘에서 벗어날 수는 없었지만 그는 성실하고 치밀한 기록자였기에 이들 변화를 충실히 담을 수 있었다. 그 덕에 『꼬레아 꼬레아니』는 1902년의 대한제국은 단지 '망해가는 나라'가 아니었다는 사실을, 동양의 전통과 서구 문화를 자기 방식으로 조화시키면서 근대화를 모색하는 나라였다는 사실을, 그 어느 저작보다 생생히 증언하는 귀중한 책이 되었다.

로제티의 책에는 여러 장의 삽화가 실렸는데, 그중 '정의가 실현되다Giustizia e fatta'라는 제목이 붙여진 것. 1884년 갑신정변의 주역이었던 김옥균의 목이 효수되고 있는 장면.

『꼬레아 꼬레아니』에 실린 종로 남대문로의 분기점이 되는 보신각 부근의 풍경. 전차선로는 종각 옆을 지나면 오른쪽으로 휘어져 종로의 본선과 합류되는 형태로 부설되어 있다.

위쪽 사진은 오늘날의 광화문 사거리에 해당되는 황토현 광장에서 육조거리와 종로가 만나는 모서리 부분을 담아낸 장면이다. 가운데 보이는 건물이 1902년 세워진 칭경기념비전이다. 아래 사진은 한성전기회사가 들어선 종로의 풍경. 역시 로제티의 책에 실린 것이다.

10장

나라를 잃어버린 조선에 대한 인상비평

⊙

사진과 영상물로 남긴 베버 신부의 조선 여행 기록

김태웅

근대 독일인의 한국에 대한 이중 시선

1882년 조미수호통상조약이 체결된 이래 조선과 서양 여러 나라가 수교함으로써 서양인들은 합법적으로 조선을 방문할 수 있게 되었다. 개중에는 미국인, 영국인, 프랑스인뿐만 아니라 독일인들도 포함되었다. 물론 미국인, 영국인이나 프랑스인에 비해 그 숫자가 많지는 않았다. 그럼에도 독일인들은 다른 서양인들 못지않게 견문기를 남겼으며, 이는 한국인들에게 크나큰 인상을 심어주었다.

이들 중에 한국인에게 가장 깊이 각인되었던 독일인을 꼽으라고 하면 단연코 묄렌도르프를 들 수 있다. 그는 1880년대 조선 정부의 초대 고문관으로서 여러 분야에 걸쳐 영향력을 미치면서 근대화 정책을 추진한 핵심 주체였다. 그러나 김옥균 등의 급진 개화파와 사사건건 부딪치면서 근대화 사업을 방해한다든가 러시아를 비롯한 외세를 끌어들인 장본인으로 인식되고 있다. 심지어 오페르트 같은 유대계 독일 상인은 서양과 아직 국교가 없던 1866년에 대원군 정권에 통상을 요구하면서 이를 거절당하자 대원군의 아버지 남연군의 묘를 도굴하려고까지 했다. 비록 오페르트의 국적이 당시에는 알려지지 않았지만, 그의 이러한 행위가 한국인들의 반발을 초래했을 뿐만 아니라 대원군의 문호 개방 반대 정책을 굳건히 하는 요인이 되었음은 분명하다. 특히 이들 인물의 행적이 국사 교과서에 자주 등장하면서 현재 한국인들의 독일인에 대한 인상에 부정적인 영향을 미치고 있다.

이처럼 한국 근대사에서 독일인들은 한국인에게 결코 긍정적인 민족으로 다가오지 못했다. 물론 독일인 가운데 작곡가이자 지휘자로 대한제국의 군악대 교사로 초빙된 프란츠 폰 에케르트(1852~1916)는 한국에 오랫동안 머무르면서 대한제국 애국가를 발표한다든가 독일 음악을 소개하는 가교 역할을 했을 뿐 아니라 한국인 후진들을 양성하여 한국 현대음악에 많은 영향을 주었다. 그러나 이 땅을 밟았던 독일인 대다수는 그 행적 면에서 한국의 근대화에 이바지한 점이 많긴 했지만, 여타 서양인들과 마찬가지로 한국을 결코 따뜻한 우호의 시선으로 바라보지는 않았다. 독일인 저널리스트 루돌프 차벨은 신혼여행을 하면서 남긴 여행기 『독일인 부부의 한국 신혼여행 1904』에 한국에 대한 인상을 이렇게 적고 있다.

> (한국인의) 생활신조가 다름 아닌 '되도록 돈은 많이, 일은 적게, 말은 많게, 담배도 많이, 잠은 오래오래'였다. 때로는 거기에 주벽과 바람기가 추가되었다. 술 취한 한국인이 길거리에 누워 있는 모습은 흔한 구경거리였고, 여자 문제로 살인이 나는 것도 드문 일이 아니라고 했다. (…) 이런 모습은 수천 년간 이어져온 노예 상태와 압제에서 비롯된 것이리라.

독일인들 역시 문명국가에 살고 있다는 백인의 우월의식 속에서 한국의 역사와 문화를 야만으로 매도하고 있다. 이후 이러한 인상은 잡지나 단행본 등으로 남겨져 독일인들이 한국에 대해 부정적인 인식을 갖게 하는 데 영향을 미쳤을 것이다.

그러나 독일인이 하나같이 한국과 한국인을 이렇게만 본 것은 아니다. 이 가운데 1911년과 1925년 두 차례에 걸쳐 한국을 방문했던 노르베르트 베버 신부(1870~1956)는 연민을 품고 따뜻한 시선으로 한국인의 삶과 문화에 다가갔다. 특히 문자로 여행기를 남기는 데 그치지 않고 수많은 사진을 직접 찍었을뿐더러 적지 않은 분량의 영상기록물을 직접 제작함으로써 한국인의 삶을 생생하게 보존하여 후세에 전하고자 하였다. 이 점에서 그는 이 땅을 방문했던 여느 서양인들과 달랐으며 우리 선조들의 삶을 되돌아볼 수 있는 생생한 기록물을 남긴 인물로 기억될 것이다. 그렇다면 그는 왜 낯선 땅을 방문하여 많은 기록물을 남겼을까. 그의 눈에 비친 한국과 한국인은 어떠했을까.

베버와 뮈텔 주교의 운명적인 만남

노르베르트 베버 신부는 1870년 12월 20일 남부 독일 바이에른 연방주의 지역인 렉흐 강가의 랑바이트/바이에른에서 2남1녀 중 둘째로 태어났다. 그는 이곳 바이에른과 슈바벤 지역에서 유년기를 보냈다. 아버지는 철도 노동자로서 배운 것이 짧아 직장 내에서 승진하지 못했고, 가족은 아버지의 직업 때문에 자주 이사를 다녀

노르베르트 베버.

야만 했다. 베버는 세례명은 요셉이었지만 수도자가 되면서 노르베르트란 이름을 받았다. 열다섯 살에 신학 공부를 시작한 그는 1895년에 신부 서품을 받았다.

아프리카 선교를 꿈꾸던 베버는 신학대학 시절 절친했던 친구와 함께 상트 오틸리엔 베네딕도 수도원에 들어가 규칙적인 생활을 하면서 성직자며 선교자로, 나아가서는 학자로서 신학에 열중했다.* 당시 수도원에서는 그의 뛰어난 능력을 간파하고 선교지로 파송하지 않고 신학교에서 물리학과 자연과학을 가르치도록 했다. 그리고 1899년 부원장직을 맡게 된 베버는 1902년 서른두 살의 젊은 나이에 수도원장으로 선출되었다.

그러던 차에 1908년 9월 18일 파리외방전교회의 조선 교구장인 뮈텔 주교가 베버 총아빠스(총원장)를 방문했다. 이들의 만남은 운명적이었다. 사실 뮈텔 주교는 파리, 룩셈부르크, 루뱅, 리옹, 로마 등지를 다니며 마리아니스트, 살레시오회, 베네딕도회, 그리스도교 교직회, 빈첸시오회 등 여러 기관을 찾아가 한국 진출을 애원했지만, 모두 저마다의 사정으로 인해 거절당하던 차에 베버 신부를 만나 긍정적인 답변을 얻었던 것이다. 그런데 이러한 답변도 사실 예정된 것은 아니었다. 상트 오틸리엔 베네딕도회도 아프리카에서 선교를 하는 과정에서 커다란 타격을 받은 터여서 편지를 통해 보낸 뮈텔의 제안을 거절하는 회신을 보낸 뒤였기 때문이

* 상트 오틸리엔 베네딕도 수도회는 1894년에 독일 최초로 외방선교를 위한 선교기관으로 라이헨바흐에 설립되었다. 이 기관은 독일 제국의 식민지 정책과 연계되어 있기도 했다. 또한 오틸리엔은 맹인들의 성녀인 오틸리아(7세기) 순례 경당이 여기에 있는 데서 연유하였다.

뮈텔 주교.

다. 그런데 뮈텔 주교가 이 회신을 받아보지 못하고 직접 상트 오틸리엔을 찾아감으로써 하마터면 맺어지지 못했을 만남이 극적으로 이루어졌다. 그렇다면 뮈텔 주교는 급박하게 돌아가는 나라 안팎의 정세와 바쁜 교회 일정에도 불구하고 왜 머나먼 유럽을 방문하여 관련 기관에 한국 진출을 애원해야 했는가.

당시 뮈텔 주교는 1905년 러일전쟁 이후 위기에 빠진 한국 천주교회를 유지하기 위해서는 새로운 출로를 모색해야 한다고 판단했다. 즉 그는 러일전쟁으로 프랑스와 가까웠던 러시아가 패하면서 천주교회의 교세가 약화되는 반면 영국과 미국의 지원을 받는 개신교가 급격하게 성장하자, 다른 방식으로 이 문제를 타개하고자 했다. 특히 일본의 감시와 규제가 강화되는 가운데 뮈텔 주교를 지원했던 대한제국 황실이 무력해지고 프랑스 정부마저 정교분리 정책에 입각하여 한국 천주교회에 대한 지원을 줄이면서 이러한 위기감은 더욱 커져갔다. 이제 한국 천주교회는 스스로 교세를 유지하고 성장하기 위해서 선교의 강화 못지않게 일반 교육의 활성화에도 힘써야 했다. 여기에는 천주교 학교를 위한 교사의 양성, 한국인 수도자와 성직자의 양성, 중고등 교육, 실업 교육 등이 포함되었다. 물론 한국 천주교회는 초등교육 기관을 운영하며 학생들을 가르치고 있었다. 그러나 이러한 학생들을 가르칠 수 있는 우수하고 적절한 교사를 길러내지 못한다면 이러한 활동마저 종국에는 위기를 맞게 될 것이 분명했다. 이 점에서 사범학교의 설립이 당면 과제였다. 하지만 한국 천주교회는 인력 면이나 재정 면에서 이를 감당할 만한 처지가 못 되었다. 뮈텔 주교가 험난한 일정을 마다하지 않고 일본과 유럽 각지에 있는 관련 기관을 찾아다니며 한국 진출을 간청했던 것은 이 때문이었다. 그리고 마지막으로 실낱같은 희망을 품고 상트 오틸리엔 베네딕도 수도회를 방문하기에 이른 것이다.

뮈텔 주교는 베버 총아빠스와의 첫 만남에서 조심스럽게 수도회와 함께 사범학교의 설립을 요청했다. 베버 신부 역시 의사 결정 절차를 거쳐야 함을 감안하여 말미를 달라며 신중하게 응대하였다. 그런데 여기서 주목할 점은 베버 신부가 뮈텔 주교에게 직업학교의 필요성을 강조했다는 점이다. 이는 기도와 노동을 모두 중시하는 수도회의 방침과 함께 선교지 현지인의 경제적 자립과 종교의 사회적 기여를 강조하는 베버 신부의 선교 사상에서 비롯되었다. 후일 이러한 사상은 베네딕도 수도회가 사범학교인 숭신학교崇信學校와 함께 직업학교인 숭공학교崇工學校를 설립하는 것으로 구체화되었다. 아울러 베버 신부가 이후 한국을 두 차례 방문하면서 한국인들의 노동과 공동체 정신에 깊은 관심과 애정을 보인 이유가 여기에 있다.

새벽 어둠 속 안개를 헤쳐 한국에 오다

베버 신부는 뮈텔 주교를 만난 뒤 닷새도 안 되어 한국 진출 결정 사실을 통보했다. 이어서 양자가 사전에 약속한 대로 수도원 및 학교 부지를 물색할 선발대를 파견했다. 이들 선발대는 한국에 들어와 부지를 찾아본 끝에 1909년 7월 말경 백동(현재 혜화동)에 있는 낙산 아래의 9만9173.6제곱미터(3만 평)의 부지를 선정했고, 곧

선교사 및 남성 신자들과 함께한 뮈텔 주교의 모습, 한국교회사연구소.

베버 총아빠스와 서울 베네딕도회의
수사, 신부들, 한국교회사연구소.

수도원과 학교 건물을 세우기 시작했다. 이어서 신부와 수사들이 조금씩 들어오면서 자리를 잡아갔다. 신부들은 열심히 한국어 공부를 했고 수사들은 건축과 살림 등 저마다의 업무를 맡았다. 드디어 1910년 7월 말 임시로 세운 분관에 이어 본관의 정초식이 거행되었다. 이어서 1910년 9월 숭공학교를 수도원 안에 설립함으로써 한국인 실업 교육의 첫발을 내딛었다. 학교 이름은 '기도하고崇 일하라工'인 베네딕도회 영성 이념에 따라 '숭공'으로 정했고, 기능 교육과 함께 제도製圖와 한문, 일어, 수학, 교리 교육을 병행했다. 우선 목공소와 철공소를 열었고, 모원母院 상트 오틸리엔 수도원 원조로 소목공소도 세웠다. 훗날 이곳에서는 각종 목공예품을 제작했으며, 심지어 학교 제차부에서는 차량 부품을 수입하여 자동차를 조립하기까지 했다.

베네딕도 수도회가 이처럼 자리를 잡아가자 총아빠스인 베버 신부는 1911년 2월 한국에서의 선교와 교육 상황을 점검하기 위해 다른 신부 및 수사들과 함께 한국을 방문했다. 일행은 제네바에서 배를 탄 뒤 일본 고베를 거쳐 1911년 2월 21일 부산항에 상륙했다. 그는 부산항을 바다에서 바라보면서 한국 방문의 첫 느낌을 다음과 같이 적었다.

> 새벽 어둠 속에 바다 위를 떠도는 안개를 헤치고 파도 위로 육지가 나타나면서 우리에게 인사를 건넨다. 육지는 점점 또렷해져서 아침 식사 시간 무렵에는 벌써 벌거벗은 부산항의 바위산이 우리를 환영하기 위해 팔을 뻗는다.

이어서 그의 방문 목적대로 서울로 향해 베네딕도회의 선교 상황을 점검하는 가운데 틈틈이 천주교 금압 시대에 천주교 신자들이 몰래 살았던 옹기마을이나 순교지의 흔적들을 찾아 서울, 수원, 안성, 미리내, 공주, 제물포, 해주, 신천, 안악, 진남포, 평양 등지를 방문한 뒤 대구, 부산을 거쳐 귀국길에 올랐다. 이때 신천 청계동에 살고 있던 안중근의 친척을 만나기도 했다. 그가 이 시기에 체류한 기간은 4개월가량(1911. 2. 21~1911. 6. 24)이었다.

이때 그는 천주교와 관련 있는 지역과 선교활동에만 관심을 기울인 것은 아니었다. 즉 여기에는 한국인의 생활, 한국 고유의 문화 전통, 궁궐, 도시 풍경, 불교 사찰 및 문묘, 동묘, 신구 교육기관, 한국의 경관 및 자연에 대한 인상과 함께 일제의 날림식 식민지 개발정책에 대한 비판적 관찰 등이 포함되었다. 그리고 그는 바쁜 일정에도 불구하고 이런 풍속과 건축물, 생활 모습 등을 카메라로 손수 찍거나 스케치 혹은 회화 등으로 남겨 300여 장의 사진과 그림에 담았다. 이후 독일 내의 많은 사람이 한국에서 받았던 인상이나 추억을 공개해달라고 부탁하자, 그는 이 내용을 정리하여 1915년 『조용한 아침의 나라에서Im Lande der Morgenstille』라는 제목으로 출판했다. 이어서 그는 이 저술로 뮌헨대학에서 신학 박사학위를 받았다.

첫머리에서 밝히고 있듯이, 그는 일제의 동화 정책으로 빠른 속도로 말살되어가는 한국의 전통문화를 보존할 의도에서 글을 썼고, 여기에 더해 사진을 찍고 그림도 그렸던 것이다. 특히 그는 메모를 토대로 '일지'식으로 쉽게 옮겼고, 결코 민족학적인 전문 학술서처럼 쓰지 않았다. 한국에서 받은 인상과 기억을 과장하거나

백동 베네딕도 수도원의 1911년 전경을 촬영한 것이다. 한국교회사연구소.

1910년에 개교한 숭공학교의 목공소와 철공소(위쪽) 모습과 성곽으로 둘러싸인 수도원 풍경(아래)이다. 한국교회사연구소.

꾸미려 하지 않고 그대로 전달하려던 것이 그의 의도였기 때문이다. 그렇다고 보고 듣고 느낀 대로 쓴 여행기는 아니었다. 그가 여행하면서 눈으로 보았던 것, 귀로 들었던 것 말고도 한국인과 나눈 대화, 개인 가이드의 설명뿐만 아니라 한국 방문 이전에 책으로 얻었던 조선에 대한 지식을 군데군데 넣음으로써 한국의 역사,

1923년에 재판된 베버의 『조용한 아침의 나라에서Im Lande der Morgenstille』.

사회, 문화, 종교, 선교 역사 등에 관한 내용을 독자들에게 꼼꼼하게 전달하려고 노력했다. 끝으로 무엇보다도 많은 독자가 여기서 한국과 한국 민족에 대한 사랑을 볼 수 있기를 희망했다.

베버 신부는 1925년 5월 14일부터 9월 27일에 걸쳐 다시 한국에 머물렀다. 그것은 무엇보다도 제1차 세계대전 이후 사이가 벌어진 독일과 프랑스의 관계 속에서 베네딕도 수도회가 파리외방전교회 주도 하에 있는 한국 천주교회와의 관계를 재설정하는 문제와 관련되었다.

알다시피 제1차 세계대전으로 독일과 프랑스가 서로 총을 겨누며 전쟁을 벌이는 가운데 독일인 신부 일부는 중국 칭다오 전투에 참여하여 일본군에게 포로로 잡혀가는 현실이 빚어졌다. 더욱이 일제가 숭공학교를 적산敵産이라고 하여 몰수하려던 차여서 이를 모면하기 위해서는 한국 천주교회가 학교경영권을 넘겨받아야 했다.

베네딕도 수도원은 수도회인 동시에 선교단체이므로 포교지에 계속 머물러 있기 위해서는 다른 활동 분야를 찾아야 했다. 그런데 서울에서는 그들의 모든 활동을 거절했다. 그렇다고 개신교가 막강하게 자리 잡고 있는 평안도에 교구를 세울 수는 없었다. 그리하여 1920년 간도를 포함한 함경남북도가 원산교구로 설정되고 베네딕도 수도회가 이를 맡기에 이른 것이다.

따라서 베버 신부의 2차 방문도 새로 설정된 원산교구의 선교 상황을 점검하는 차원에서 이루어졌다. 즉, 이 시기 베버 신부의 방문지는 주로 함경남도 원산을 비롯하여 함경남북도 여러 지역과 간도의 연길교구로 정해졌다. 그렇지만 이 여정에서 선교 관련 지역만 방문한 것은 아니다. 한국 자연미의 대표라 할 금강산을 비롯하여 불교 유적지, 또 한국인의 마을 여기저기를 방문했다. 특히 그는 35밀리미터 필름의 영사기를 가져와 첫 방문 때 사진과 그림으로 남겼던 한국인의 생활 풍속과 건축물 등을 찍었다. 그 분량은 무려 1만5000미터에 이르렀다. 비록 무성영화이고 줌과 카메라의 움직임이 없는 아마추어식 촬영이었지만, 이러한 영상기록물이 지니는 가치는 매우 컸다. 여기에는 일상생활에 대한 관심을 반영하여 짚신 만들기, 베틀 짜기, 옹기 제작 등 수공업 활동을 고스란히 담았을뿐더러 생산 공정 전체와 손놀림 하나하나를 포착함으로써 인류학자, 종교학자, 농학자, 역사학자, 경제학자 등에게 중요한 자료를 제공하고 있다. 특히 많은 돈과 시간, 인력을 들인 끝에 마을 사람들에게 혼인식, 장례식 등을 재연하도록 하여 이를 촬영했으며, 민간 신앙, 불교 관련 유물·유적 등도 꼼꼼하게 필름에 담았다. 이중에서 금강산을 방문하는 과정에서 촬영한 장안사의 풍경 등은 이후 장안사가 6·25전쟁 중에 소실되었다는 점에서 매우 희귀한 영상기록물이다. 따라서 이 필름에 담겨 있는 내용은 1차 방문 때 정지 화면으로만 담으면서 못내 아쉬웠던 마음을 해소하며 한국인 삶의 일상성을 생생하게 보존하고자 했던 살아 있는 문화 보고서라고 할 만하다.

그는 독일로 돌아간 뒤 이를 편집하여 독일 각지에서 상영함으로써 독일 관객들로부터 커다란 호응을 얻었다. 아울러 그는 이때도 방문 내용을 책으로 저술하여 『금강산』이라는 제목으로 펴냈다. 여기서는 금강산을 배경으로 당시 한국의 전통 신앙이었던 불교와 한국의 예술을 구체적으로 소개했다. 특히 이 책에서는 금강산 보문암에서 수도하며 평온함이 깃든 노老비구니와의 만남을 기록하였으

朝鮮國八道統合圖

한국에서 베버 신부가 거쳐갔던 곳들. 흰색 선이 1차 방문지이고, 붉은 선이 2차 방문지이다.

베버 신부가 1925년 6월 6일 들렀던 묘길상 마애불의 모습.

며, 금강산의 절경을 화폭에 손수 담은 수채화와 함께 조선 후기 진경산수화로 유명한 정선의 「금강산도」를 수록하기도 했다. 그리하여 금강산 여행을 절제된 문장으로 다음과 같이 표현했다.

하느님의 창조물 중에서도 으뜸가는 금강산 절경 속에 조선 불교의 성지인 사찰이 더욱더 아름답고 성스럽게 보였다.

한국의 전통과 근대사 그 질곡을 바라보는 베버의 시선

베버 신부가 두 차례에 걸쳐 한국을 방문하면서 한국인과 그 문화로부터 받은 인상은 어떠했을까. 두 번째 방문에선 첫 번째 방문과 달리 장문의 글을 남기지 않고 영상기록물과 짧은 기행문만 남겼기 때문에 이때의 인상은 분명하게 파악하기 어렵다. 그러나 그의 영상기록물 밑으로 흐르는 따뜻한 시선과 금강산 기행문 행간에서 간간히 보이는 그의 인상은 1차 방문 때와 크게 다를 게 없다. 따라서 여기서는 1차 방문을 중심으로 정리하고자 한다.

첫째, 자연과 인간의 관계에 초점을 두고 한국인과 한국 문화의 순수·자연미를 찬양하고 있다. 즉 한국인들은 몽상가로서 자연에 머물러 오랜 시간 앉아서 자연에 몰입하는 데에 반해 일본인들은 자연을 집 안으로 끌어들여 소유하려고 함을 언급했다. 한 예로 한국 아이들의 색동옷은 이를 잘 보여주는 색깔로, 자연의 색이라는 것이다.

베버의 책에 실린 조선의 학교 풍경.

한국 아이들의 알록달록한 옷 색깔이 눈에 띈다.

『조용한 아침의 나라에서』에 실린 한국 여인의 바깥출입 옷차림.

둘째, 인간과 그 노동 문화에 초점을 두고 한국인의 노동과 공동체 정신에 공감하고 있다. 즉 베틀 짜기, 물레 감기, 대나무 조끼 만들기, 풀 뽑기, 짚신 짜기, 밭 갈기, 모내기, 절구 찧고 맷돌 가는 여성들, 새참 먹는 농민들, 기름 짜는 광경을 예리하게 관찰하며 한국인의 근면성과 공동체 정신을 강조했다. 나아가 이는 "기도하고 일하라"는 베네딕도회의 지침과도 상통한다는 점에 깊은 인상을 받고 있다. 물론 다른 사람의 논밭에서 담배를 피우는 모습에서 보듯 품앗이는 노동의 효율성을 떨어뜨릴 수 있음을 경계했다. 그러나 품앗이에는 상호 협조의 정신이 담겨 있어 기독교라는 사랑의 종교를 받아들이는 데 좋은 터전이 될 것이라고 낙관하였다.

끝으로 인간과 인간의 관계에 초점을 두고 한국인의 효도와 공경에 대해 높이 평가하고 있다. 그는 장례식을 관찰하고 재연하면서 한국인의 윗사람에 대한 공경과 겸손이 천주교 신자들 사이의 수평적인 평등과 민주주의적 요소를 보장해주었다고 인식하였다.

그러면 베버 신부의 이런 인상은 어떠한 세계관과 종교관에 바탕을 두고 있는가. 이는 한마디로 타문화와 타종교에 대한 배려이다. 그는 게르만족이 숲에서 뛰놀고 있을 때 한국은 이미 고도의 문화를 가진 민족이었으며, 독일보다 먼저 인쇄 활자를 발명한 나라임을 인정했다. 그래서 그는 한국인의 일상생활과 각종 의례에 깊은 관심을 가지고 기록으로 남기고자 하였다. 특히 타종교라는 이유로 배척되고 있었던 한국 불교의 역사에 대한 지식을 바탕으로 승려들도 진리에 도달할 수 있다고 지적함으로써 다양한 '구원'으로의 길을 열어놓았다. 유교와 관련된 문묘, 무당굿에 대한 관

베버의 책에 실린 한국 승려들의 모습. 천주교도 신부였던 베버이지만 그는 불교라는 타종교에도 관용을 보여 그들 자신의 교리로 진리에 도달할 수 있을 거라고 여겼다.

심도 이와 마찬가지였다.

이는 한국어와 한글에 대한 관심에서도 그대로 드러난다. '먹다'라는 단어가 여기저기에 쓰이는 점을 두고 보통의 언어학자와는 달리 한국어의 표현이나 관용구가 부족한 것이 아니라 한국 언어가 가진 단어와 의미의 지나친 풍부함 때문이라고 이해했다. 한국 노래에 대한 관심도 마찬가지였다. 예컨대 「담바귀 타령」을 두고 애국심과 애향심을 읊은 노래라고 평가하면서 일본인이 금지시킨 곡임에도 불구하고 없어지지 않을 것이라고 전망하였다. 심지어는 "노세 노세, 젊어 노세"를 음역하고 독일어로 번역할 정도였다.

그러나 그의 시선을 찬찬히 따라가보면 복합적인 시선의 교차가 엿보인다. 거기에는 일제의 동화 정책을 경계하는 한편 일제의 조선 통치를 수용하는 태도가 스며 있다.

우선 조선이 일본화되고 산업화·기계화되면서 필연적으로 사라져버릴 한국 고유의 문화가 맞게 될 앞날을 심각하게 우려하고 있다. 또한 수원 장터 등 경제 현장에서 일본인의 경제적 침투와 예속되어가는 한국 경제를 안타까운 시선으로 바라보는 가운데 한국인들의 저항의식을 높이 평가하고 있다.

그러나 그 역시 정치 현실을 냉정하게 바라보아야 했다. 당장 선교활동을 원만하게 유지하기 위해서는 조선총독부와의 관계를 최우선으로 삼아야 했다. 그런 까닭에 그는 의병운동이나 독립운동을 매우 부정적으로 평가하였다. 이 점에서 뮈텔 주교 등 고위층 신부들의 인식과 마찬가지로 그 역시 안중근 집안의 몰락을 걱정하기보다는 이들이 의병과 독립군에게 이용당할 것을 우려하였다. 나아가 그는 일본의 물질주의적인 정신이 한국 문화에 미칠

폐해를 우려하면서도 일제가 경제적 발전과 문화적 향상을 위해 과감한 투자를 하고 있음도 인정하였다.

또한 그는 선교사로서 천주교를 중심에 놓고 한국 문화를 바라보아야 했다. 비록 기독교화를 바로 서구화로 인식하진 않았지만, 한국인들이 가지고 있는 특수한 가치와 덕망을 교회라는 제도에서 받아들여 발전시킨다는 근본적인 생각이 깔려 있었다. 한국의 풍속과 전통에서 기독교 수용에 도움이 될 만한 요소를 많이 발견할 수 있다고 생각한 것은 이 때문이었다. 이처럼 한국 문화의 귀결점은 대부분 선교 문제로 모아졌다.

마지막으로 그의 인상 속에는 오리엔탈리즘적인 요소가 다분히 들어 있었다. 그는 일본인 화가와 조선 화가의 그림을 비교하며 유럽적 인상파의 영향 여부를 따졌고, 원근법과 구도의 관점에서 그림을 평가했다. 따라서 원산교구 내의 12개 성당은 모두 서양식 건물이었고, 실내장식도 거의 다 독일에서 수입했다. 이것은 현지인이 가지고 있는 서양에 대한 조작된 기대가 어긋났을 때, 현지인으로부터 호감을 잃고 냉대를 받을까 우려한 것은 아니었을까. 나아가 서양의 근대성을 통해 유럽의 우월성을 과시하고자 한 것은 아니었을까.

그럼에도 그는 어느 여행가나 선교사와 달리 따뜻한 시선과 연민을 가지고 한국인에 대해 강한 애착을 지녔던 인물임은 틀림없다. 그는 1차 방문을 마치고 부산항을 떠나면서 다음과 같이 그의 방문기이자 여행기를 마쳤다.

부산에서도 비가 강하게 오기 때문에 우리는 기다려야 했다. 배가 태풍 때문에 떠나갈 수가 없었다. 그렇지만 비가 한국의 밝은 색깔의 그림처럼 된 추억까지 말살하지는 못한다. 대한 만세! 한국이여 만년 살아라!를 이별의 인사로 이렇게 크게 외치고 싶지만, 정작 그 말이 입에서 떨어지지 않았다. 이제 이 민족은 국가를 잃었다. 아마 그것을 찾기란 거의 불가능할 것이다. 침묵으로 순정한 한국 사람들에게 손을 젓는다. 아마도 같은 국민을 죽음으로 내몰았던 자기 나라 지배자들의 통치 아래에서보다는 다른 나라의 지배 아래서 행복하게 살 수 있을지 모른다. 나는 마치 한 민족을 무덤에 옮겨놓은 장례식 행렬에서 집으로 돌아가는 듯하다.

이처럼 물질주의와 공동체 정신의 충돌, 근대와 전근대, 민족의 독립과 종교단체 선교의 길항은 베네딕도 수도회의 모순인 동시에 한국 근대사가 극복해야 할 질곡이자 현실 자체였다. 즉 짧은 기간이었지만, 베버 신부의 눈에 비친 한국은 그 자신의 복합적인 시선이 교차되는 공간이자 한국인 스스로가 근대 문명과 민족 자존의 문제를 동시에 풀어야 할 공간이었음을 보여준다.

노르베르트 베버 신부의 생애

• 1870년 12월 20일	독일 바이에른 연방주의 랑바이트/바이에른에서 출생
• 1895년	신부 서품을 받음
• 1899년	상트 오틸리엔 베네딕도 수도원의 부원장 취임
• 1902년	상트 오틸리엔 베네딕도 수도원의 초대 아빠스로 선출됨
• 1904년 11월	상트 오틸리엔 수도원은 상트 오틸리엔 연합회로 세계 베네딕도 연합에 열세 번째 연합회로 가입
• 1908년 9월 18일	파리외방전교회의 조선교구장 뮈텔 주교와 만남
• 1910년 1월	서울의 베네딕도 수도원이 정식 수도원으로 승격
• 1910년 9월	숭공학교가 수도원 안에 설립됨
• 1911년 2월	한국을 방문하여 4개월간 경기도, 충청도, 황해도, 평안도 각지를 순회
• 1911년 9월	숭신학교가 설립됨
• 1915년	『고요한 아침의 나라에서―한국 여행 회상기』 저술로 뮌헨 대학에서 신학 박사학위를 받음
• 1923년	『고요한 아침의 나라에서―한국 여행 회상기』 재판 출간
• 1925년 5월	한국을 다시 방문하여 4개월 반 동안 원산을 비롯한 함경도와 만주 연길 각지를 순회
• 1927년	원산 근교 덕원에 수도원을 완공하고 선교 거점을 덕원으로 잡음
• 1927년	『금강산』 출간
• 1931년 4월	상트 오틸리엔 베네딕도 수도원의 아빠스 직 사퇴, 동아프리카 선교사로 활동
• 1956년 4월	86세를 일기로 아프리카 리템보에서 선종

11장

일본 문화재학 대부의 '시선視線의 정치학'

⊙

세키노 다다시의 조선고적 조사

목수현

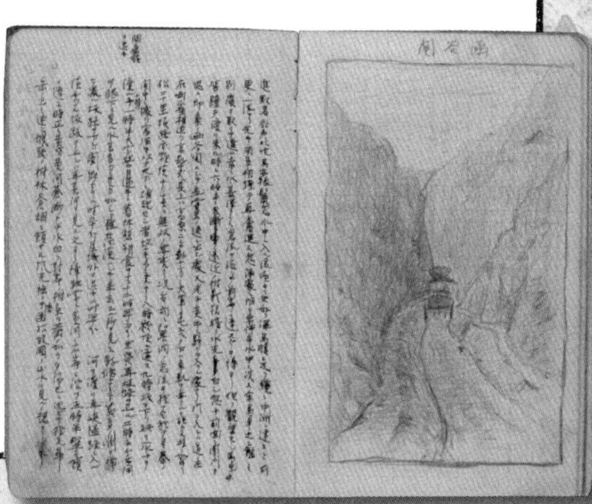

사진으로 남은 조선 풍경

길을 걷다보면 문화재 보수를 위해 친 가림막 위에 문화재의 옛 모습을 보여주는 사진을 둘러놓은 경우를 흔히 볼 수 있다. 희미하지만 옛 풍경을 펼치는 그 사진들을 통해 우리는 불과 100여 년 전이지만 이제는 아스라해진 모습을 짐작하곤 한다. 그런데 알고 보면 이런 사진들이 망라되어 있는 책이 한 권 있다. 바로 『조선고적도보朝鮮古蹟圖譜』라는 사진집이다.

모두 15권으로 이루어진 『조선고적도보』를 들춰보면 지금은 중국 땅이 된 집안의 고구려 유적에서부터 제주도를 제외한 우리 땅 전역을 아우르고 있다. 내용 면에서도 고구려 고분에서부터 조선 시대 궁궐인 경복궁의 전각에 이르기까지 우리나라 역사 전체를 다루고 있다. 또 사진으로 보여주는 유적의 내용은 무덤, 건축, 탑, 불상, 회화, 공예 등 우리나라 문화 유적을 망라하고 있다. 그 중에는 사진으로만 남고 지금은 사라져버린 문화 유적도 적지 않다. 그래서인지 궁궐의 전각이나 서울 도성의 문을 복원할 때, 또는 가볼 수 없는 북한 땅 유적을 거론할 때면 이 책의 사진들은 그 유적이 존재했던 원형에 가장 가까운 모습으로 손꼽히곤 한다.

세로 42센티미터, 가로 31센티미터 크기의 묵직한 이 책 열다섯 권에 실린 사진은 모두 6333장이라는 결코 적지 않은 양이라 가히 우리나라 문화유산 사진의 보고라고 할 만하다. 이 사진들은 일본인 건축사학자 세키노 다다시關野貞(1867~1935)가 1902년부터 1934년까지 30여 년에 걸쳐 조선을 여행하고 답사하며 기록한 결과물이다. 여행이 그 땅을 밟고, 그 땅의 사람들을 만나고, 그 땅의 문화를 음미하는 것이라면, 그가 30여 년에 걸쳐 해마다 밟았던 조선 땅에서 과연 그는 무엇을 보고자 했던 것일까?

일본 문화재학의 대부

세키노 다다시는 우리에게는 『조선고적도보』를 만들어낸 인물로 기억되지만, 일본에서는 일본 "문화재학의 대부"로 평가받는다.

그는 메이지 정부가 서구 문물을 받아들이면서 근대화의 틀을 다져가던 1892년 도쿄 제국대학 공과대학 조가학과造家学科, 즉 현재의 건축학과에서 공부했다. 재학 중 교토 우치시의 유명한 11세기 목조 건축인 뵤도인平等院 호오도鳳凰堂 건물을 실측 조사하는 것에서 그의 문화재 조사 인생이 시작되었다. 대학을 졸업한 뒤 7세기 일본의 수도였던 나라奈良에 건축기사로 부임해서 허물어져 가는 옛 사원건축을 수리하는 동시에 80여 동의 문화재 후보 건축 목록을 작성했다. 이러한 자료 조사를 바탕으로 이후 야쿠시 사藥

師寺, 도쇼다이 사唐招提寺, 호류 사法隆寺 등 일본 7세기 주요 건축 및 불상과 공예품에 관한 논문을 여러 편 쓸 수 있었다. 호류 사 금당이 7세기 초 쇼토쿠 태자聖德太子 시대의 것이 남아 있다고 주장함으로써 시작된 '호류 사 재건 비재건 논쟁法隆寺再建非再建論争'은 일본 문화재 연구사에서 매우 중요하며 선구적인 것이기도 하다. 1899년(32세)에는 나라 시대의 가장 번성했던 헤이조 궁平城宮 유적을 발굴해 이 연구로 1908년에 공학박사 학위를 받기도 했다. 이러한 업적을 쌓은 그는 1901년 도쿄 제국대학 공과대학 건축학과 교수가 되었다. 그리고 그의 행적은 도쿄 제국대학 공과대학 학장인 다쓰노辰野가 그를 한국 문화재 조사의 책임자로 보내는 데 발판이 되었다.

1902년부터 쉼 없이 조선 땅을 밟다

세키노 다다시가 처음 한국 땅에 발을 디딘 것은 1897년에 고종이 황제로 즉위하고 조선이 대한제국으로 국호를 바꾼 뒤 제도를 개혁하며 독립 국가로서의 면모를 일궈나가던 1902년의 일이었다.

대한제국은 1893년에 미국의 시카고 만국박람회와 1900년의 파리 만국박람회에 참가한 이후 대외적인 국가 이미지를 어떻게 만들어갈 것인가를 놓고 고심했고, 박람회 참가를 일시적인 것으로 여기지 않고 박람회 출품에 대응할 수 있는 기구인 임시박람회 사무소를 여는 등 조직적인 준비도 갖춰나가려 했다. 이런 상황에서 시카고 만국박람회와 파리 만국박람회에 가마, 갑옷, 대포, 서

1900년 파리 만국박람회장의 한국관의 모습을 담은『르 프티 주르날』의 삽화.

화, 악기 등을 출품했던 대한제국은 전통 문화야말로 외국에 우리의 고유한 문화를 보여줄 수 있는 것이라고 여겼음 직하다. 그러나 아직 한국 땅에 있는 고적에 대한 가치를 인식하고 그 조사와 보존을 위한 조처를 할 만한 정치적·경제적 여건이 갖춰진 것은 아니었다. 실제로 대한제국이 옛 유물들을 모아 박물관을 세운 것은 순종이 즉위하여 창덕궁으로 이어한 뒤인 1908년의 일이다.

세키노는 1902년 7월 2일 부산을 거쳐 9월 4일까지 62일 동안 한국 전역을 다니며 고조선, 삼한, 신라, 고려, 조선 등 각 시대의 고분, 왕궁, 사찰, 능묘, 서원, 유물 등 역사 유적뿐 아니라 미술 공예에 이르기까지 낱낱이 조사했다. 그리고 두 해 뒤인 1904년에 252쪽 분량의 글에 363장의 사진이 실린 방대한 보고서 『한국건축조사보고韓國建築調査報告』를 일본 정부에 제출했다. 이 책은 고고학과 미술사, 건축사, 문화재학이 서로 다른 학문 분야로 갈리기 전에 만들어진, 한국 문화재에 관한 최초의 종합 학술보고서로 평가받고 있다. 불과 두 달여의 조사 끝에 이런 책을 만들어냈다는 것도 놀랍지만, 과연 세키노는 어떤 목적으로 이런 엄청난 일을 한 것일까?

그가 1902년 처음 한국의 문화재를 조사하러 올 때 다쓰노는 그에게 "한국 건축의 사적 연구를 목적으로 하고, 될 수 있는 대로 넓게 관찰하라, 깊지 않아도 상관없다"고 했다. 그래서인지 세키노의 조사보고서에는 한국 전역에 걸친 문화재가 전 시대에 걸쳐 다루어져 있으며, 건축학이라는 자신의 전공과는 상관없이 조각, 공예품까지 망라하고 있다.

세키노의 한국 방문은 여기에 그치지 않았다. 그는 1909년 가

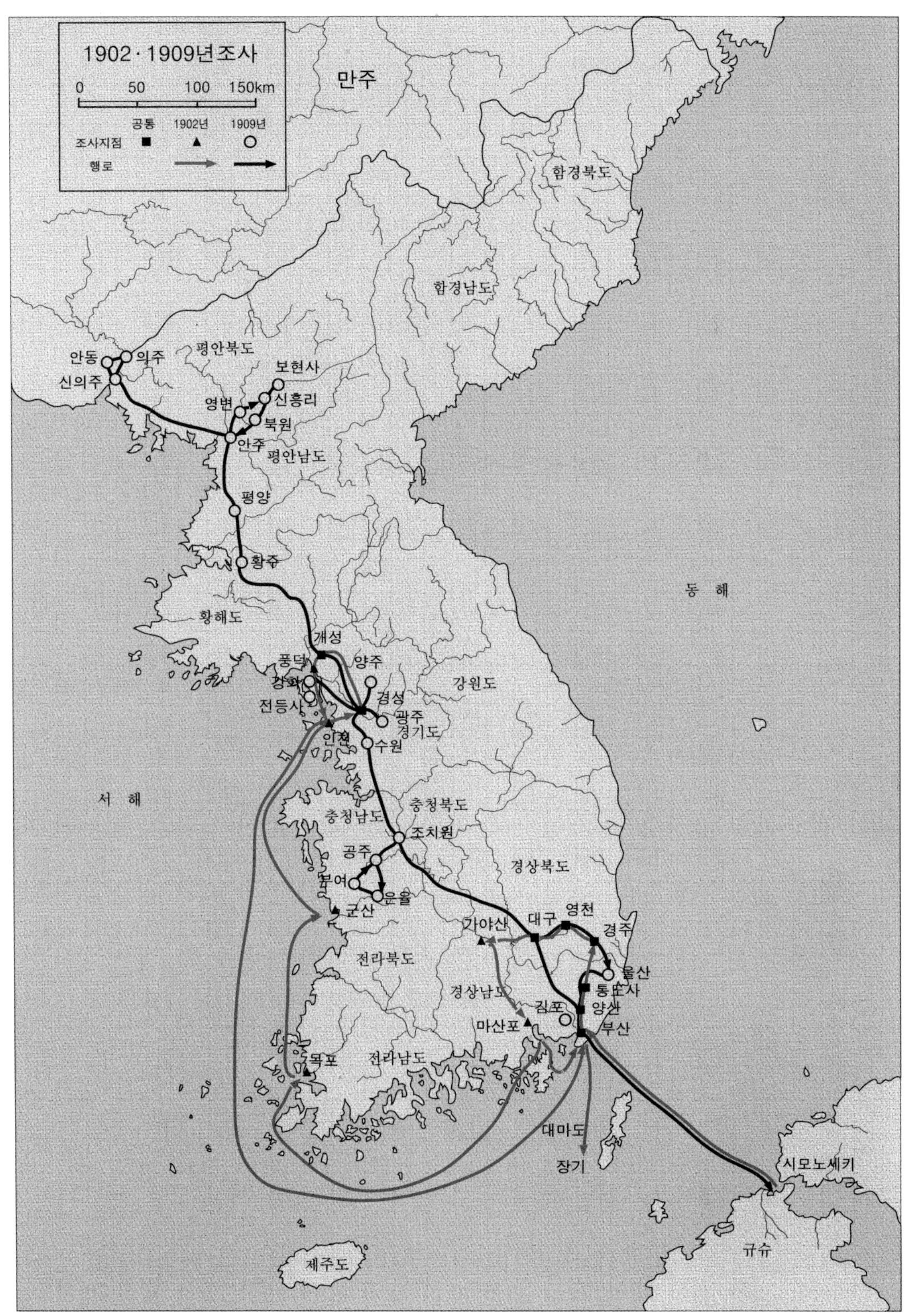

세키노의 1902년과 1909년의 조사 경로.

을에도 다니이谷井濟一, 구리야마栗山俊一와 함께 한국 탁지부의 위촉을 받고 한국 고대의 건축물과 동양 예술사 연구에 매달렸으며, 각지를 돌아다니던 중 경성에 머무르면서 종로 광통관廣通館에서 강연도 했고, 이 내용을 발췌해 『한홍엽韓紅葉』이라는 책도 발간했다. 이 책은 다니이의 「상대에 있어서의 일한 관계」, 구리야마의 「평양 개성의 고적」과 함께 세키노 다다시의 「한국 예술의 변천에 대하여」를 수록하고 있으며, 한국과 일본의 관계 및 선사시대부터 조선시대까지 한국 예술의 변천을 알 수 있는 건축물과 고분묘 등의 문화재 72점이 삽화로 포함되어 있다. 세키노와 다니이, 구리야마의 한국 방문은 이것이 시작이었다. 세키노의 '조선행'은 1902년, 1909년의 전초적인 조사에 이어 1911년에서 1934년 사이에, 유럽 여행의 명을 받았던 1918~1919년 두 해를 제외한 23년 동안 한 해도 거르지 않고 계속되었다. 조선에 부임한 관료나 조선으로 이주해왔던 거주자가 아닌 이로서 이처럼 조선 땅을 해마다 여행했던 일본인은 없을 것이다.

세키노의 여행은 '깊이'보다는 '폭넓음'이었다. 그는 짧게는 일주일, 길게는 두 달 남짓 동안 조선을 찾아 부산에서부터 경상도, 서울을 거쳐 황해도, 평안남북도에 이르는 긴 여정을 거의 쉼 없이 움직이면서 조사하고 사진을 찍어 남기는 방식으로 고적 조사를 진행했다. 물론 이 작업을 혼자 수행한 것은 아니고 늘 조수로 구리야마나 다니이, 사진사 사와 슌이치澤俊一 등이 동행했으며 그들이 때로는 실측을 돕고 사진도 촬영했다. 세키노는 직접 스케치를 하기도 하고 도면을 작성하거나 메모를 해 조사보고의 기초 자료를 마련했다. 세키노의 조사에는 이러한 필드 카드가 수천 장 남아 있다.

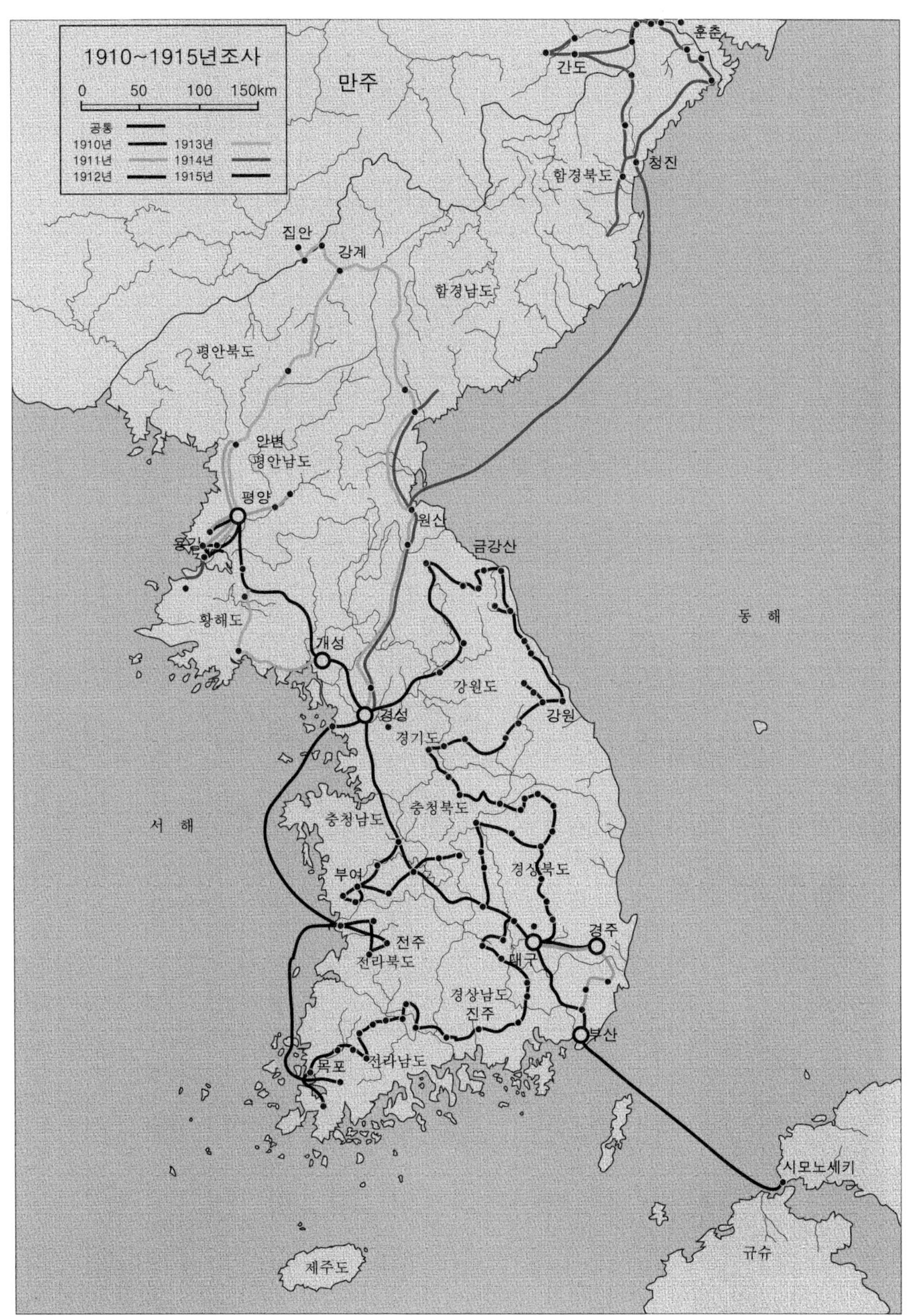

세키노의 1910~1915년의 조사 경로.

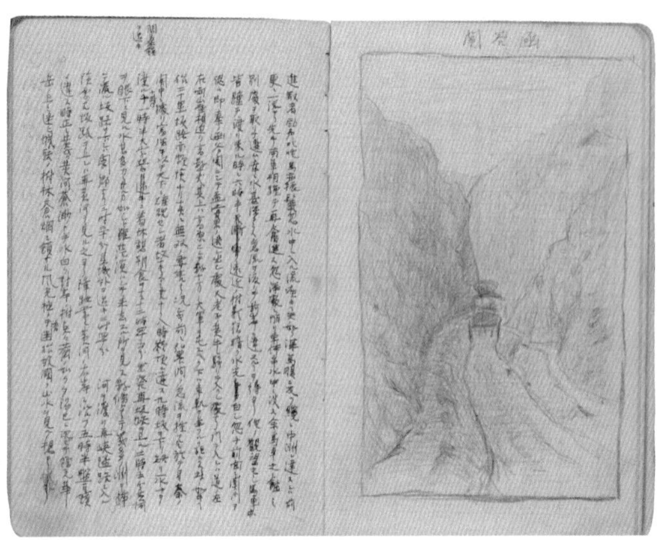

세키노 다다시가 스케치한 중국 한구관函谷關.

그의 조사 일정은 가히 살인적이라 할 만했다. 1916년의 일정을 보면 9월 15일 도쿄에서 출발해 12월 3일 도쿄에 돌아갈 때까지 비가 와서 어쩔 도리 없는 날을 제하고는 휴일이라고는 전혀 찾아볼 수 없을 정도다. 좀 길지만 1916년 그의 조사 일지를 살펴보자.

9. 15　도쿄 출발.

9. 17　경성 도착.

9. 18~20　경성 체류.

9. 21　맑음. 경성 출발. 개성과 만월대 및 남산, 고려 벽화 고분 조사.

9. 22　맑음. 개성에서 평양 이동. 3시 반 도착. 도청에서 장관, 내무부장 방문.

9. 23　맑음. 아침 4시 고바小場, 고가와小川, 노모리野守 도착. 군서기 안내로 대동강 부근 고분을 답사하고 교무부장 방문.

9. 24 맑음. 대동강 부근 답사 후 정백리貞柏里 능상고분 3기 실측.

9. 25 맑음. 정백리 고분(갑) 발굴 착수, (을) 실측 착수 (정) 실측 후, 고가와 군 왕평총 실측.

9. 26 맑음. 금일부터 5분 발굴 종사. 갑 전벽 상부 드러남, 왕평총, 완륜, 지륜 등 발견. 다니기가 너무 멀어서 오늘부터 발전소 기사 사택에서 머묾.

9. 27 맑음. 왕평총 연도 일부 드러남. 바람이 참. 첫서리 내림.

9. 28 맑음. 왕평총 전부 드러남. 왕총 칠기편 오수전 출토.

9. 29 맑음. 전자총田子塚, 송림총 시굴. 저녁에 평양으로 와 야나기야柳屋에서 숙박.

9. 30 흐림. 도청에 후지타藤田 부장, 야마자키山崎 속을 방문. 교육회 진열품을 봄. 부청에 평양고도 병풍을 봄. 오후 2시 사택으로 돌아옴. 발굴 고분 시찰, 을총 전벽 상부 드러남. 정총 목곽 잔편 보고, 중총 파괴총, 평총 시굴.

10. 1 흐리고 비. 파괴총 위에서 평총 양실 상床이 드러남. 중총은 아직 보지 못했고 송림총은 들어가다 중지, 전자총은 여러 가지 토기가 나옴, 야나기야에서 숙박.

10. 2 맑음. 도청에 감, 정오에 정백리 도착, 을총 목곽 드러남. 절금구 총상에 이름. 절금구 등 노출됨. 전자총에서 여러 가지 토기, 이륜, 금절 등 발견.

10. 3 맑음. 이시쿠마石隈 씨와 조왕리 고분 시찰, 을총에서 한경 및 문양이 있는 칠기편, 토기 파편 등이 나옴. 송림총에서 목곽 편 나옴(뒤에 목관으로 판명).

10. 4 맑음. 을총에서 청개경 미려한 문양 칠편 나옴.

10. 5 맑음. 을총 앞면 굴개 착수.

10. 6 맑음. 공사 휴지. 야마자키 씨와 남궁리 대화궁지를 봄, 오후 7시 반 귀우, 구리야마군이 와서 야나기야에서 숙박.

10. 7 맑음. 송림총 목관 조사, 갑총 앞면 굴개 착수.

10. 8 흐리고 비. 지노다篠田 부장과 경찰의 작은 함정에 타고 보산진 조사. 오후 8시 반 평양에 돌아옴.

10. 9 맑음. 갑총 전실 상부 노출. 정총 경 및 미려한 칠기편 발견. 송림총 옆방 굴개 착수.

10. 10 맑음. 정총에서 사유쌍신경四乳双神鏡 발견.

10. 11 맑음.

10. 12 맑음. 송림총 전실 개굴 완료.

10. 13 맑음. 정백리 제6호총 벽돌 천정 떨어짐. 평양으로 돌아옴.

10. 14 흐리고 저녁에 비. 석암리 제2총 동기, 토기 출토. 다니이 군 도착.

10. 15 비바람. 오전, 칙사 하원씨를 방문해서 진열소에 감. 오후 4시 기양 구락부에서 '낙랑시대의 유적에 대하여' 강연. 밤, 교육자를 초대.

10. 16 맑음. 정총, 칠기 채취 완료. 9호분 거울, 박산로, 칠기 출토.

10. 17 맑음. 9호분, 수각탁獸脚卓, 기타 도금기 출토. 놀라울 정도의 장관임.

10. 18 맑음. 1호분. 방실을 발굴. 오전 궁륭이 드러남, 저녁에 개구.

10. 19 맑음. 6호, 거울 2면 출토. 저녁에 구도工藤 도장관의 초대로 관저에 감.

10. 20 맑음. 6호분, 내 스스로 칠협 및 칠기그릇漆皿을 꺼냄. 9호에서 벽璧, 두식, 칼 2개, 상아인장牙印 등 출토.

10. 21 아침에 안개, 오후에 맑음. 오전에 지노다, 다니이 양군과 병영에 도착, 창광산 조사. 오후 다니이 군과 정전 조사. 9호에서 마구, 도검, 순금 용 금구 등 출토.

10. 22 맑음. 9호분에서 출토품 조사. 각 분 연구.

10. 23 흐리다 밤에 비. 도청은행에 다녀옴. 이시쿠마 씨 쪽에서 발굴품 정리.

10. 24 비. 다니이 군과 낙랑, 고구려와 정리. 오늘 대동강변을 올라 일행 평양으로 이동.

10. 25 맑음 낙랑, 고구려 와편 정리. 오후에 도청 군청 경찰서 방문. 칙사 가와하라를 방문.

『조선고적도보』에 실린 세키노 다다시의 스케치와 신북면 하산리 고분 벽화모사도.

10. 26 맑음. 오늘 아침 순천행을 계획했으나 두통 발열로 연기.

10. 27 맑고 차가움. 6시 40분 평양 출발-숙천-순천, 1시 반 도착. 검산 고분 및 사천동 낙랑 전 출토처를 봄. 가하옥에 숙박. 개울물이 얼어서 오후 7시 귀우.

10. 28 맑음. 오전 9시 출발, 마상3리, 북창면 송계동에 고분 조사. 현실 구조 기괴, 벽화 있고 오후 6시 반 귀우.

10. 29 맑음. 오전 7시 반 차로 출발, 오후 1시 숙천 도착, 숙천관에서 점심, 오후 3시 40분에 기차로 출발해 오후 5시 반 평양 도착.

10. 30 맑음. 도청에 들러 오후 3시 차로 장수원에 도착.

10. 31 비. 저녁부터 밤까지 비. 자족면 고분 1호, 4호, 2호 드러남. 구보久保 의학 박사 평양에서 와서 동행.

11. 1 맑음. 1호, 4호 조사.

11. 2 맑음. 1호 3, 4, 5, 6 조사

11. 3 맑음. 황태자를 세우는 날이라서 사업을 쉼.

11. 4 맑음. 다니이, 구리야마 양군과 장수원에서 대성산을 거쳐 성벽을 일주함. 5호 거의 개구.

11. 5 맑음. 2호분, 노모리와 함께 실측.

11. 6 맑음. 5호분 벽화를 봄. 6호분 노모리와 함께 실측.

11. 7 비가 내려서 사업 휴지.

11. 8 맑음. 6호, 2호 실측.

11. 9 맑음. 오전 2호분 실측. 오후 구리야마군과 광법사를 봄.

11. 10 맑음. 3호분, 5호분 조사. 기단 연구.

11. 11 맑음. 다니이, 구리야마와 장수원 출발, 안학궁지, 주암, 고구려 유적 답사, 모란대에서 자동차로 야나기야에 도착.

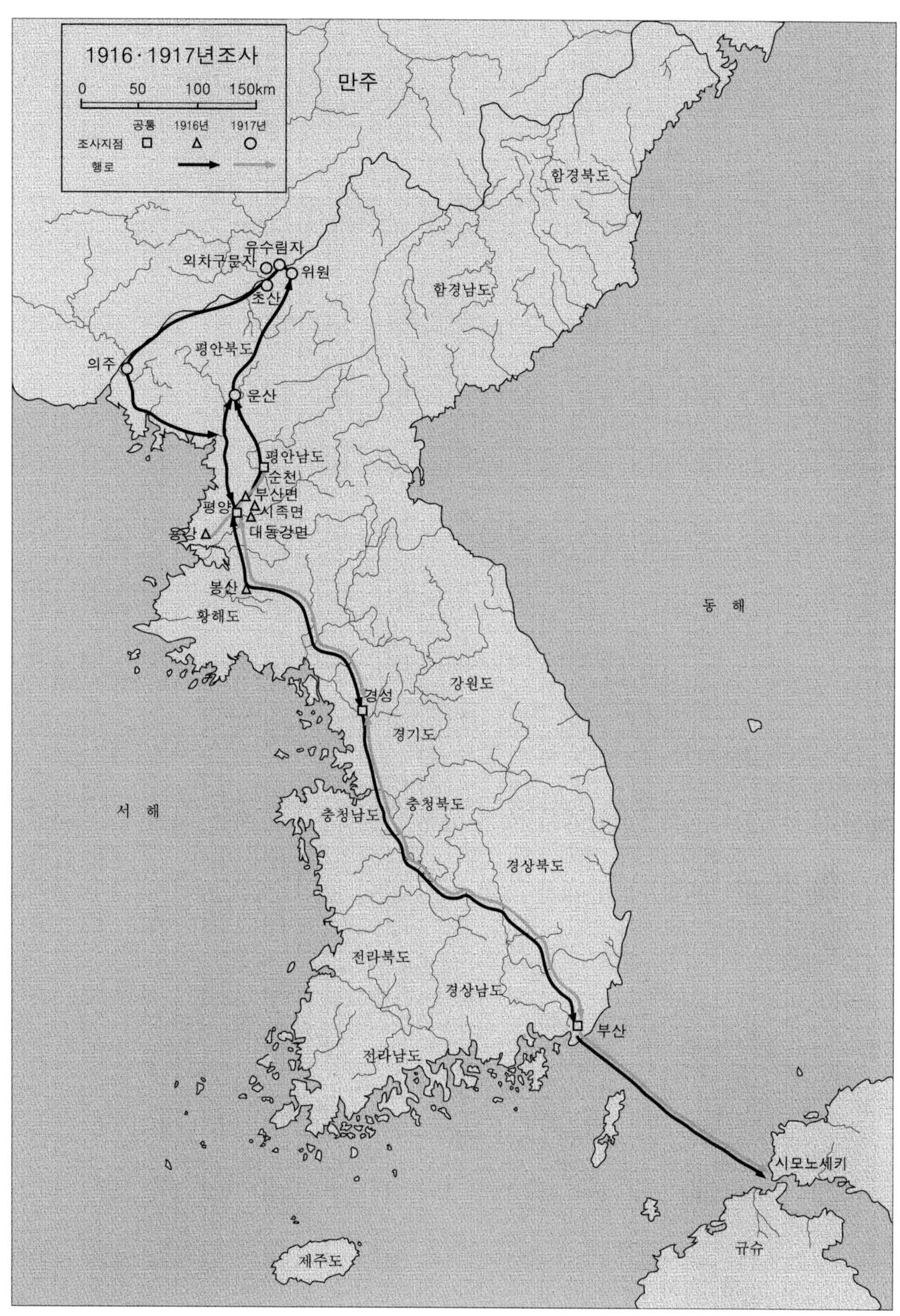

세키노의 1916~1917년의 조사 경로.

11. 12 흐림. 오전에 부청의 평양고도 병풍을 봄. 오후에 성벽 답사.

11. 13 맑고 추움. 다니이군과 종일 정전 답사.

11. 14 맑고 추움. 오전 1시 반 출발, 8시 경성 도착. 총독부에 들러 제반 타합.

11. 15 맑음. 오전 8시 반 이와이岩井 군 경성 출발, 김천에서 자동차로 예천 도착.

11. 16 맑음. 예천 오전 7시 반 출발(말), 풍기에서 점심, 순흥 우편국에서 숙박.

11. 17 맑음. 순흥 출발, 말로 오전 11시 부석사 도착. 보존에 관하여 타합.

11. 18 맑음. 부석사 출발, 소수서원을 보고 순흥에서 점심, 오후 5시 영주 도착.

11. 19 흐리고 비. 아침, 군청의 백월서운탑비 및 읍내 불상을 봄. 10시 출발, 오후 3시 예천 도착. 시마야에 투숙.

11. 20 맑음. 오전 8시 예천 출발, 오후 2시 김천 도착. 2시 40분 열차로 출발.

11. 21 맑음. 오전 8시 반 진남포 도착, 후지다富田 삼화고려소 및 진열소를 봄. 조일관에서 중식, 오후 2시 자동차로 온정리 도착, 정양관에 투숙.

11. 22 맑음. 마바, 구리야마 출발. 나는 오전 9시부터 갑총, 삼실총, 7실총, 대지석총 등을 봄.

11. 23 맑음. 다니이 군과 용원면 갈현리에서 전 출토처를 봄. 여기서 7실총, 3실총, 대지석총 및 갑총을 보고 귀우.

11. 24 흐리고 오후 맑음. 황산 및 청룡산록 고분 조사.

11. 25 맑음. 낙랑고분 및 고구려고분에 관한 보고 초안을 저녁에 마침.

『조선고적도보』에 실린 삼실총 벽화모사도.

11. 26 비온 뒤 갬. 오전 10시 마차로 온정리 출발, 오후 4시 진남포 조일관 도착. 7시 20분 열차로 출발해 9시 평양 도착.

11. 27 맑고 추움. 올해 초보다 혹한. 다니이 군과 자동차로 주궁지 조사.

11. 28 맑고 추움. 오전 1시 40분 평양 출발, 일행 오전 8시 경성 도착. 파성관에 들어감. 총독부 및 박물관에 감.

11. 29 맑음. 오전 총독부. 오후 2시 반 박물관에 감. 오후 7시 조선호텔에서 건축가 출신 제씨의 초대만찬회 참석.

12. 1 맑음. 오전 8시 반 경성 남대문 출발.

12. 2 비.

12. 3 오후 3시 동경 도착.

수천 장의 유리 건판 사진으로 남겨진 유물들

세키노가 조선 고적을 찍은 사진은 1909년부터 1913년까지 5년 동안 적어도 1562장 이상이 된다. 이때 찍은 사진은 대부분 유리 건판 형태로 전하는데, 많은 수가 일본의 도쿄대학 총합박물관에 소장되어 있으며, 일부는 국립중앙박물관이나 서울대학교 박물관에도 소장되어 있다. 한국에 있는 유리건판들은 당시 조선총독부 박물관과 경성제국대학에 있었던 것이 전해 내려온 것이다. 도쿄제국대학–조선총독부 박물관–경성제국대학 이 세 축은 세키노 다다시의 조선고적 조사가 철저히 관 주도로 이루어진 것임을 말해준다.

실제로 조선고적 조사에서 세키노는 조선총독부 박물관 고적 조사 위원 및 박물관 협의회 위원 등을 맡아 진행했다. 대한제국을 합병한 일본은 1915년에 식민지 시정 5주년을 자축하고 내외에 선전하기 위해 경복궁의 전각들을 허물고 조선물산공진회를 열었는데, 이때 경복궁의 동궁이었던 자선당 자리에 제국주의 양식의 2층 건물을 짓고 여기에 조선의 옛 유물을 전시했으며, 공진회가 끝나고 나서 이를 조선총독부 박물관으로 썼다. 유물을 조사하고 수집·보존하는 행위가 그 유물이 생산된 땅과 역사를 유린한 위에서 이루어졌던 것이다. 『조선고적도보』는 조선물산공진회가 벌어진 1915년에 첫 권이 나오기 시작해 거의 해마다 한 권씩 진행되어 1935년까지 모두 15권이 발간되었다. 첫 권은 낙랑군 및 대방군으로 시작하여 고구려 시대까지를 담았고, 2권은 고구려, 3권은 백제, 가야, 신라, 4권과 5권은 통일신라시대, 6권에서 9권까지 네 권은 고려시대, 10권부터 15권까지 여섯 권은 조선시대의 문화재를 담고 있다(표 참조). 이 『조선고적도보』의 발간으로 그는 50세가 되던 1917년에 아카데미 프랑세즈에서 동양학 분야 중 훌륭한 공적을 남긴 사람에게 수여하는 스타니슬라스 줄리앙 상을 받기도 했다.

『조선고적도보』의 내용

번호	구성 내용	발행 연도
1	• 낙랑군: 대동강변 석암리 고분 • 대방군: 대동강변 고분 • 고구려 1 고분과 발굴 유물 및 벽화 모사도 : 삼실총, 장군총, 광개토대왕비, 호태왕릉 등 집안 지역	1915
2	• 고구려시대 2 : 평양 장안성 지역, 매산리 사신총, 감신총, 쌍영총	1915
3	• 마한(익산 나주), 백제(공주 부여 석촌동), 임나(경남 가야), 옥저(함흥), 예(강릉), 고신라(경주)	1916
4	• 신라통일시대 1 : 불교 유적	1916
5	• 신라통일시대 2 : 왕릉, 불상, 탑내 발견품	1917

6	•고려시대 1 : 성지, 궁지, 석탑, 기탑, 기타 석조물	1918
7	•고려시대 2 : 석탑, 불상, 능묘, 석관, 묘지, 탑지	1920
8	•고려시대 3 : 도자기	1928
9	•고려시대 4 : 분묘 내 발견 공예품	1929
10	•조선시대 1 : 궁전 건축	1930
11	•조선시대 2 : 성곽, 학교, 서원 등 건조물	1931
12	•조선시대 3 : 불사건축 1	1932
13	•조선시대 4 : 불사건축 2	1933
14	•조선시대 5 : 회화	1934
15	•조선시대 6 : 도자기	1935

유물은 역사를 증명한다?

『조선고적도보』 제1권의 서문을 보면, 이 책은 1909년 9월부터 한국 정부의 요청으로 세키노가 조선의 옛 건축물 조사를 시행한 것이 그 계기였다고 쓰여 있다. 책의 구성을 보면 전체적으로 우리나라의 역사유적과 유물을 시대 순으로 배열한 것처럼 보인다. 그러나 좀 더 유심히 보면 이상한 점이 눈에 띈다. 즉 우리나라 역사를 중국 한漢의 식민지인 낙랑군과 대방군으로부터 시작하고 있는 것이다. 이러한 방식은 1904년에 발간된 『조선건축조사보고』에서 이미 나타났으며, 세키노가 1932년에 펴낸 『조선미술사朝鮮美術史』에도 그대로 이어지고 있다.

사실 세키노 다다시의 조선고적 조사가 한반도의 모든 고적을 기록한 것은 아니다. 우선 그의 행적을 좇아보면 평양을 중심으로 한 평안도와 경주를 중심으로 한 경상도에 그의 발길이 집중되었음을 알 수 있다.

『조선고적도보』에 실린 낙랑 유적지.

『조선고적도보』에 실린 낙랑 유적 발굴 장면.

신라에 대해 일본인들은 한국이 가장 번영했던 시기로 인식하고 있었다. 신라의 수도 경주에서는 1921년에 계림로 5호분을 발굴하여 금관을 찾아냈고 그 무덤에는 '금관총'이라는 이름이 붙었다. 더구나 조선에서의 발굴 작업은 일본의 문화재 발굴을 위한 연습장이라는 지적도 있었다. 평양 지역 고분 발굴에 세키노 다다시 일행이 방점을 둔 것은 '낙랑' 유적의 실증이었다. 한이 기원전 108년 고조선을 무너뜨리고 그 땅에 낙랑, 임둔, 현도, 대방의 네 군을 두었는데, 일본 관학자들은 한반도 땅에서 그 유적을 실증하고자 했다. 세키노는 일본 사학계의 이러한 역사 만들기를 실증할 자료로 낙랑 유적의 발굴을 책임지고 있었던 것이다.

1909년 세키노가 조사한 석암리 고분 등 낙랑 고분에 대한 내용은 『조선고적도보』 제1권과 『낙랑군 시대의 유적』에 수록되었다. 그런데 세키노는 처음 조사하던 1909년에 이 유적을 '낙랑 유적'이라 하지 않고 '고구려 유적'이라 했다. 그러다가 1920년대 조선총독부 고적조사위원회의 집중적인 낙랑 유적 조사 이후 이 유적들에 대한 통칭이 '낙랑 유적'으로 정리되었고, 1932년에 출간된 『조선사』와 『조선미술사』 등에도 낙랑시대가 역사의 앞부분에 등장한다. 결국 세키노의 낙랑 유적 조사는 애초부터 일본이 조선의 역사를 낙랑 등 한사군에서 영향을 받은 것으로 보고 이를 입증할 만한 유물을 찾고자 진행시킨 것이었다. 하지만 세키노의 경우 처음에는 이러한 발굴 취지를 명확히 인지하지 못했던 듯, '고구려 유적'이라는 명칭을 쓰고 있었다. 그러다가 훗날 발간된 『조선고적도보』나 『낙랑군 시대의 유적』 『조선미술사』 등에서는 조선사편수회가 주창하는 역사적 순서와 명칭을 그대로 받아쓰고 있다. 1915년에 발간된 『조선고적도보』 1권은 '낙랑군 및 대방군'이며 『조선미술사』의 첫 시대도 '낙랑군 및 대방군' 시대로 설정되어 있다. 그러나 한사군이 평안도와 황해도, 함경도 지역에 있었다고 하는 일본 식민사학자들의 논리는 그 모순이 이미 여러 차례 지적된 바 있다. 실제로 세키노가 발굴했다는 낙랑 유물들은 한사군이 존재했던 전한前漢시대의 유물이 아니라 후한後漢시대의 유물로 파악되며, 평양 지역에 존재한 '낙랑'은 한의 통치 구역인 '낙랑군'이 아니라 기원후 32년에 고구려 대무신왕에 의해 멸망한 '낙랑국樂浪國'이고 그 전설이 '낙랑공주와 호동왕자' 이야기로 남아 있다는 설이 제기되었다.

『조선고적도보』에는 낙랑군 시대의 것으로 많은 무덤의 사진이 전경으로 실려 있거나 또는 발굴되는 모습으로 실려 있다. 이는 역사학자 도리이 류조鳥居龍藏가 한나라 동전에 대한 지식과 그 당시 새로 발견했다고 하는 한나라의 점선현 비 등을 근거로 한사군의 유적과 유물을 파악하려 한 결과였다. 세키노의 조사가 한국 전역에 걸쳐 있음에도 불구하고, 다른 지역들이 한두 차례의 조사에 불과한 반면 평양 지역의 답사는 해마다 이루어지며, 또한 발굴 중인 고분을 매번 조사 시찰한 것은 그만큼 분명한 목적이 있었기 때문이다. 세키노가 발굴한 자료들은 일찍이 일본 관학자들이 세운 한반도 역사의 성격을 입증하고자 하는 자료가 되었다.

세키노의 조선고적 조사 일정

연도	일정	지역 및 조사 내용	결과물
1902	7. 4~9. 4	서울의 궁궐, 개성, 경주, 해인사 등	1904 『한국건축조사보고』

1909		대한제국 탁지부가 공사고문 쓰마키 요리나카妻木頼黃의 추천으로 한국 건축 조사 의뢰. 5개년 계획으로 1913년까지 한반도 전체 조사	
1910			
1911		고구려 및 삼국시대 고분을 본격적으로 발굴 조사	
1912	9. 16~11. 12	평안도 강서 고구려 벽화 등 조사	
1913	9 ~12월	통구 고분 조사	
1915	6. 28~7. 28	경주 및 부여 지역을 집중적으로 조사	『조선고적도보』 1, 2권 발간
1916	9. 15~12. 3	개성, 평양 지역 본격 조사	『조선고적도보』 3, 4권 발간
1917	6. 6~7. 16	집안 고구려 유적 조사	『조선고적도보』 5권 발간
1918			『조선고적도보』 6권 발간
1920	10. 11~10. 30	김해 및 낙동강 유역 등 가야 지역 고분 조사	『조선고적도보』 7권 발간
1921	10. 3~11. 13	경주, 평양 지역 고적 조사. 고려시대 유물 촬영	
1922	4. 27~6. 16	평양 안학궁지 등 조사. 개인 소장 유물 조사 및 촬영	
1923	10. 9~11. 7	개성, 평양 및 부여, 공주 고적 조사	『조선미술사』 집필
1924	10. 1~11. 2	평양, 공주와 부여의 벽화고분, 대구 달서 고분 조사	『조선미술사』 완성
1925	9. 21~10. 23	경성의 백제시대 토성, 평양 출토 기와 조사 및 부석사 벽화 보존처리 공사	
1926	10. 2~10. 28	평양 청암리 토성, 전주 금산사 내장산 벽봉암, 고창 선운사 도솔암, 참당사 등 답사	
1927	9. 20~10. 19	개성의 고려도기, 평양의 고구려 유물 촬영. 장안사 등 금강산 방문, 창경궁 건축 촬영	
1928	10. 2~10. 30	강화도, 평양, 강경, 부여 무량사 답사	『조선고적도보』 8권 발간

1929	11. 6~11. 25	경성의 경복궁, 창덕궁, 덕수궁 등 촬영	『조선고적도보』 9권 발간
1930	10. 5~10. 29	총독부박물관 및 이왕가박물관 소장 회화자료 조사. 문묘, 동묘, 남묘 조사 및 촬영	『조선고적도보』 10권 발간
1931	11. 12~12. 7	평양부립박물관 낙랑고분 발굴 시찰, 황주 안국사, 대구 은해사, 거조암, 환성사 답사	『조선고적도보』 11권 발간
1932	7. 12~30	이왕가박물관 회화 조사, 강진 무위사, 장흥 보림사, 순천 송광사, 선암사 답사	『조선고적도보』 12권 발간 『조선미술사』 발간
1933	8. 12~9. 5	이왕가박물관 회화 조사, 공주 대통사지, 송산리 고분 조사	『조선고적도보』 13권 발간
1934	4. 29~5. 9	제1회 보물고적명승천연기념물 보존위원회 참석, 총독부 박물관 소장 조각 및 도자기 조사, 이왕가 박물관 조선공예품 조사, 개인소장품 조사	『조선고적도보』 14권 발간
1935			『조선고적도보』 15권 발간

사진에 드러나는 시선의 정치학

그렇다면 사진은 사실을 그대로 보여주는 것이라 할 수 있을까? 『조선고적도보』에 실린 사진들은 여러 맥락에서 쓰였다. 『조선고적도보』 제10권에 실린 퇴락한 명정전 사진은 1902년 무렵의 창경궁 모습인 듯하다. 이 시기는 고종이 1896년 아관파천 이후 경복궁을 떠난 상태에서 창덕궁과 창경궁 모두 사용하지 않던 때였다. 그러다가 순종이 1907년 새 황제로 등극하여 창덕궁으로 이어하면서 창덕궁 옆에 있는 창경궁을 수리했으며, 특히 창경궁에는 1908

퇴락한 명정전 앞뜰의 모습(왼쪽)과 수리하여 박물관으로 사용한 뒤의 비교 사진.

『조선고적도보』에 실린 복원 전의 분황사 모전석탑의 모습.

복원 전의 모습과 대비되어 실린 복원 후의 분황사 모전석탑의 모습.

년에 제실박물관을 설립하고 명정전을 비롯한 전각들을 전시실로 이용했다. 그러나 순종의 즉위는 이미 1905년의 을사조약 이후 외교권을 박탈당하고 이에 항의하기 위해 고종이 헤이그에 밀사를 보낸 사건이 빌미가 되어 고종이 강제로 폐위당한 일과 겹쳐져 있다. 따라서 순종의 창덕궁 이어나 제실박물관의 설립 등은 왕실의 의지로 이루어진 일이 아니었다. 제실박물관은 1910년의 한일합병에 따라 이왕가박물관이 되었고 『조선고적도보』의 사진은 그러한 상황을 반영하는 것이었다. 따라서 잡초가 나 있는 명정전은 마치 퇴락한 조선왕조를, 말끔하게 수리된 명정전은 일본의 '도움'으로 근대화된 모습을 보여주는 듯한 상황이 되는 것이다. 쓰러져가는 분황사 모전석탑이 정돈되어 바로 세워진 모습의 대조 사진도 마찬가지이며, 퇴락한 옛 모습과 복원된 모습의 대비는 『조선고적도보』 곳곳에서 발견된다. 이처럼 퇴락한 문화재는 문화재대로, 수리를 거친 문화재는 또 그것대로 일제의 식민지 점령을 정당화해주는 실증적 보기로 제공된다. 퇴락한 문화재 사진은 조선이 그대로 방치한 문화의 모습을 보여주는 것으로 나타나는 반면, 다시 세운 익산 미륵사탑이나 석굴암의 모습은 이처럼 정비되고 보호받는 문화재의 장면으로 떠오르는 것이다.

조선미술사가 보여주는 '한국미술'

세키노 다다시는 조선고적 조사를 바탕으로 1932년에 『조선미술사』를 출간했다. 일제가 한반도를 강점한 지 22년 만의 일이었고, 독일인 신부 에카르트가 1928년에 『한국미술사Geschichte der koreanischen Kunst』를 펴냈지만 그 의미는 달랐다. 에카르트의 책은 독일어로 쓰여 이방인의 눈으로 유럽인들에게 한국미술을 소개하는 데 그 의의가 있었지만, 세키노의 책은 지배자의 눈으로 쓴 한국 미술사였고, 일본인과 한국인들에게 실질적인 의미가 있었다.

이 책은 시대 구분에서 유물을 보는 눈에 이르기까지 조선사편수회에서 펴낸 『조선사朝鮮史』의 구성을 따르고 있다. 조선미술의 시작을 낙랑으로부터 보는 것은 한국의 역사를 한사군의 설치라는 식민지로부터 보는 것이며, 이는 식민 지배자의 눈을 그대로 드러낸 것이었다. 특히 미술사에서는 통일신라시대를 가장 번성한 것으로 보며 이후 고려와 조선을 거쳐 점차 미술이 쇠퇴하는 것으로 소개하여, 『조선사』에서 조선시대가 당쟁으로 얼룩져 망하게 된 것으로 서술한 것과 같은 맥락을 보이고 있다. 그러나 관학자인 세키노가 쓴 이 책은 당대에는 누구도 부정하지 못할 힘을 지니고 있었다. 물론 일제강점기에 외롭게 한국미술의 뼈대를 세우기 위해 분투한 고유섭高裕燮(1905~1944)은 세키노의 『조선미술사』를 "고물대장 등록과 같은 책"이라며 그 서술에 대해 불만을 토로하기도 했다. 그렇지만 다른 한국미술사를 쓰고자 했던 고유섭은 통사를 완성하지 못한 채 1944년에 요절하고 말았고, 세키노의 『조선미술사』는 1960년대에 김원용이 고고학적 발굴을 바탕으로 선사시대부터 시작하는 『한국미술사』를 펴내기까지 한국미술의 역사를 말하는 골간이 되었다.

사람으로 보는 역사, 물질로 보는 역사

다시 『조선고적도보』를 들여다본다. 처음에는 이렇게 많은 사진을 모아놓은 것, 이제는 볼 수 없는 풍경을 그리운 눈으로 들여다본다. 그러나 건축의 공포, 결구 등 세부 사진이나, 언덕에 덩그러니 놓여 있는 석탑 등을 보노라면 여기에 등장하지 않는 것이 있음을 알게 된다. 『조선고적도보』의 주인공은 대부분 유적과 유물이라는 사실이다. 물론 사람이 전혀 등장하지 않는 것은 아니다. 그들은 자신들이 하는 일이 어떤 의미에서 이뤄지는 것인지도 모른 채 무덤의 흙을 파내고 있는 인부들이거나 비석 옆에 수줍게 서 있는 아이들로, 이 사람들은 유적의 크기를 알게 해주는 척도로 쓰였을 따름이다. 그러고 보면 고유섭이 세키노의 책을 '고물등록대장' 같다고 한 까닭을 알 만하다. 거기에는 이 유적, 이 문화를 일구고 가꾼 사람에 대한 애정이 담겨 있지 않다. 다만 다스리게 된 땅의 '물건'을 재고 기록한 엄정한, 그렇지만 차가운 눈이 있을 따름이다. 세키노의 기록에서도 이 땅의 사람들이나 유물에 대한 감성적인 문구는 찾아보기 어렵다. 세키노에 대해 일본에서는 '모노物'를 바탕으로 한 실증적인 역사 방법론을 세운 선구자라고 칭송하지만, 그것은 뒤집어보면 역사를 어떠한 땅에 오랜 시간 머물렀던 사람들이 일구어낸 것으로 보지 않고 오직 그 결과물로 남은 물체로서 보는 역사관이 깔려 있는 것이다. 그것은 새로이 "다스릴 것"에 대한 차가운 시선이었다.

『조선고적도보』 점선현 신사비 옆 어린아이의 모습.

세키노 다다시關野貞(1867~1935) 연보

- 1867년(1세) 다카다번사 세키노 다카토키關野峻節의 2남으로 월후국(현재의 니가타현) 다카다에서 태어남.
- 1892년(26세) 제국대학 공과대학 조가학과造家学科 입학.
- 1894년(28세) 나라奈良 지역에 수학여행을 가서 우치 뵤도인平等院 호오도鳳凰堂를 실측하고 건축에 관한 논문을 발표.
- 1895년(29세) 제국대학 공과대학 조가학과 졸업. 이해 말 나라현에 기사技士로 부임해서 허물어져가는 옛 사원건축을 수리하는 동시에, 80여 동의 문화재 후보 건축 목록을 작성. 이후 야쿠시 사薬師寺, 도쇼다이 사唐招提寺, 호류 사法隆寺 및 건축, 불상, 공예품에 관한 논문을 다수 씀. 호류 사 금당이 7세기 초 쇼토쿠 태자聖德太子 시대의 것이 남아 있다고 주장하여 유명한 '호류 사 재건 비재건 논쟁法隆寺再建非再建論争'을 이끌어냄.
- 1899년(33세) 헤이조 궁平城宮 유적을 발견해서 이 연구로 공학박사 학위를 받음(1908년 42세).
- 1901년(35세) 9월 도쿄제국대학 공과대학 조교수가 됨.
- 1902년36세) 7월 5일부터 9월 4일까지 62일 동안 처음으로 한국을 답사하여 유적을 조사하고 이를 정리한 보고서로 『한국건축조사보고韓國建築調査報告』를 발간함.
- 1903년(37세) 내무 기사를 겸임하여 고사사 보존법의 운용을 담당.
- 1906년(40세) 중국을 답사하여 천룡산 석굴사원 발견. 이후 역대 황제릉 및 금, 요의 건축 조사.
- 1909년(43세) 공사고문 쓰마키 요리나카妻木頼黃의 추천으로 대한제국 탁지부로부터 한국 건축 조사를 의뢰받음. 5개년 계획으로 1913년까지 한반도 전체를 조사하기로 함. 이때 답사를 바탕으로 『한홍엽韓紅葉』 발간.
- 1911년(45세) 낙랑 지역 및 고구려, 백제의 삼국시대 고분을 본격적으로 발굴 조사.
- 1912년(46세) 강서군 고구려 벽화 등을 9월 16일~11월 12일까지 조사.
- 1913년(47세) 이마니시今西, 다니이谷井, 구리야마栗山 등과 함께 통구의 고분 조사(9~12월)
- 1915년(49세) 경주와 부여 지역 고적 조사(6월 28일~7월 28일), 『조선고적도보朝鮮古蹟圖譜』 1, 2권 발간.
- 1916년(50세) 조선총독부 고적조사위원 및 박물관 협의원이 됨. 개성 및 평양 지역 고분을 집중적으로 발굴 조사.
- 1917년(51세) 집안 지역 고분과 유적 조사. 『조선고적도보』로 아카데미 프랑세즈로부터 '스타니슬라스 줄리앙' 상을 받음.
- 1918년(52세) 유럽으로 유학. 중국, 인도 및 유럽의 고건축 보존 조사에 관한 촉탁을 의뢰받음.
- 1919년(53세) 스페인, 영국 등 답사.
- 1920년(54세) 이탈리아, 독일, 미국을 거쳐 일본에 돌아옴. 10월부터 다시 조선 고적을 조사하여 1934년까지 해마다 1개월씩 지속하였으며 일본의 문화재와 중국 고적 조사도 병행함. 이해 11월 도쿄제국대학 교수가 됨.
- 1928년(62세) 도쿄제국대학을 정년퇴임하고 명예교수가 됨. 퇴임 후에는 동방문화학원 도쿄연구소 연구원으로서 중국 건축 조사 연구에 종사.
- 1929년(63세) 일본 문부성 국보 보존 조사 위원이 됨.
- 1930년(64세) 중국 건축 및 능묘 조사.
- 1932년(66세) 『조선미술사朝鮮美術史』 발간.
- 1935년(69세) 『조선고적도보』 제15권 발간. 7월 7일 일본 국보 조사를 위해 간사이 지역으로 출장을 갔다가 7월 29일 급성 골수성 백혈병으로 영면.

12장

스웨덴 동물학자의 조선생물 탐사기

⊙

스텐 베리만의 탐험과 수집의 여행

문만용

구한말이나 일제강점기 한반도를 찾았던 이방인들이 남긴 기록은 적지 않지만 베리만Sten Bergman(1895~1975)의 *In Korean Wilds and Villages*(1938)는 한반도의 동물들이 주인공이라는 점에서 매우 독특하다. 이 책의 원제는 '한국의 야생과 마을'로서 당시 삶의 여러 흔적을 되짚어볼 수 있는 민속학적 내용도 많이 담겨 있지만, 『한국의 야생동물지』(집문당, 1999)라는 번역서의 제목이 시사하듯이 동물에 대한 이야기가 풍부하다. 이는 베리만이 동물학자이자 탐험가였고, 한반도를 찾은 주된 목적이 동물 표본 채집에 있었기 때문에 당연한 결과였다.

베리만은 왜 지구를 절반이나 돌아 우리 땅을 찾았을까? 그가 보고 듣고 채집해간 것들은 무엇이었나? 스웨덴 학자가 이 땅의 동물들을 찾아 헤맬 때 우리 학자들은 무엇을 하고 있었을까? 이 글은 베리만의 『한국의 야생동물지』를 중심으로 이 같은 질문에 답해보고자 한다. 우선 베리만이 어떤 사람인지 소개한 다음 그의 한반도 탐험의 배경과 과정에 대해 살펴보려 한다. 또한 『한국의 야생동물지』에 실려 있는 흥미로운 내용들과 일제강점기 한국의

「하늘다람쥐와 스텐 베리만」, 함경북도 백두산 부근, 1936, 서울대박물관.

생물 연구의 상황을 짚어보면서 당시 활동했던 한국의 학자들에 대해서도 논의해볼 것이다. 이러한 베리만의 활동을 통해 자연사 박물관(자연박물관)의 가치와 의미에 대해서도 시사점을 얻을 수 있을 것이다.

평생을 자연과 함께한 "식인종의 아들"

지금의 중장년층은 어린 시절 여름방학 숙제의 단골 메뉴였던 곤충 채집을 위해 잠자리채를 휘둘렀던 경험이 있을 것이다. 우리와 함께 살고 있는 자연 속의 생명체를 찾아서 분류하고 그 특징을 기술하는 것은 자연을 이해하는 가장 기초적인 노력의 하나다. 지금은 DNA를 변형시키는 생명공학의 시대이지만 여전히 많은 학자가 유용한 유전자원을 찾기 위해 열대우림이나 오지를 탐사하고 있다. 또 많은 나라가 자연사박물관을 세워 공룡화석에서부터 화려한 나비 표본, 진귀한 보석에 이르기까지 세계 각지에서 채집한 동식물이나 광물 표본을 전시하여 관람객들의 호기심과 감탄을 이끌어내는 한편 그와 관련된 연구도 추진하고 있다.

우리말로 '자연학'으로 번역되는 '박물학'은 동식물에서 지질광물에 이르기까지 자연을 이루는 모든 대상을 정리하여 분류·체계화하는 학문으로, 베리만이 한국을 찾았던 1930년대까지 생물학보다는 박물학이라는 표현이 일반적이었다. 당시 학교에서 가르치는 박물 과목은 동식물학, 지질광물학에서 보건위생까지를 포괄하고 있었지만, 역시 그 중심은 동식물학이었다.

박물학자에게 채집이나 이를 위한 탐사여행은 연구의 기본이자 출발점이 되며, 경우에 따라서는 목숨을 건 탐험이 되기도 했다. 역사적으로 유명한 박물학자들은 대개 자신의 연구에 커다란 영향을 준 탐사의 경험을 지니고 있다. 제임스 쿡 선장의 인데버 호를 타고 항해에 동참했던 조지프 뱅크스(1743~1820)는 미지의 땅이었던 오스트레일리아와 뉴질랜드의 동식물을 최초로 채집하고 기록한 박물학자 겸 탐험가로서 세 번의 역사적인 탐사 항해를 통해 박물학자로서 명성을 쌓았다. 역사상 가장 위대한 박물학자라고 할 수 있는 찰스 다윈(1809~1882)도 5년여에 걸친 비글호 항해를 통해 아마추어 박물학자에서 자연선택이라는 진화의 비밀을 풀어내는 전문가로 성장할 수 있었다. 그러한 다윈이 숭배했다고 고백한 알렉산더 폰 훔볼트(1769~1859)는 다윈보다 30여 년 앞서 남아메리카에 대한 최초의 과학적 탐사를 했으며, 식물지리학이라는 새로운 분과를 개척했다.

이 글의 주인공인 스웨덴의 베리만 역시 박물학자이자 탐험가였다. 그는 1895년 베름란드 주의 란세테르에서 태어났으며, 번역 등 문학에 종사한 부모님의 글을 교정하면서 어릴 때부터 글쓰기에 대한 감수성을 키웠으나 그가 가장 좋아했던 것은 동물, 여행, 사진이었다. 베리만은 스톡홀름 대학에서 동물학, 식물학, 교육학을 공부했으며, 1920~1923년 캄차카 탐험을 마치고 돌아와 대학원 공부를 다시 시작해 박사학위licentiate degree를 받았다. 'licentiate degree'는 지역과 시기에 따라 성격이 다르지만 스웨덴의 경우 1970년대 초반까지는 미국의 박사학위와 대등한 것이었으며, 베리만이 한국을 찾았을 때 당시 신문들은 그를 "베룩만 박

제임스 쿡이 이끌었던 인데버 호 모형, 높이 65cm, 길이 75cm, 1768년 이후, 개인. 탐험가 조지프 뱅크스는 제임스 쿡의 인데버 호를 타고 미지의 땅으로 가 동식물을 채집하고 박물학자로서 이름을 얻게 되었다.

사"라 불렀다.

베리만은 1920년 대학에서 식물을 전공한 당뉘Dagny Bergman와 결혼식을 올린 후 신혼여행으로 캄차카 탐험을 떠났다. 그러나 탐험 초기 배가 난파되어 베리만 일행은 대부분의 장비를 잃고 해변에서 모은 배의 잔해들로 피신처를 지어 버티다가 일주일 뒤 일본 선박에 의해 구조되었다. 이런 어려움 속에서도 탐험을 포기하지 않은 베리만은 어렵게 베이스캠프를 설치한 다음 1923년까지 여정을 계속했다. 베리만은 1927년 『개썰매와 스키로 가로지른 캄차카Through Kamchatka by Dog-sleds and Skis』라는 탐험기를 펴냈는데, 이 책은 14개 언어로 번역되었다. 탐험의 동반자이기도 한 베리만의 부인은 빼어난 그림 실력으로 탐험지의 풍경들을 그림으로 남겼으며, 자신의 탐험 경험을 담은 책을 펴내기도 했다.

베리만은 캄차카 외에 1929~1930년 쿠릴 열도, 1935~1936년 한반도, 1948~1950년과 1952~1953년, 1956~1959년 등 세 차례에 걸쳐 뉴기니를 탐험했다. 베리만의 탐험은 기본적으로 동물학적 목적에서 이루어졌지만 그는 정력적인 수집가이자 매우 뛰어난 사진작가였으며, 전문적인 교육을 받지는 않았지만 매우 꼼꼼한 민속학·인류학적 기록도 남겼다. 그의 탐험 경험은 모두 15권의 책으로 엮여 나왔고, 특히 뉴기니 추장의 양아들이 되었던 경험담을 담은 『나의 아버지는 식인종My father is a Cannibal』은 30여 개 언어로 번역되어 널리 읽혔다. 그는 평생토록 단 한 번도 정규직에 있었던 적이 없으며, 유일한 공식 직함이 스웨덴 자연사박물관에서 한때나마 임시 부장을 맡았던 것인데, 이는 그가 자연사박물관 최고의 기증자였기 때문이다. 그의 탐험 경험은 대중의 관심을

20세기 초 예벤키 족의 주거 형태인 천막 '춤'. 베리만이 탐험했던 캄차카반도에는 한티족, 예벤키족 등이 거주하고 있다. 이들은 사냥을 하며 이동식 주거에서 산다.

끌기에 충분해서 그는 수많은 곳을 다니며 강연을 했고, 라디오 방송에 고정 출연해서 강연을 했는데, 강연 횟수는 총 6000회가 넘었다. 베리만이 채집한 표본들은 현재 스웨덴 자연사박물관, 스웨덴 왕립과학아카데미, 민속학박물관에 소장되어 있으며, 그가 일곱 번의 탐험을 통해 채집한 동물 표본은 곤충을 제외하고도 5000여 점에 달한다.

베리만은 학문적인 이론가라기보다 현장 연구를 즐기는 탐험가이자 수집가이며 치밀한 기록가였다. 특히 그는 탐험을 통한 관찰에 머무르지 않고 대상을 매우 치밀하게 묘사한 기록으로 높이 평가받았다. 평생을 자연과 함께한 그의 삶은 여행, 글쓰기, 강연으로 버무려져 있었다. 1964년 교통사고로 인해 외부활동이 힘들어진 그는 집 안에 큰 온실 겸 새장을 만들어 세상을 떠날 때까지 자연을 즐기려 했으며, 자신을 간병하던 한국인 간호사와 짧은 몇 마디나마 한국말로 대화를 시도할 정도로 말년까지 한국과의 인연을 유지했다.

스웨덴을 향해 시베리아를 건넌 한반도의 야생동물

베리만은 1935년 2월 21일 경성에 도착해 21개월 동안 한반도에 머물면서 전국에서 수많은 동물을 채집했다. 베리만이 한국을 방문하게 된 것은 그보다 9년여 전인 1926년 10월 고고학자이자 스웨덴의 왕세자인 아돌프 구스타브 6세 부부가 한국을 찾아 경주의 고분 발굴에 참여한 인연에서 시작되었다. 일본을 방문했을 때 그가 고고학에 관심이 많다는 정보를 입수한 일본은 한창 발굴 중이던 경주의 고분으로 안내해 그를 발굴에 참여하도록 했는데, 이를 기념하여 그 고분은 스웨덴을 지칭하는 서전과 고분에서 발굴된 금관에 새겨진 봉황을 따서 서봉총瑞鳳冢으로 명명되었다. 한국에 대한 관심을 놓지 않았던 구스타브 6세는 한국의 야생동물을 채집하여 스웨덴 자연사박물관에 전시하고자 했고, 그 임무를 이미 탐험가이자 박물학자로 명성을 얻고 있던 베리만이 맡게 된 것이다.

베리만은 스웨덴 최고의 박제사로 꼽히는 훼크비스트와 함께 13일에 걸쳐 시베리아 횡단열차를 타고 경성에 도착했다. 당시 스웨덴에서 조선으로 오려면 미국을 거치거나 수에즈 운하를 통과하거나 시베리아를 횡단하는 세 가지 경로가 있었는데, 시베리아 루트가 길고 지루한 철도여행이지만 13일밖에 걸리지 않아 가장 빨랐다. 그가 도착한 저녁에 당시 조선총독이었던 우가키 가즈시게가 그를 위한 만찬을 베풀어주었다. 이후 한국 체류 기간 동안 베리만은 백두산 탐험 때 마적들의 습격을 막기 위해 관동군의 호위를 받은 것을 비롯해 경찰, 세관, 총독부 고위관리들로부터 직간접적인 협조를 받았다. 베리만은 일본에서 필요한 장비를 구입하고, 함경도의 지리에 능숙한 일본인 사냥꾼 후지모토 겐지를 고용하여 함경도 주을에 캠프를 차리고 본격적인 사냥을 시작했다. 훼크비스트와 후지모토는 이미 1929~1930년 베리만과 함께 쿠릴열도의 탐험을 함께한 경험이 있었다.

베리만이 머물렀던 주을은 1930년대 유럽인들에게 이름난 휴양지인 마을이 있던 곳이었다. 폴란드계 러시아인으로 전설적인

「관북」, 『해동전도』, 채색필사, 23.4×15.2cm, 국립중앙도서관. 베리만 일행이 캠프를 차리고 산야에 본격 나섰던 주을 지역의 지명이 보인다.

사냥꾼이었던 미하일 얀콥스키는 반러시아 운동으로 시베리아에서 유배생활을 했으며, 이후 블라디보스토크 인근에서 말, 사슴목장을 경영했으나 공산정권이 들어선 후 자식들과 함께 주을로 이주하여 사슴목장과 여름 휴양객이 묵을 수 있는 몇 채의 여름 별장을 지어 세를 주는 사업을 했다. 얀콥스키 가는 마을에서 30분 거리 떨어진 해안을 사들여 휴양객들이 이용하도록 했으며, 상해와 하얼빈에서 온 러시아 망명객들과 일본, 중국, 만주에서 온 유럽인들이 주로 이용했다. 스웨덴 왕족이 신혼여행을 올 정도였으며, 영화 「왕과 나」의 주연 배우였던 율브리너가 유년기와 청년기를 보낸 곳이라고 알려져 있다. 미하일은 네눈이라는 별명을 갖고 있었으며, 그의 아들 게오르그, '네눈이 손자'로 불린 발레리에 이르기까지 얀콥스키 3대는 뛰어난 사냥꾼으로 이름을 날렸다. 그들은 1946년 수렵이 금지될 때까지 풍산개를 이용한 사냥을 통해 호랑이 30마리, 표범과 곰 100여 마리를 사냥했으며, 베리만은 발레리와 함께 멧돼지 사냥을 하기도 했다. 얀콥스키 형 중 한 명은 곤충 수집가로 해외에 한국산 나비 판매를 전문으로 했기 때문에 한국의 박물학과 큰 인연을 맺고 있었다.

베리만이 사냥한 야생동물 중 가치가 있는 것은 훼크비스트가 현지에서 박제를 하여 스웨덴으로 보냈다. 베리만 일행이 잡은 짐승은 곰, 멧돼지, 영양, 꿩 등의 조류, 해조, 스라소니, 하늘다람쥐, 갑각류, 어패류 등 매우 다양했으며, 베리만이 가장 큰 관심을 갖고 있던 조류의 경우 스웨덴으로 보낸 것만 380종에 달했다. 그는 북부지방의 채집을 끝내고 지리산을 탐사했으며, 제주도에까지 건너가 야생동물을 사냥하기도 했다. 또한 신의주에 머물면서

『한국의 야생동물지』에 실린 얀콥스키의 표범 사냥 장면.

1935년 함경북도 주을에서 베리만이 35엔을 주고 산 새끼 스라소니.

압록강의 조류 생태를 조사하기도 했다. 그가 채집한 동물 표본들은 모두 스웨덴 자연사박물관에 기증되어 현재까지 소장되어 있다. 베리만이 한국에 도착한 다음 달 경성에서 과학지식보급회 주최로 환영회가 열렸는데, 그는 한식당 온돌방에서 열린 환영회가 매우 흥미로웠다고 회고했다. 환영회 자리에서 숭전농과 교수이자 곤충학자인 김병하가 500여 점의 곤충표본을 스웨덴 황태자에게 봉정했는데, 이 표본들 역시 스웨덴 자연사박물관에 소장되어 있을 것으로 여겨진다. 김병하는 그에 앞선 1932년 스페인 발렌시아대학에 화재가 나서 박물관에 소장된 동식물 표본들이 소실되었다는 소식을 듣고 200여 점의 한국산 나비표본을 전달한 바 있다. 베리만은 한국에 머무는 동안 조선박물학회, 왕립 아시아학회 한국지부, 이화학당 등 여러 기관에서 한국의 야생동물을 주제로 강연을 했다.

동물학자의 눈에 비친 한국의 야생과 마을

베리만의 한국 탐험 경험은 1938년 『한국의 야생동물지In Korean Wilds and Villages』로 간행되었고, 곧바로 영국에서 번역·출간되었다. 이 책의 서문에서 베리만은 한국을 탐험하는 목적이 "한국의 북쪽 지역에서 조류의 생태와 분포에 대해 조사하고 이 주제와 관련된 다른 문제들을 연구하여 이를 동북아시아 지역에 대한 내 과거의 탐사 연구와 결부시키는 것"과 "스웨덴의 자연사박물관을 위해 새와 동물을 수집하는 것", 그리고 "스웨덴 민속박물관을 위해 자료를 수집"하는 것이라고 밝혔다. 이 책은 모두 34개 장으로 구성되었으며, 대체로 그의 탐험 일정에 따른 순서로 기록되었다. 원제에 '마을villages'이란 단어가 들어 있는 것에서 알 수 있듯이, 이 책에는 동물에 대한 내용 외에도 한국인의 풍습과 일상생활에 대한 기록도 여럿 담겨 있다. 특히 130장에 이르는 다양한 사진이 수록되어 있어 그 가치를 더한다.

이 책의 구성을 간단히 살펴보면, 1장은 시베리아를 거쳐 조선에 이르기까지의 기차여행을 다루고 있고, 2장은 한국의 과거와 현재에 대한 소개, 3장은 경성의 이모저모를 다룬다. 4장부터는 본격적인 한반도 탐사기인데, 주을을 캠프 삼아 한반도 북부의 야생동물뿐 아니라 혼례 풍습, 장례 풍습, 일상생활과 명절, 성탄절 풍경 등도 다루었으며, 매를 이용한 사냥이나 바다의 고기잡이 등 자신이 직접 경험한 바를 서술했다. 책의 후반부에서는 경성 창경원의 벚꽃놀이와 경성에서 보낸 여름 생활과 묘향산, 금강산, 지리산 및 제주도 탐사에 대해서도 서술했다. 또한 민간 의료나 봉산탈춤과 한국의 기생에 대한 관찰도 기록되어 있다.

한국인에 대한 소개에서 베리만은 일본인과 성격이 매우 다르다고 기술했다. 한국 사람들은 일본인들이 가진 정력과 힘, 투쟁정신, 집단행동 능력을 결여하고 있다거나 일본인에게는 공공의 이익이 우선인 데에 비해 한국에서는 공동체보다 개인을 중요시한다고 보았다. 또 유구한 문화에 대해 자긍심을 갖고 있지만 힘든 일을 하려 하지 않고 앉아서 긴 담뱃대를 물고 담소하기를 좋아한다고 꼬집었으며, 일본이 한국을 병합하지 않았다면 나라가 혼란한 상태가 되어 돌볼 수 없는 상황이었으므로 러시아나 중국이 합

1935년 함경북도 서수라 부근에서 베리만이 촬영한 신혼 부부의 모습. 부인이 토라진 것은 신랑이 현대식 인물인 까닭도 있고, 다른 한편으로 이번이 그의 두 번째 결혼식이기 때문이라는 설명이 곁들여져 있다.

베리만이 촬영한 서울 탑골공원의 풍경. 낮잠으로 늘어진 조선인들의 모습이 담겨 있는데, 베리만 역시 당시의 이방인들이 그러했듯, 조선인들은 게으르며 담소하기를 좋아한다고 꼬집는 등 제국주의적 시선에서 벗어나지 못했다.

병했을 것이라고도 밝혔다. 그리 길지 않은, 그렇다고 그리 짧지도 않은 21개월을 이 땅에 머무르면서 조선총독부와 일본인 관계자들의 적극적인 협조를 받은 베리만이 한국인을 바라보는 시각은 제국주의적 관점에서 크게 벗어나지 않았다.

베리만은 결혼식이나 장례식에 대해서도 상당히 꼼꼼한 기록을 남겼는데, 이를 통해 인류학이나 민속학을 정식으로 공부하지 않았으면서도 그가 남긴 캄차카나 뉴기니 탐험기가 많은 주목을 받았던 배경을 이해할 수 있다. 그는 경성에 대해서 새로운 것과 정말로 오래된 것이 혼재되어 있어 인상적이라고 밝혔는데, 한강에 떠 있는 일본의 현대식 기선과 한국의 범선 또는 총독부 건물과 그 맞은편의 궁전이 묘한 대조를 이루고 있는 점을 예로 들었다. 왜 궁전 맞은편에 어울리지 않는 서양식 건물이 자리 잡게 되었는지를 궁금해하지 않았는가를 지적하는 것은 너무 무리한 평가일까?

베리만에 의하면 한국 야생동물들의 서식지는 아시아 대륙과 일본 열도 사이의 지역이지만 대체로 만주의 종속 지역으로 볼 수 있었다. 특히 북부 산림 지역의 야생동물은 중남부와 뚜렷한 차이가 나며, 시베리아나 만주의 야생 생태와 비슷하지만 상대적으로 덜 알려져 있기 때문에 그는 주로 그 지역을 탐험하기로 했다. 제일 먼저 베리만의 눈길을 끈 것은 역시 조류였다. 박새, 딱따구리, 굴뚝새, 물총새, 황금투구새, 꼬리 피리새, 멧새, 청까치, 뇌조, 난장이부엉이, 백색 왜가리, 기러기, 딱새, 황금꾀꼬리, 알락해오라기, 흰눈썹뜸부기, 물닭, 쏙독새 등 다양한 조류를 기록했는데, 조류 생태는 뚜렷하게 북쪽에 속했다. 그는 파랑새 둥지를 발견하고 지방 당국의 허가를 받아 어미새를 총으로 쏘아 수집한 다음 나무를 베어 둥지 속의 새끼 세 마리를 잡아 키우기도 했다. 또 멧닭 여러 마리를 사냥해서 일부는 산 채로 스웨덴으로 옮기고 일부는 박물관용 박제를 만들었으며, 어린 난쟁이부엉이를 잡아 스웨덴으로 데려갔다. 그가 확보한 새, 포유류, 곤충 표본들은 금속 상자에 담겨 시베리아를 건너갔으나, 대나무 새장에 담겨 기차여행을 해야 했던 새들은 시베리아 횡단여행을 버티지 못하고 대부분 죽고 말았다. 베리만은 압록강 어귀의 용암포에 1936년 4월부터 두 달간 머물며 조류의 생태를 연구했는데, 이곳은 철새가 중국 해안을 따라 시베리아의 번식 지역까지 이동할 때 반드시 지나는 통로였다. 그는 수많은 철새를 관찰하고 기록했는데, 그중 가장 아름다운 새로는 딱새를 꼽았다. 또한 그는 매를 이용한 사냥에 큰 흥미를 보였고, 실제 응사를 따라 매사냥을 함께

함경북도 주을에서 1935년에 촬영한 매.

베리만이 촬영한 난쟁이부엉이.

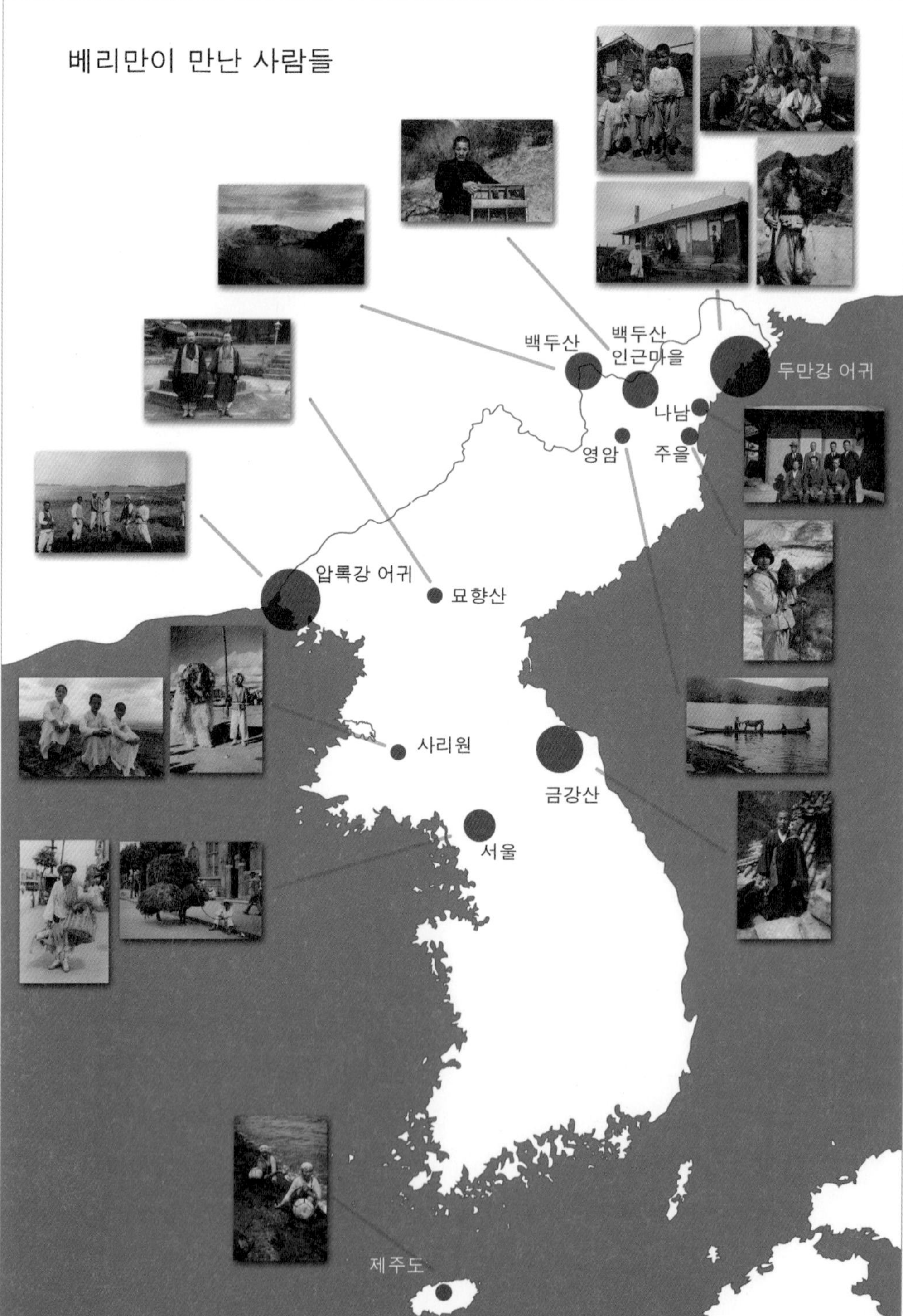
베리만이 만난 사람들
백두산
백두산
인근마을
두만강 어귀
나남
영암
주을
압록강 어귀
묘향산
사리원
금강산
서울
제주도

하기도 했다.

하늘다람쥐는 베리만을 가장 기분 좋게 만든 동물이었다. 그는 앞다리와 뒷다리 사이에 넓은 피부막이 있는 은회색의 살아 있는 하늘다람쥐를 구입하기 위해 1935년 12월 만주 국경지역을 방문했을 때 마리당 10엔에 사겠다고 약속했고, 이에 많은 마을 사람들이, 심지어 결혼식에 참석했던 하객과 신랑까지 나서서 하늘다람쥐를 잡아왔다. 10엔은 당시 그 지역 남자의 20일 임금에 견줄 만한 금액이었다. 결국 베리만은 열두 마리를 구입했는데, 이듬해 스웨덴으로 돌아갈 때 두 마리를 데리고 가 1년 넘게 집에서 애완동물로 키웠다. 그는 한국의 호랑이를 볼 수 있기를 희망했으나 당시 한반도에서는 호랑이가 이미 자취를 감춘 뒤였다.

백두산은 한민족의 영산으로 꼽히지만 당시에는 중무장한 도적들로 인해 군대의 도움 없이 방문하는 것이 불가능했다. 베리만은 50명의 중무장한 일본 병사, 10명의 장교, 경찰로 구성된 호위군과 함께 백두산 탐사를 떠났다. 탐사대는 50명 이상의 일본인과 한국인 탐험대로 구성되었는데, 일본 과학자와 등반가, 의사 그리고 20명 정도의 학생이 있었고, 한국인 마주들이 50마리의 말을 데리고 동행했다. 베리만은 전체 일행 중 유일한 유럽인이었고, 군대 사진기사가 동행해서 탐사 과정을 촬영했다. 이처럼 베리만은 총독부의 협조 아래 한반도 구석구석을 누비며 야생동물을 수집할 수 있었다.

스웨덴 동물학자가 한반도를 누빌 때 한국인 동물학자는 어디에 있었는가

멀리 유럽에서 온 동물학자가 한국의 산야를 다니며 귀중한 야생동물들을 사냥하고 있을 때 우리 학자들은 무엇을 하고 있었을까? 베리만을 다룬 다큐멘터리에서 내레이터가 던진 질문이다. 사실 베리만이 한국을 찾았을 때 이미 상당수의 한국인 동물학자가 존재했다. 다만 그들은 베리만처럼 막강한 후원자를 얻지 못했기 때문에 그간이 여유 있는 탐사를 하기 힘들었다.

우리나라 생물에 대한 근대적 연구는 19세기 중반 서양인의 채집활동에서 비롯되었다. 개항 이전부터 각종 목적을 품은 탐사선에 의해 동물과 식물이 채집되었고 이 표본은 외국으로 보내져 분류학적 연구의 대상이 되었다. 19세기 말부터는 일본인 학자의 참여가 있었으며, 일제의 한일강제병합 이후 조선산 생물에 대한 연구의 주도권은 이들에게 넘어갔다. 강점기에 일제는 식민지 조선에서 고급 과학기술 교육을 억제하는 정책을 폈기 때문에 한국인의 경우 전문적인 과학기술자가 되어 연구 경력을 쌓을 수 있는 기회는 매우 제한되었다. 그렇지만 상대적으로 전문 지식이나 시설이 없어도 가능한 생물학의 특성상 다른 과학기술 분야에 비해 생물학을 연구하는 한국인의 숫자는 많은 편이었다.

첫 번째 한국인 생물학자로 꼽히는 정태현의 경우 '조선식물조사사업'을 주도한 도쿄제국대학의 나카이中井猛之進를 도우면서 자신도 식물학자의 길을 걷게 되었다. 조선총독부의 후원을 받아 1913년부터 20여 년의 장기 계획으로 추진된 조선식물조사사업은 일본의 식민지 지배의 문화적 이미지를 대외적으로 높이기 위한 정치적 산물이자 식민지 자원 조사의 성격을 지니고 있었다. 통역이자 조수로 나카이를 도왔던 정태현은 나카이로부터 식물분류학의 이론과 실제를 배우며 식물학자의 길을 걷게 되었다. 한국의 동물에 대한 연구는 식물 분야처럼 총독부의 적극적인 지원을 받지는 못했지만 곤충을 중심으로 다양하게 이루어졌는데, 경성제국대학 예과 교수 모리森爲三는 곤충뿐 아니라 어류, 포유류, 조류 등의 동물에 대해 여러 편의 논문을 발표했다. 보통학교 교사를 지냈던 조복성은 그가 제작한 곤충 표본이 모리의 눈에 띄어 그의 조수로 발탁되어 연구활동을 도우면서 동물학에 대한 지식을 쌓았으며, 딱정벌레를 중심으로 여러 곤충에 대한 분류학 연구를 추진했다.

정태현과 조복성이 일본인 학자의 조수로 활동하면서 생물학자로 성장해나갔다면, 송도고보 박물교사로 근무하면서 조류를 연구했던 원홍구나 그의 제자로 모교의 박물교사로 일하면서 나비 분류학을 연구했던 석주명은 교사직을 유지하면서 생물학 연구를 겸하는 경우였다. 특히 석주명은 다수의 표본을 채집하여 통계처리를 통해 개체변이의 범위를 밝힘으로써 잘못된 학명을 제거하는 독특한 연구 방법을 활용했고, 한국산 나비에 대해서는 최고의 권위자로 활약했다. 글 앞부분에 언급했던 여름방학 곤충채집 숙제는 바로 석주명이 처음 만들어낸 것으로 전해진다. 이들 외에도 수십 명의 한국인 학자가 한국산 생물에 대한 연구를 수행하고 있었다. 비록 당시 한국산 생물 연구의 주도권은 일본인 학자들이 쥐고 있었지만, 열악한 환경에서도 연구를 멈추지 않았던 한국인 학자들이 존재했고, 해방 이후 이들이 한국의 생물학계를 이끌어나가게 되었던 것이다.

제국주의, 박물학, 자연사박물관

베리만이 남긴 기록과 표본은 당시 동물상 연구와 과학사 연구에서 상당한 가치를 지닌다. 특히 그가 주로 탐사했던 한반도 북부 지역에 대한 정보가 매우 제한적인 현재의 상황에서 그의 기록은 더욱 중요한 의미를 지닌다. 일반적으로 박물학자들의 탐험은 제국주의의 식민지 지배와 무관하지 않다고 이야기된다. 19세기 세계 각지에서 활동했던 영국의 박물학자들은 자신들이 식민지에서 채집한 표본들이 대영제국의 확장을 의미한다는 강한 민족주의적인 신념과 목표를 지니고 있었다. 대부분의 제국주의 국가들은 식민지와 미개발된 지역의 자연을 문명이라는 기치를 내걸고 자신들이 기록하고 남겨야 한다는 사명감을 갖고 있었다. 이에 그들은 본국에 식물원과 자연사박물관을 설치하여 각지에서 수집한 동식물을 들여놓았던 것이다. 베리만의 탐사 역시 왕세자의 개인적인 인연이 작용했지만 미지의 지역에 대한 제국주의의 박물학 연구의 맥락과 무관하지 않았다.

그 가치에도 불구하고 아직까지 베리만의 활동과 그가 남긴 자료에 대해 제대로 된 조사·연구가 이루어지지는 못했다. 스웨덴 자연사박물관이 소장하고 있는 한국의 야생동물 표본이 어떤 것들이며, 베리만의 한반도 탐사가 지니는 의미와 성격은 무엇인지

1935년 주을에서 손에 매를 얹고 있는 베리만의 모습, 서울대박물관.

에 대해 별로 고민해본 적이 없는 것이 사실이다. 식민지가 된 이 땅에 이방인 동물학자가 와서 수많은 야생동물을 채집해갔던, 그다지 기억하고 싶지 않은 과거일 수도 있지만 이를 재검토하고 평가하는 작업은 당시의 사회와 동물상을 이해하는 데 새로운 정보를 제공해줄 수 있을 것이다.

OECD 회원국 중 국립자연사박물관이 없는 유일한 국가가 한국임을 생각해보면 그러한 연구가 이루어지지 못한 것이 이상한 일만도 아닌 듯하다. 1995년 정부 차원에서 추진하던 자연사박물관 건립 사업은 IMF 위기를 맞아 중단되고 말았다. 최근 일부 지자체를 중심으로 이 사업을 재개하려는 움직임이 일고 있지만 정책 우선순위에서 밀려 앞으로도 상당 기간을 기다려야 할 듯하다. 자연사박물관은 단순히 전시의 공간만이 아니라 그와 관련된 연구활동이 상시로 이루어지는 곳이다. 최첨단의 생명공학 시대에 케케묵은 동식물 표본을 뒤적이는 게 무슨 의미가 있는가라는 의문을 제기할 수도 있다. 그러나 지금 이 순간도 많은 학자가 유용한 유전자원을 찾아서 열대우림을 헤매고 있다. "녹색의 금"으로 불리는 유용 유전자원은 생명공학의 기본 자료가 되며, 새로운 제국주의적 연구라는 비판과 함께 많은 논란을 불러일으키고 있다. 하지만 그 같은 경제적 가치를 따지기 이전에 이 땅에 살았던 생물들에 대한 이해는 그 자체로 필요한 작업이고, 자연을 잊고 살아가는 아이들에게 흥미 있는 경험을 제공해줄 수 있을 것이다. 또한 자연사박물관의 건립과 함께 제국주의와 박물학자들의 활동에 대해서도 새롭게 이해할 수 있는 기회를 갖게 될 것이다.

13장

사각형 종이 속에 담긴 욕망의 이미지

⊙

100년 전 사진엽서로 읽는 조선이란 나라

김수진

사진엽서 하나

여기 사진엽서 하나가 있다. 흰 테두리 인화지처럼 보이는 사진 속에는 밝은 빛깔의 한복을 입은 두 여인과 경회루가 있다. 컬러 사진이라고 하기에는 인위적인 색감이고, 그림이라고 하기에는 평면적인 느낌을 준다. 녹음이 깃든 누각으로 가는 연못 다리 위에서 카메라를 바라보고 있는 두 여인은, 당대의 다른 엽서를 참조해보건대 기생의 분위기를 풍긴다. 엽서 뒷면을 보면 일본어, 한자, 영어로 인쇄된 글자들이 나온다. "POST CARD 郵便はかき 京城 景福宮 慶會樓 BANQUETING HALL, WHICH IS SEEN ACROSS THE POND KEIFUKU PALACE CHOSEN(KOREA) THE GOVERNMENT RAILWAYS OF CHOSEN 朝鮮總督府鐵道局 發行." "우편엽서/ 우편은 아래에 쓸 것/ 경성 경복궁 경회루 연회장, 연못 건너편에 보이는 건물 게이푸쿠 궁/ 조센(한국) 조센철도국/ 조선총독부철도국 발행"이라고 번역할 수 있겠다. 뒷면에는 소인이 찍힌 우표가 붙어 있고 또박또박 연필로 쓴 일본어 글

경회루(사진 엽서의 앞면과 뒷면), 철도국 발행, 필자.

씨도 있다. 보낸 이는 북경시 서성보자가西成報子街 59호에 사는 마쓰나가 아이코益永愛子이고, 받는 이는 북만 동안성 밀산密山 만주 제803부대 대장대大場隊 병사 미야무라 다쓰오宮村辰男이다. 내용은 이렇다. "군인 아저씨, 그 후로 잘 지내셨습니까? 저도 잘 있습니다. 그간 사진엽서를 잃어버려서 (…) 다른 그림엽서를 보냅니다. 우리는 2학기 시험이 시작되었어요. 인형이랑 그림, 책을 보낼 생각이었으나 인형만 보냅니다. 10월 8일부터 제5차 치안강화 운동이 시작되었어요. 하지만 몸조심을 한다면 괜찮겠지요."

우리는 이 엽서 한 통에서 꽤 많은 이야기를 읽어낼 수 있다. 보낸 이와 받는 이를 보건대, 북경에 사는 일본인 '소학교 생도'가 만주에 주둔한 일본군에게 보낸 위문엽서인 듯하다. 이 학생의 주소가 북경이라면, 일본 민간인이 북경에 살 수 있었던 1937년 7월 일본의 중국 침략 이후에 보내진 것이리라. 그런데 북경에서 만주로 보낸 엽서가 중국이 아닌 조선의 풍경을 담고 있다. 중국 사는 일본인 여생도 아이코는 조선에서 발행된 엽서를 어떻게 손에 넣었을까? 아이코의 아버지가 혼자 조선 여행을 하고 돌아오는 길에 산 기념품에 섞여 있었을 수도 있고, 혹은 아이코의 가족이 일본에서 북경으로 오는 길에 조선 여행을 하면서 산 것일지도 모른다. 실제로 어떤 연유에서 어린 아이코가 이 엽서를 중국에서 만주로 부치는 위문품으로 사용하게 되었는지는 모르지만, 조선의 사진 이미지를 담은 엽서는 일본에서 조선, 만주, 중국에 이르는 지역에 광범위하게 유통되고 있었음을 알 수 있다. 결국 우리는 이 엽서를 통해, 1930년대 중반 일본 제국의 신민들이 조선의 역사를 기생의 형상으로 은유하는 사진 이미지를 어린 나이의 학생부터 최전방의 군인에 이르기까지 향유하던 상황과 마주치게 된다.

사진엽서, 근대 여행자의 시각적 체험의 장場

사진엽서는 근대적인 통신체제 하에서 소식을 간략히 전달하는 우편물인 엽서의 한 형태이다. 우리나라에서는 대한제국 시기부터 일제강점기까지 '회엽서繪葉書'라는 이름으로 불렸고, 제작 초기부터 시작하여 일제강점기까지 대개 일본인의 손으로 만들어졌다. 대개는 흑백 사진을 인쇄하여 사용했지만, 점차 사진을 모사한 일러스트라든가 흑백사진에 채색 인쇄를 하여 장식을 가미하는 등, 사진을 기반으로 하면서도 2차 가공을 한 엽서 형태로 제작되었다. 사진엽서는 제1차 세계대전 이후 우편물로서 전 세계적으로 광범위하게 쓰였을 뿐 아니라 대단한 수집 열풍의 대상이기도 했다. 다종다양한 조선의 이미지를 담은 사진엽서 또한 다른 나라와 마찬가지로 관광기념 상품으로 제작·판매되었고, 실제 우편 기능보다는 사진 이미지를 완상하고 수집하는 대상으로 인기를 얻었다. 이런 까닭으로 100년 가까이 흐른 오늘날에도 상당수의 사진엽서가 남아 있다.

사진엽서는 근대적인 의미에서의 관광tourism이 제도화되는 과정에서 탄생했다. 사실 여행의 본질은 전근대 시기나 근대나 다를 게 없다. 살고 있던 정주지를 떠나 낯선 곳으로 발을 옮겨 새로운 것을 체험하는 것이 여행이다. 그런데 전근대 여행travel의 경우 소수의 사람이 종교적 순례나 장사 또는 여가를 목적으로 위험하고 힘든 여정과 수고스러움을 무릅쓰고 떠나는 일시적인 사건이었다면, 근대 여행은 많은 사람이 안전하고 편안하고 편리하게 다닐 수 있는 시스템을 기반으로 하여 소비되는 상품으로서, 하나의 제도화된 여가이고 소비활동이 되었다.

근대 시기 관광이 전근대와 크게 달라진 점은 시각성이 여행 체험이나 제도적 측면에서 중심적인 역할을 한다는 점이다. 근대 관광산업의 아버지로 불리는 영국의 토머스 쿡(1808~1892) 목사가 기획한 관광 상품의 주요 코스가 대도시의 박람회, 박물관, 백화점이었다는 점은 근대 관광이 전적으로 '보는 체험'을 기반으로 하고 있음을 알려준다.

근대 관광이 갖는 시각중심성은 교통수단 및 인쇄매체의 발달과 긴밀하게 관련되어 있다. 철도를 비롯한 대중교통은 그 속도로 인해 여행자에게 시각적 특권을 부여했다. 걷거나 나룻배를 타고 가는 사람들은 시각을 포함하여 주변 환경을 오감을 통해 체험하지만, 열차를 타고 가는 사람들은 그 속에서 차창 밖 풍경을 파노라마의 연쇄로 조망할 수 있을 뿐이다. 또한 기차의 속도가 빨라지면, 차창 밖 대신 자신이 도달할 목적지에 대한 안내서를 읽거나 지나온 곳에서 가져온 사진엽서를 꺼내보기 십상이다.

또한 '관광'이라는 근대적인 소비문화가 탄생하는 데에 기반시설만큼이나 중요한 것은 여행지에 대한 정보와 그곳에 가보고 싶다는 욕망이다. 왜 그곳이 여행지로 갈 만한지, 숙박할 곳은 어디이며 어떠한 교통수단을 이용해야 하는지, 볼거리는 무엇이 있는지 알려줄 정보를 담은 안내 책자나 여행기, 사진엽서, 팸플릿, 포스터, 기행문 같은 인쇄매체가 함께 발달하게 마련이었다. 이러한 매

싱가포르에서 제작된 엽서의 앞면(위), 뒷면(중간)과 홍콩에서 제작된 엽서(아래). 근대의 여행은 일종의 시각화된 정보를 받아들이는 경험이었다.

체들은 여행객으로 하여금 관광지에 가기 전에 미리 그곳에 대한 상상의 이미지를 형성했다. 이렇게 근대 관광은 보는 체험을 발달시키고 또 이를 재현한 물건을 판매하고 소유할 수 있게 하는 산업 시스템으로 발전했다.

이제 근대 시기 관광객은 미지의 세계를 직접 부딪혀 체험하지 않게 되었다. 오히려 관광객은 이미 규정된 이미지를 확인하는 과정으로 그곳을 경험한다. 각종 관광선전물은 관광지에 대한 상상의 이미지를 만들어냄과 동시에 반대로 관광객들이 보고 싶어하는 대상을 시각화한 것이기도 하다. 사진엽서는 단지 여행지에 대한 정보를 제공하는 역할을 한 것이 아니었다. 오늘날은 누구나 손바닥만 한 디지털카메라를 들고 다니면서 필름 인화비용 걱정 없이 찍고 싶은 대로 찍을 수 있는 세상이지만, 20세기 초는 개인이 카메라를 가지고 촬영을 하거나 인화된 사진을 소유하는 일이 쉽지 않은 시대였다. 당시 카메라는 고가이자 전문적인 기술을 요하는 물건이었으며, 인화된 사진을 손에 넣으려면 적지 않은 가격을 지불해야 했다. 1925년 라이카 사가 본격적으로 소형 카메라를 생산하기 시작한 이후에도 카메라는 소수의 사람만 손에 넣을 수 있었다. 이런 상황에서 사진엽서는 매력적인 상품이었다. 사진엽서는 비록 인화 사진이 아닌 인쇄 사진을 싣고 있지만, 비교적 양질의 사진 이미지를 제공해주었다. 사람들은 저렴한 비용으로 사진엽서를 구매함으로써 다양한 종류의 시각 이미지를 접하고 또 소유할 수 있었다. 금강산이나 경주처럼 자신이 가본 곳은 물론이려니와 실제로 본 적이 없는 조선의 풍속과 사람들을 만날 수 있었다. 그러므로 여행지를 방문하고 돌아가는 길에 기념품으로 구매한 사진엽서는 자신이 체험한 경험을 시각적인 매체로 소유할 수 있게 해주는 물건으로서 안성맞춤이었던 것이다.

이렇듯 여행이 보는 체험에 집중되고 또 이 체험을 보존할 수 있는 물건을 소유하는 것이 근대 여행의 시각중심성을 말해준다면, 사진엽서는 근대 관광 초창기에 관광의 시각적 체험을 집약한 매체라고 할 수 있다.

동아시아에서 근대적인 관광산업을 시작한 곳은 일본이었다. 1903년 '일본여행'이라는 여행사가 등장하여 처음에는 국내 종교 순례객을 모으다가 이내 대륙시찰단을 비롯한 각종 단체여행을 조직했다. 조선에 온 일본인 해외단체관광은 신문사의 기획에서 시작되었다. 1906년 6월 『아사히신문朝日新聞』은 만한순유단이라는 350여 명의 인원으로 해외여행단을 모집하여 일본군의 전승지를 중심으로 여행 일정을 짰다. 1912년에는 반관반민의 관광업체인 일본여행협회Japan Tourist Bureau, JTB가 조직되어 각지에 지부를 설치했고, 조선에도 경성관광협회나 부산관광협회를 조직했다. 호텔이나 여관 등의 숙박업소와 요리집, 사진업, 토산품판매점, 옷가게와 백화점, 택시업체, 선박운수업체, 권번업자, 문구인쇄업체 등으로 이뤄진 이 관광협회들은 조선에 관광산업을 유치하는 데 주도적인 역할을 했다. 일본은 러일전쟁 이후 만주, 타이완, 한반도를 통틀어 '신내지新內地'라고 명명하고 1910년 이후에는 이 식민지 지역의 관광지를 소개하는 여러 종류의 책자를 출간했다. 또한 1910년대 후반 일본에서 각지의 여행안내서 간행 붐이 일면서, 조선총독부에서도 전국 도시 역에 만선滿鮮 안내소를 설치하고, 일본 문부성은 만주와 조선으로 수학여행이나 단체관광을 가도록 권장하는 등 조선을 관광지로 개발하는 데 적극적이었다. 그 결과 1930년대가 되면 경성, 금강산, 경주, 평양, 부산, 청진 등 조선 전역에 걸쳐 관광지가 개발되어 숙박과 교통시설이 갖춰진다.

다게르의 사진 발명 40년 조선에 처음 들어선 사진관

일제가 1910년대부터 가지를 근대적인 관광산업의 장소로 재편하면서, 사진엽서는 조선에서도 손쉽고 저렴하게 소비되는 관광상품으로 널리 퍼져나갔다. 그렇다면 누가 사진엽서를 만들기 시작했을까?

사진엽서를 만들려면 우선 사진술이 발달해야 한다. 서양의 사진술이 우리나라에 들어온 것은 프랑스의 다게르가 유리건판 사진을 만든 지 40여 년이 지난 1883년의 일이다. 사진술을 도입한 사람은 화원, 서화가 출신이자 개화관료였던 김용원(1842~1892), 지운영(1851~1935), 황철(1864~1930)이었다. 이들은 국내에 사진관을 개설했고, 지운영은 고종 어진을 1884년 조선인으로서는 처음 촬영했다. 화원이자 고종의 밀사이기도 했던 김용원과 지운영은 갑신정변의 발발로 사진 도입을 더 이상 진전시키지 못했다. 그리하여 1907년 김규진(1868~1933)의 천연당天然堂 사진관이 왕실의 후원으로 개설되기까지 약 20년간은 일본인들이 사진술을 도입하고 정착시켰다. 1876년 강화도 조약 이후 부산, 경성에 일본인 거류지가 형성되면서 이들을 상대로 하는 일본인 사진관들이 개설되어, 사진사가 1893년에 2명이었던 것이 1911년에는 51명으로 늘어났다. 1899년경 문을 연 후지다 쇼자부로의 옥천당玉川堂, 1898년 경성에 자리잡은 이와다 가나에의 암전岩田 사진관, 그리고 기쿠다 신이 1899년 문을 연 국전菊田 사진관 등이 주로 황실이나 귀족 등의 상류층을 고객으로 삼으면서 사진을 찾는 고객이 점차 늘어갔다. 김규진이 천연당 사진관을 연 이후 경성 지역의 사진사는 1930년에 344명으로 늘어나고 조선인 사진사도 168명에 이를 정도로 당시 사진업은 큰 인기를 누렸다.

이렇게 하여 조선의 모습을 담은 사진은 한말부터 일제강점기까지 일본인 사진업자와 조선총독부의 주도 하에 생산되었다. 이들이 찍은 사진은 인화 사진으로서만이 아니라 인쇄물 형태로 대량으로 제작되어 소비·유통되었는데, 이 인쇄물 중 수량과 내용에 있어서 방대하고 다양한 것이 사진엽서였다. 1901년 본정本町2정목丁目(지금의 충무로 2가)에 설립된 대표적인 사진엽서 제작소인 히노데상행日之出商行에서 하루 판매량이 1만 매를 웃돌 정도였다고 한다.

현재 가장 많은 양의 사진엽서를 수집하여 보유하고 있는 부산박물관에 따르면, 사진엽서의 이미지 종류는 4800여 종이고, 대개 1905년에서 1939년 사이 제작하여 판매된 것으로 추정된다. 이 자료들을 보면 민간에서 만든 사제엽서의 양이 관제엽서보다 많았고 민간 제작자의 범위도 넓어서 100여 군데가 넘었던 것으로 보인다. 다이쇼 하토사처럼 일본에서 제작한 엽서도 있었지만, 대개는 조선에서 발행되었다. 최대 발행처인 히노데상행을 비롯하여 암전 사진관 등 사진관이 주요한 발행처였는데, 점차 그 범위가 넓어진다. 부산의 박문당博文堂과 부산오죽당釜山吳竹堂 등 책을 판

애보게와 아이, 히노데상행 사가 서울에서 제작한 엽서, 부산박물관. 여기에는 나타나 있지 않은 엽서 하단에 가타가나로 '애보기'를 표기했다. 조선에서는 어린아이를 등에 업어서, 포대기 끈을 아랫배에 둘러서 묶고 있기에 부담을 던다면서, 아이들이 집안에서는 놀 장소가 없어 보통 좁은 골목길에서 논다고 해설을 붙였다.

매하는 상점과 서점도 엽서를 발행했고, 관광지로 개발된 지역에서는, 금강산 사진을 취급한 원산 덕전사진관元山 德田寫眞館처럼 해당 지역의 전문사진관이나 식당, 다옥茶屋에서도 발행했던 것으로 보인다. 관제엽서로는 관광 업무와 긴밀한 관련이 있는 조선총독부 철도국이나 조선철도호텔협회가 제작했고, 1920년대 후반 이후에는 경성관광의 필수 코스인 조선신궁(사무소)에서 직접 제작하기도 했다. 또한 1915년에 열린 조선물산공진회, 1929년에 개최한 조선박람회처럼 조선 및 경성관광을 유치하기 위한 대규모 행사에서는 협찬회나 사무국 등 행사 주최기관이 직접 기념엽서를 발행하기도 했다. 웅장하고 화려한 진열관과 전시 규모를 통해 식

조선박람회 발행 엽서, 필자.

민지 경영의 실적을 선전하는 의도에 걸맞게 기념엽서 또한 각종 컬러 애니메이션과 도안을 사용하여 화려하게 제작하였다.

사진엽서에는 무엇이 들어 있을까

이 글 맨 앞에 소개한 엽서에서 보았듯이, 간단한 종이 한 장에 불과한 사진엽서에는 생각보다 많은 정보가 들어 있다. 제작자와 발행처가 누구인지 글씨와 마크를 통해 알 수 있으며, 엽서로 쓰인 경우 우표와 소인, 발신자·수신자의 주소를 통해 오고 간 지역을 확인할 수 있다. 특정 행사를 기념하는 경우 제작 시기를 구체적으로 확인할 수도 있고, 독특한 도안과 레이아웃을 가지고 제작사와 제작 연대를 추정할 수도 있다. 더욱 중요한 것은 사진 이미지를 감상하는 방향을 제시해주는 여러 가지 기호와 텍스트이다.

경성 시가를 담은 사진엽서를 보자. 남산 쪽에서 북악산을 바라보는 방향으로 경성 시가를 원거리에서 찍은 이 사진은 위에서 아래로 내려다보는 부감俯瞰의 각도와 포괄되는 시야의 각도를 고려할 때 하늘에서 촬영한 듯하다. 사진 아래에 "조선명소朝鮮名所 경성시가전경 일부京城市街全景の一部"라는 제목과 함께, 옆에 작은 글씨로 쓰인 "산기슭 흰 건물은 총독부 신청사山麓の白羊館は總督府の新廳舍"라는 해설이 달려 있고, '(朝鮮名所)'와 '(景38)'이라는 캡션이 함께 있다.

우리는 이 엽서가 제작된 시기를 이렇게 추정할 수 있다. 제목을 '신청사'라고 지었다는 점을 고려할 때, 사진 촬영 시점은 총독부

경성 전도, 부산박물관.

신청사가 지어지고 바로 얼마 뒤일 것이라고, 따라서 1926년 10월 1일 전후일 것이라고 말이다. 제목과 해설 옆에 부기된 캡션은 사진엽서가 조선명소 시리즈의 38번째임을 표시해준다. 이것은 제작자가 부여한 분류 체계에 '조선명소'라는 것이 있고, 따라서 이 사진은 조선명소의 하나로 자리매김된 것임을 말한다. 이 엽서에서 보듯이 사진엽서에 쓰인 문자는 일반적으로 한자를 포함한 일본어와 영어였다. 일본어가 사진엽서를 제작한 주체의 국적과 대표 언어를 밝히는 것이라면, 영어는 당시 사진엽서가 국제적인 우편제도의 일환으로 편입되어 있음을, 그리고 서양인을 식민지 조선의 관광 고객으로 상정하고 있음을 시사한다.

이제 이 엽서를 구입한 사람의 입장에서 엽서의 사진을 감상해 보자. 조선에 처음 온 일본인 또는 서양인 관광객이라면, 여러 종류의 건물과 시가지를 한꺼번에 조망하는 사진을 훑어본 뒤, 사진 밑에 쓰인 글을 읽고, 다시 이미지를 볼 것이다. 제목과 해설은, 이 사진이 일제가 만든 새로운 경성 시가로서 식민지 조선의 명소이며, 특히 산기슭에 세워진 흰색 건물이 이 사진에서 가장 주목해야 할 건물이라고 콕 집어 말해준다. 그러므로 이 관광객은 아마도 이 사진 전체를, 위용을 자랑하는 흰색 건물의 조선총독부 신청사로 기억하게 될 것이다. 사진의 캡션은 신청사 뒤에 있는 옛 건물들, 즉 신청사가 가로막고 있는 경복궁을 언급하지 않은 채, 원거리로 포착한 사진 이미지에서 그 옛 건물들을 말 그대로 무시하고 있다. 원경으로 경성 시가의 일부를 포착한 이 사진에서 두드러지는 것은 서양식 건물들, 널찍한 터를 확보하고 서 있는 높은 건물들이다. 이렇듯 제목과 해설은 촬영자 또는 제작자가 사진을 보는 사람에게 사진의 주제와 주목할 대상을 좀 더 직접적으로 지시해주고, 피사체에 대한 그들의 시선과 해석을 드러내준다.

'조선 풍속'이라는 범주

그렇다면 사진엽서에 담긴 조선의 모습은 어떠했을까? 부산박물관에 소장된 엽서를 한번 쭉 훑어보면, 사진 종류로 가장 많은 수를 차지하는 것은 명승과 유적이다. 강산과 온천 같은 명승 지역과 경성이나 평양, 경주 같은 역사 유적처럼 일제가 식민지 조선의 관광지로 개발한 곳의 풍경을 소재로 한 엽서가 가장 많다. 다음으로는 '풍속'과 '근대화된 도시'의 모습이다. '풍속' 시리즈에는 조선인의 일상생활 전반이라고 해도 과언이 아닌 것들이 들어 있는 데 비해 근대화된 도시의 모습에는 경성과 부산, 청진 등 일제가 개발한 도시의 도로나 건물, 전기 등 근대적인 시설들이 '명소' 라는 표제 하에 모여 있다.

우선 '풍속'이라는 주제부터 살펴보자.

아이들은 한말부터 풍속사진의 소재로 즐겨 쓰였다. 애잔함과 천진함을 동시에 느끼게 만드는 아이 업은 작은 소녀의 모습은 일러스트로 다시 그려지기도 했고 '女兒の水汲 Drawing Water', 즉 물 긷는 여자아이들이라는 제목의 사진에는 카메라맨 앞에서 부끄러워하면서도 활짝 웃는 여아의 모습이, 물동이를 머리에 인 고된 일상을 무색하게 한다. 골목에 나와 놀다가 낯선 카메라 앞에 모여든 아이들을 막 포착한 듯이 보이는 또 다른 사진 속 아이들도 수줍고 해맑기는 마찬가지다.

조선풍속 사진은 당시 조선 사람들의 일상생활 전반을 담고 있었다. 논밭 갈이나 모내기, 방아질, 절구질, 물긷기, 짐나르기, 양잠, 김장, 빨래, 다듬이질 등 노동하는 일상이나, 재래시장의 전경, 점포, 주막과 지게꾼들의 장터 풍경, 배와 뗏목이나 달구지 또는 가마 등의 탈것, 혼례와 장례 등의 의례, 널뛰기나 활쏘기 같은 놀이까지 망라했다. 실생활에서는 거의 의미가 없어진 전통적인 관복이나 양반 복식을 입혀 연출하기도 했다.

조선풍속으로 완상된 또 다른 주제는 젖을 내놓은 여인의 모습이다. 짧은 저고리 때문에 가슴을 동여매는 천을 치마와 함께 입었던 1900년대까지, 하층민 여성들이 물동이를 한 손으로 받쳐 이거나 아이에게 젖을 물리느라 가슴이 살짝 노출되는 것은 상황에 따라서는 자연스러운 일이었다. 그런데 조선에 들어와 사진을 찍는 외국인들은 이 모습에 비상한 관심을 가졌다. 때로는 자연스러운

애보개와 아이를 일러스트로 제작한 엽서, 부산박물관.

남녀아동男女兒童, 부산박물관.

절구질米搗, 부산박물관.

상황을 포착한 경우도 있지만, 어떤 경우는 실내의 사진관에서 가슴을 일부러 드러내놓도록 연출하기도 했다. 함흥 옥치상점에서 발행한 사진을 보자. 지붕을 얹은 공동 우물가에 물 긷고자 나온 세 명의 각기 다른 나이의 여성은 물동이를 인 채 카메라 쪽을 향해 서 있다. 맨발로 홑겹의 흰 저고리 치마를 입은 차림새를 보면 여름이다. 가운데 있는 젊은 여성은 물동이를 한 손으로 이어 어쩔 수 없이 가슴이 노출되자 다른 팔로 가슴을 가린다. 이번에는 양손으로 물동이를 인 또 다른 여성 사진을 보자. '婦人の水運び'(여성의 물 운반)이라는 제목의 이 사진은 실외가 아니라 사진관에서 포즈를 취하게 하여 찍은 사진이다. 앞 사진의 여성들이 무명으로 된 치마를 칭칭 동여맨 것과 달리 이 사진 속 여성은 삼베나 모시 질감의 치마를 헐겁게 입었다. 이번에는 아이에게 젖을 물린 여성의 사진을 보자. 부산 오죽당서점에서 발행한 '鮮人の子守'(아이를 기르는 조선인)이라는 제목의 사진 속 여인은 들판 수풀 한켠에 앉아 포대기를 풀고 아이에게 젖을 먹이고자 앞섶을 올렸는데, 사진사를 올려다보는 시선에 경계심이 어려 있다. 반면 '어머니와 아이'라는 제목의 사진 속 여성은 아이에게 젖을 물린 것도 아닌데, 아이를 업은 채 가슴을 일부러 밖으로 내놓은 채 서 있다. 이 또한 사진관에서 일부러 포즈를 취하게 한 연출 사진이다. 이런 탓에 정면을 바라보는 여성의 시선은 무심한 듯 멍하다.

'조선풍속'이라는 표제를 달고 만든 엽서세트는 조선풍속의 내용을 어떻게 만들었는지 전형적으로 보여준다. 일곱 가지의 사진 이미지를 일러스트로 가공한 이 엽서들에는 도자기에 그림을 그리는 장인, 활쏘기를 하고 있는 노인들, 검무를 추고 있는 여성,

북선 지방의 물 긷는 여성과 여자아이들, 부산박물관.

부인의 물 운반, 부산박물관.

아이를 기르는 조선인鮮人の子守, 부산박물관.

어머니와 아이親子, 부산박물관.

기생과 함께 서 있는 경복궁 경회루와 대동강 부벽루, 장승 뒤에 멀찌감치 삿갓 쓰고 노새를 타고 가는 과객, 물가에서 빨래 방망이질을 하고 있는 여인네들이 등장한다.

조선풍속이라는 범주는 시간이 흐름에 따라 문학적인 은유로 전형화된다. 이 은유에 빠지지 않는 연결고리가 여성이다. 풍속과 아리랑 음악이라는 제목을 붙인 엽서세트를 보자. 전통 한복을 입은 조선 여성이 석양이 지는 산길에 꽃을 들고 서 있고, 장승 옆에 앉아 양산을 옆에 둔 채 먼 곳을 바라보며, 때로는 기타를 들고 서양식 건물의 문턱에 걸터앉아 악보를 보고 노래를 부른다. 엽서 뒷면의 글귀가 '至誠奉公乘切れ時局' '一億のかて築け新體制' '締のよ一億心の手綱'로, 대동아공영권 건설을 모토로 한 신체제 운동 시기인 1930년대 말에 발행된 것으로 보이는 이 엽서는 애수에 찬 표정의 여성과 애수 띤 아리랑 타령의 가사를 묶어 제시하고 있다.

순례와 탐승의 길, 금강산

가장 많은 수를 차지하는 명승과 유적은 일제가 관광산업의 일환으로 발굴한 지역의 모습을 담고 있다. 대표적인 명승은 금강산이었다. 금강산은 "願生高麗國 一見金剛山(고려 땅에 태어나 금강산을 한번 보았으면)"이라고 한 당나라 이정李靖의 말이 전해 내려올 만큼 중국과 일본에서도 명성이 자자한, 조선을 대표하는 명승지이다. 하지만 금강산 여행이 대중화되기 시작한 것은 일제가 정책적으로 여행산업을 부양하면서다. 1914년 경원선 철도가 완공된

조선풍속과 아리랑, 개인. 상단은 기생 모습을 담은 엽서, 하단은 조선풍속과 아리랑, 개인.

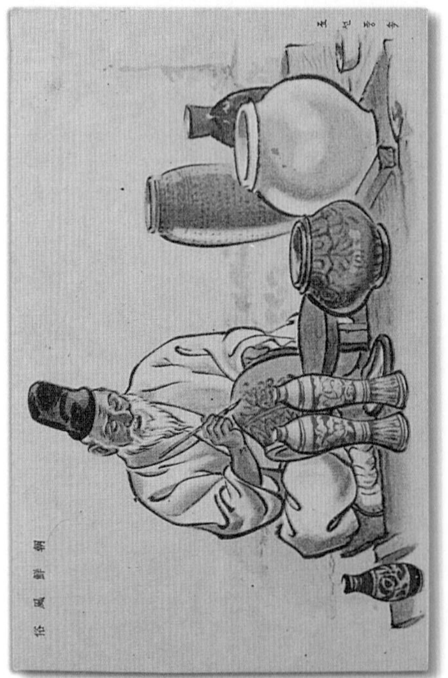

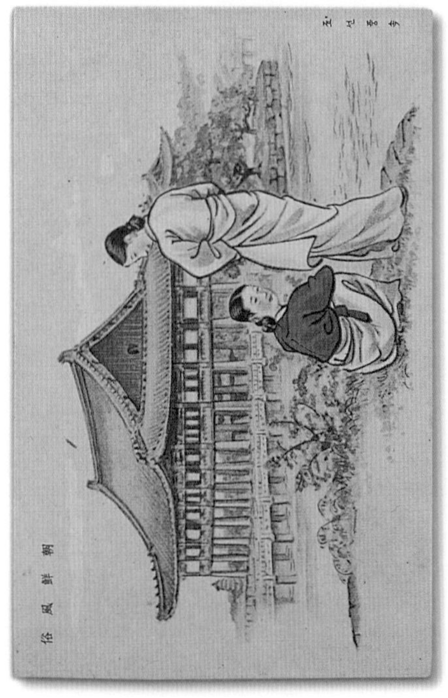

조선풍속 엽서 세트, 다이쇼 사에서 제작 판매한 엽서 세트, 개인.

朝鮮風俗
조선풍속

朝鮮風俗
조선풍속

朝鮮風俗
조선풍속

朝鮮風俗
조선풍속

후 일제 당국은 금강산 여행을 적극적으로 홍보했다. 1915년 『매일신보』가 "금강산탐승회探勝會" 모집 광고를 내는 한편, 같은 해 총독부가 개최한 시정 5년 기념 조선물산공진회에서는 강원도가 출품한 금강산 모형이 전시되었다. 1919년 철원역에서 내금강역까지 이르는 금강산 철도가 착공되어 1931년 전 구간이 완공되기까지 금강산에 가기 위한 교통 편의시설이 꾸준히 개발되면서, 철도 직영호텔 같은 숙박시설도 확충되었다. 그리하여 금강산 철도 이용 승객은 1926년 881명에서 1931년 1만5200여 명, 1939년에는 2만4890여 명으로 증가한다. 강원도 고성군과 통천군에 걸쳐 넓게 펼쳐져 있는 금강산에 접근하는 교통시설이 편리해짐에 따라 1930년대가 되면 금강산 여행은 더욱 대중화된다. 1931년부터는 경성에서 떠나는 열차에 침대차를 연결하여 내금강까지 직통으로 가는 철도편이 생긴 데다, 안변역에서 외금강행 열차를 타거나 철원에서 금강전철로 갈아타고 내금강에 갈 수 있었기 때문이다. 내금강의 경우 밤 9시45분 출발하는 기차를 타고 내금강역에 내려 장안사-명경대-표훈사-만폭동-마가연摩訶衍-묘길상-장안사를 들러 다음 날 밤 9시 30분에 경성역에 도착하는 코스로도 다녀올 수 있었다. 이 무박2일 코스는 기차와 전차를 4등칸으로 탈 경우 11원의 비용으로 산정하였다. 당시 중고등학교 조선인 교사 월급이 월 40~50원 정도였으니, 조선인이라고 해서 엄두 못 낼 정도는 아니었다. 실제로 조선인 수학여행이나 탐승단을 중심으로 금강산 관광 붐이 일었다.

금강산과 관련된 여행안내서나 팸플릿, 여행기, 사진집, 엽서는 엄청나게 쏟아져 나왔다. 엽서도 비로봉, 망군대, 만폭동, 구룡

연, 해금강, 총석정 등 내금강과 외금강의 수십 군데 명소를 별도로 찍어서 세트로 만들었다. 외금강 온정리에 있는 금강산 전문 기념품 제작소인 덕전상점德田商店이 발행한 해금강 사진엽서 8종 세트의 경우 송도, 총석정, 일출, 삼일포, 부처암 등에 대해 일어와 영어로 비교적 자세한 캡션 해설을 싣고 있다.

일제 치하의 조선인들에게 금강산은 편안한 마음으로 즐기기만 할 수 있는 '탐승지'가 아니었다. 정작 조선을 대표하는 금강산을 조선인이 아니라 일제가 만든 안내서에 의존하여 찾아가야 하는 것이 조선인이 처한 현실이었기 때문이다. 그래서 이광수는 1921년 금강산에 다녀와 기행문을 남기며 그 동기를 이렇게 말했다.

> 금강산과 한 나라에 태어난 조선 사람들까지 남들에게서 (들어) 비로소 알게 되었습니다. 과연 슬픈 일이외다. (…) 만일 우리가 금강산의 주인이 될 자격이 잇겟슬진대 우리의 자매와 자녀들이 보통학교를 마초기 전에 벌서 금강산의 위치, 명소의 배치와 명칭, 그 사진과 화첩, 그 시와 노래를 보고 외왓서야 할 것입니다. (…) 그러나 이것도 저것도 가질 복이 업는 나는 철도의 안내를 유일한 신뢰로 금강산 구경을 떠나는 불행아가 되엇습니다.
>
> 이에 나는 부족하나마 내 손으로 우리 금강산을 우리 조선사람 중에 소개해보자 하는 야심을 발하엿습니다.(이광수, 「金剛山遊記」, 1924)

더욱이 조선 사람에게 금강산은 단순히 경치를 감상하는 대상이 아니었다. 당시 조선 지식인들은 금강산에서 민족을 발견했다. 최남선에 따르면 금강산은 "조선심의 물적 표상, 조선 정신의 구체적 표상으로 조선인의 생활, 문화 내지 역사에 장구코 긴밀한 관계를 가지는 성적聖的 일존재一存在", 옛날에는 "생명의 본원, 영혼의 귀지처歸止處"이기까지 했다. 이광수의 표현으로는 "내 영의 세례를 받"을 "위대장엄한 자연"이었다. 그러므로 이들에게 금강산으로 가는 길은 단순한 '탐승'의 길이 아니라 민족의 앞날을 찾고자 하는 순례와 치성의 길이었다.

> 원컨대 민족의 진로를 밝히 찾고져 파연 오늘날 우리 땅의 사상계는 혼돈합니다. 그 탁랑濁浪에 눈을 뜰 수가 업습니다. 원컨대 이 속에 일

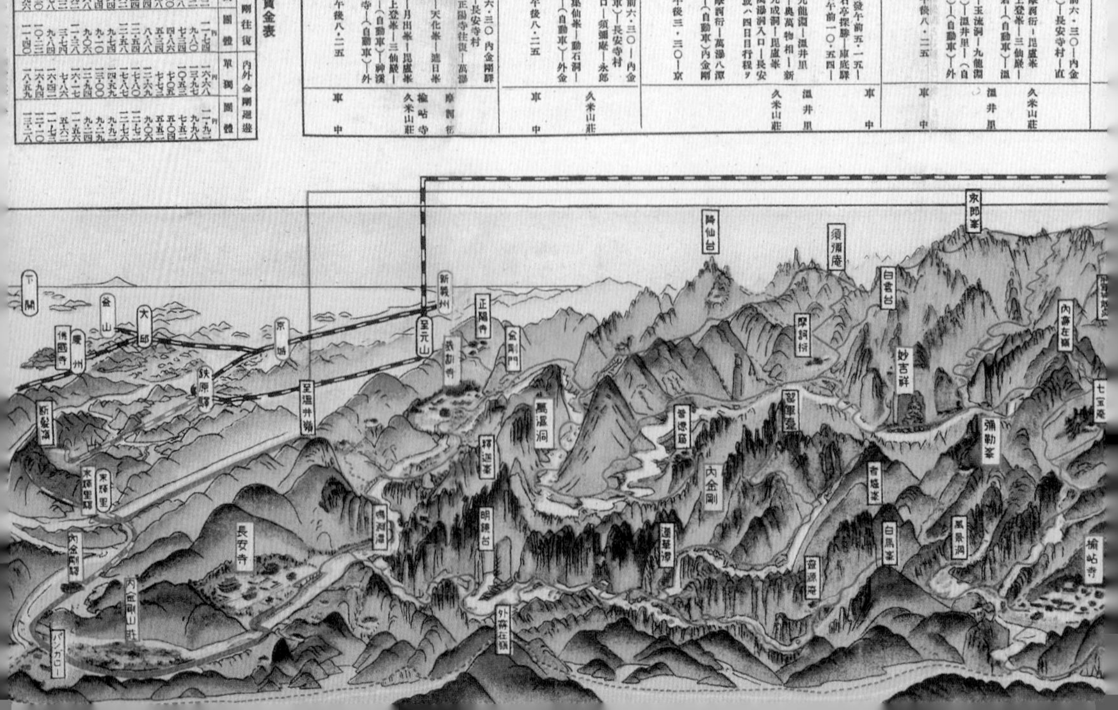

全要驛よりの

金剛山探勝三等割引乘車賃金表

種別		釜山	大邱	大田	京城	仁川	平壤	新義州	安東	鎭南浦	全州	群山	木浦	成興	羅南	清津	會寧
內金剛往復	單獨	円 一六・九四	一四・三三	一〇・七八	七・三〇	七・九八	一三・九四	一八・〇六	一八・二三	一五・五四	一三・二六	一三・二〇	一六・四三	一〇・五〇	一九・〇六	一九・五八	二一・二三
	團體	円 一三・一〇	一〇・二六	七・七〇	五・三三	五・七〇	九・二四	一三・九〇	一三・九四	一〇・一〇	九・四八	九・四二	一一・七四	七・五〇	一三・六二	一三・九八	一五・二六
外金剛往復	單獨	円 一六・四二	一三・七二	一〇・二八	六・八〇	七・四八	一三・四四	一七・五四	一七・六二	一三・六四	一三・七四	一三・六八	一五・九二	五・二三	一三・七八	一四・三〇	一五・九六
	團體	円 一一・七四	九・八〇	七・三四	四・八六	五・三四	八・八八	一三・五四	一三・五八	九・七四	九・一〇	九・〇六	一一・三六	三・七四	九・八四	一〇・三三	一一・四〇
內外金剛廻遊	單獨	円 一六・六八	一三・九七	一〇・五三	七・〇五	七・七三	一三・六九	一七・八〇	一七・八七	一四・五九	一三・〇〇	一三・九四	一六・一七	七・八六	一六・四二	一六・九四	一八・五九
	團體	円 一一・九二	九・九八	七・五二	五・〇四	五・五二	九・〇六	一三・七二	一三・七六	九・九二	九・二九	九・二四	一一・五六	五・六三	一一・七三	一三・一〇	一三・二八

費用概算 金一三圓

內金剛 九成洞 外金剛 海金剛 探勝 四日間(正味三日)

1 入山ハ前記同樣京城驛發午前六・三〇―內金剛驛著午後一・一三(自動車)―長安寺村―直ニ晝食 — 久米山莊
長安寺―表訓寺―萬瀑洞―摩訶衍―毘盧峯
2 毘盧峯―九成洞―朝陽瀑―上登峯―三仙巖―新萬物相―奥萬物相―六花岩―(自動車)―溫井里 — 溫井里
3 溫井里―(自動車)―神溪寺―玉流洞―九龍淵―上八潭―神溪寺―(自動車)―溫井里―(自動車)―海金剛(舟ニテ探勝)―(自動車)―外金剛驛
4 歸還ハ前記同樣外金剛驛發午後八・二五 京城驛著午前七・二〇 — 車中
費用概算 二〇圓

叢石亭 外金剛 九成洞 內金剛 探勝 四日間(正味三日)

1 京城驛發午後一一・〇〇 — 車中
2 安邊驛著午前五・〇二安邊驛發午前五・一五―庫底驛著午前六・四二―叢石亭探勝―庫底驛發午前九・二九―外金剛驛著午前一〇・五四―(自動車)―溫井里
溫井里―神溪寺―玉流洞―九龍淵―溫井里 — 溫井里
3 溫井里―(自動車)―六花岩―奥萬物相―新萬物相―三仙巖―上登峯―九成洞―毘盧峯
4 毘盧峯―永郞峯―須彌庵―萬瀑洞入口―長安寺―明鏡臺―長安寺村―(或ハ四日目行程ヲ左ノ如クスルモ可) — 久米山莊
4 毘盧峯―永郞峯―須彌庵―摩訶衍―萬瀑八潭 長安寺―明鏡臺―長安寺村―(自動車)內金剛驛
歸還ハ前記同樣內金剛驛發午後三・三〇―京城驛著午後九・三〇
費用概算 二〇圓

內金剛 毘盧峯 彩霞峯 外金剛 探勝 三日間

1 入山ハ前記同樣京城驛發午前六・三〇―內金剛驛著午後一・一三―(自動車)―長安寺村 — 久米山莊
2 長安寺―表訓寺―萬瀑洞入口―須彌庵―永郞峯―毘盧峯
毘盧峯―將軍城―彩霞峯―集仙峯―動石洞―神溪寺―(自動車)―溫井里―(自動車)―外金剛驛
3 歸還ハ前記同樣外金剛驛發午後八・二五 京城驛著午前七・二〇 — 車中
費用概算 一三圓

內金剛 新金剛 九成洞 外金剛 探勝 五日間(正味四日)

1 入山ハ前記同樣京城驛發午前六・三〇 內金剛驛著午後一・一三―(自動車)―長安寺村
長安寺―明鏡臺―表訓寺―正陽寺往復―萬瀑八潭―摩訶衍―白雲臺往復 — 摩訶衍
2 摩訶衍―四仙橋―內霧在嶺―天化峯―遮日峯―彌勒峯―萬景洞―楡岾寺 — 楡岾寺
3 楡岾寺―隱仙臺―內霧在嶺―月出峯―毘盧峯
4 毘盧峯―九成洞―朝陽瀑―上登峯―三仙巖―六花岩―(自動車)―溫井里―(自動車)―神溪寺―玉流洞―九龍淵―神溪寺―(自動車)―外金剛驛 — 久米山莊
5 歸還ハ前記同樣外金剛驛發午後八・二五 京城驛著午前七・二〇 — 車中
費用概算 二二圓

조의 청류淸流가 어듸로서나 흘러들어오소서 하고 빌고져.

이리하야 나는 금강산 구경의 길을 떠낫습니다. 순례의 길을 떠낫습니다. 치성의 길을 떠낫습니다. (이광수, 「金剛山遊記」, 1924)

퇴락한 궁궐과 근대화된 도시

사진엽서에 많이 등장하는 것으로 또 하나 들 수 있는 것은 궁궐의 모습이다. 경복궁 광화문, 근정전, 경회루, 향원정, 창덕궁

금강산 팸플릿, 필자.

근정전(위), 취향정(아래), 필자.

의 돈화문, 인정전, 후원, 창경궁의 창경원, 식물원, 동물원, 덕수궁의 대한문, 중화전, 석조전 등 다양한 각도에서 찍은 갖가지 궁궐 전각이 오늘날의 우리에게도 익숙한 모습이다.

하지만 이 사진들은 사진에 나타나지 않은 것들을 가리는 식민통치의 엄폐막이다. 조선의 왕이 거처하는 곳, 권력의 상징인 궁궐은 일제의 강제병합 이후 한동안 황폐해졌다. 총독부는 이내 궁궐을 여러 용도로 활용하기 시작했다. 전각을 부수거나 옮기기도 했으며 단장하기도 했다. 없애버린 전각 위에 박물관과 미술관을 지었고, 곳곳에 벚꽃나무를 심었으며 식물원과 동물원까지 만들었다. 조선총독부 신청사를 지으면서 경복궁의 정문인 광화문을 통째로 들어내 궁의 동쪽 문인 건춘문建春門 북쪽에 옮겨놓았다. 그러므로 제자리에 서 있는 광화문의 모습이 사진엽서에 실려 있다면 그것은 1926년 이전에 촬영된 것이다. 옮겨진 광화문이 한국전쟁 때 소실되었다가 1968년 철근콘크리트로 만든 것을 걷어내고 온전한 형태로 복원한 것은 2010년이 되어서였다. 그러므로 사진엽서가 전해주는 아름다운 궁궐의 모습은 사실상 조선왕조 자체의 흔적이라고 하기 힘들다. 일제가 파괴하고 덧칠하여 만든 노스탤지어, 더 이상 권력을 가지고 있지 않기에 아련한 옛 추억거리로 전락한 '퇴락한 과거'의 이미지이다.

오래된 건축물의 반대편에 있는 것은 일제가 새로 지은 서양식 건물과 기관의 모습이다. 경성의 일본인 상권 지역인 본정本町 1정목丁目, 전차가 다니는 남대문통, 자동차가 가득 주차되어 있는 조선호텔, 용산 총독관저, 동양척식회사, 용산한강인도교, 백화점 건물, 신사와 조선신궁 등이 위용을 자랑하는 모습으로 제시된다.

경성 명소를 16곳으로 추린 엽서세트에는 왕궁과 신식 건물 그리고 일본의 통치종교 기관이 함께 나열된다. 경회루, 해태상을 없앤 위에 벚꽃이 만발한 광화문 앞, 동물원으로 바뀐 창경원, 창덕궁의 비원, 흰옷을 입은 기생이 산책하는 경복궁의 뜰이 하나의 묶음이라면, 대한제국 때 지은 서양식 건물인 덕수궁 석조전과, 조지아, 미쓰코시, 미나카이로 이어지는 백화점 건물, 이왕가 미술관과 총독부 박물관, 남산 왜성대(현재 중구 예장동 지역)에 있던 구조선총독부청사는 일제가 선전하고 싶어하는 신식 건물들이다. 또 다른 묶음은 경성신사, 조선신궁, 그리고 이토 히로부미를 모신 사당인 박문사이다. 이 건물들은 해방 직후 조선 사람의 공격을 받아 파괴되거나 조선신궁처럼 훼손을 피해 미리 자진 철거함으로써 사라졌다.

다른 도시도 마찬가지다. '북선 제일의 개항장, 빛나는 청진' 엽서세트가 있다. 여기서 청진은 만주에 진입하는 관문이며 상업과 산업의 중심이라고 영어로 소개하면서 청진이 대도시이자 문화도시로서 북선 지역에 군림한다고 해설하고 있다. 이를 입증하는 이미지는 청진 세관지서, 만주국 세관 같은 서양식 관공서 건물이며, 거리를 지나는 자동차와 서 있는 전신주이다.

조선 이미지의 공장, 사진엽서

서양인과 일본인 관광객은 이 사진들을 어떻게 이해하고 감상했을까? 이 지면에서 살펴본 사진 이미지는 매우 한정된 것일 뿐.

사진엽서에 담긴 이미지의 종류는 매우 다양하고 풍부하다. 그러므로 사실상 사진엽서는 조선의 산하와 도시, 풍속과 사람들을 망라하여 그 이미지들이 복제되어 나오는 공장이라고 해도 과언이 아니다.

그런데 조선에 대한 이미지를 생산하는 이 사진엽서라는 공장에는 시간의 질서가 없다. 사진엽서 안에는 사진이 언제 촬영되었고 언제 엽서 형태로 인쇄되었는지 직접 알려주는 정보가 없기 때문이다. 앞서 몇몇 사례에서 보았듯이 사진 이미지를 보고 촬영 연대를 추정한다든가, 조선박람회 기념엽서처럼 특정한 이벤트를 기념한 엽서는 그 이벤트의 날짜로 제작 연대를 확인하며, 유명 제작업체의 경우 엽서의 도안을 보고 제작 연대를 추정하는 정도이다. 또한 사진 촬영 시점과 엽서 제작 시점도 반드시 일치하는

청진, 히노데상행 서울 발행, 필자.

본정本町 1정목丁目(위), 조선호텔(아래), 필자.

경성동양척식주식회사(위), 용산한강인도교(아래), 필자.

것은 아니다. 예컨대 1937년에 제작된 사진엽서라 하더라도 거기 실린 사진은 1905년에 찍힌 것일 수 있다. 특히 '풍속'의 범주로 분류되는 엽서 속 사진은 대개 1900년대에서 1910년대에 서양인 여행객을 위해 촬영한 것이거나, 1920년대 총독부의 생활조사사업에서 찍은 이미지인 경우가 많다. 이 사진들은 1930년대와 1940년대의 풍속엽서에서 계속 활용되었고, 때로는 동일한 사진 이미지를 일러스트로 변형하거나 다르게 디자인하는 식으로 재활용되기도 했다. 그러므로 엽서 속 사진이 구매 시점과는 전혀 다른 시간대의 것이라 하더라도 이방인에게 그것은 인지될 수 없다. 이방인이 구매한 각양각색의 조선관광 사진엽서에는 조선이라는 공간에 대한 이질적인 시간대를 간직한 이미지들이 공존할 가능성이 크다. 그런 의미에서 사진엽서는 조선 역사의 상이한 시간대를 뒤섞어 조선에 대한 느낌과 형상을 만들어내는 장치이기도 했다.

기록과 시선이 교차하는 이미지

우리는 사진엽서에서 과거 조선의 모습을, 또는 불과 100여 년 전 살아 숨 쉬던 조선 사람들을 만난다. 격동과 영욕이 교차하던 시대 조선인의 손으로 조선인의 관심에서 비롯하여 찍은 사진을 거의 갖지 못한 우리로서는 이 엽서 속 사진들을 보며 복잡한 심정을 가지지 않을 수 없다. 왜냐하면 사진엽서에 실린 사진은 역사적 기록이자 피사체를 선택하고 표현하는 주체(제작자)의 태도를 동시에 담고 있기 때문이다. 사진이라는 매체가 갖는 특성은 대상의 정보를 가장 직접적으로 전사傳寫한다는 데 있다. 당시 조선 사회의 여러 모습을 망라하는 사진엽서를 보면서 20세기 초 우리 풍속과 복식, 노동 도구 등 급격한 산업화의 와중에 일상에서 사라졌기에 다시 구현하기조차 힘든 한국 사람들의 구체적인 생활모습까지도 발견하게 된다. 다른 한편, 방대한 양에도 불구하고 이 사진들은 관광 상품이자 서양인과 제국주의 일본인들이 조선을 인식하고 평가하는 시선이 작용한 결과물이다.

조선을 찾아온 서양인이나 일본인 관광객들은 조선을 피사체로 한 이 사진들에서 무엇을 기대했을까? 또한 이 이미지를 만든 사람들은 무엇을 보여주고 싶었던 것일까? 100여 년 전 사진엽서에 담긴 조선의 모습은, 보고 싶은 사람과 보여주고자 하는 사람들의 시선과 욕망이 교차하는 그 어디쯤에서 만들어졌다. 낯선 땅, 낯선 문물을 바라보는 호기심과 다른 한편으로는 조선을 미개한 사회로 보고 지배와 통치의 성과를 선전하려는 의도가 사진 속 피사체에 투영된 이미지의 총화이다. 숱한 경성 사진들 속에는 조선총독부가 새로 지은 건물과 신작로, 일본인이 연 상점이 등장하고 퇴락한 궁궐의 모습도 묘사되지만, 청계천변과 북촌에서 가난하게 살고 있는 조선인 거리와 사람들은 등장하지 않는다. 또한 1900년대에서 1910년대 초에 촬영되었을 각양각색의 조선 사람들과 일상생활의 풍습에서는 인위적인 연출의 흔적이 발견되기도 한다. 사진의 피사체로 선택된 것은 언제나 배제된 것들과 함께 있고, 선택과 배제에는 이유가 있다. 그럼에도 우리는 이 사진들에서 눈을 뗄 수가 없다. 비록 우리의 문화 내면에서 이해하는 사람이 산출하게 될 기록과 통찰을 담고 있진 않다 하더라도 이 사진들은 그 생경함의 시선과 노골적인 의도를 뚫고 반짝이는 편린들을 보여주기 때문이다.

1장 권력과 자존심과 탐학의 여행길

박원호, 「조선초기의 요동공벌논쟁」, 『한국사연구』 14, 1976

———, 「명과의 관계」, 『한국사』 22, 국사편찬위원회, 1995

신석호, 「조선왕조 개국 당시의 대명관계」, 『국사상의 제문제』 1, 1959

李鉉淙, 「明使接待考」, 『鄕土서울』 12, 1961

임철호, 『설화와 민중의 역사의식』, 집문당, 1989

전해종, 『한중관계사연구』, 일조각, 1970

한명기, 『임진왜란과 한중관계』, 역사비평사, 1999

———, 『정묘 병자호란과 동아시아』, 푸른역사, 2009

한영우, 『정도전 사상의 연구』, 서울대출판부, 1973

2장 정묘호란이 끝나자마자 조선에 와서 상경한 일본인들

권순열·김은수 옮김, 「음빙행기 기옹수필」, 『문청공유사/관시록/음빙행기/송강선조유필』, 태학사, 2005

정성일, 『조선후기 대일무역』, 신서원, 2000

한명기, 『정묘·병자호란과 동아시아』, 푸른역사, 2009

田代和生, 「(校訂)寛永六年御上京之時每日記」, 『朝鮮學報』 95, 1980.4

———, 「寛永六年(仁祖七, 一六二九), 對馬使節の朝鮮國『御上京之時每日記』とその背景(一)」, 『朝鮮學報』 96, 1980.7

———, 「寛永六年(仁祖七, 一六二九), 對馬使節の朝鮮國『御上京之時每日記』とその背景(三)」, 『朝鮮學報』 101, 1981.10

3장 군인, 신부, 포로, 조선 땅에 발을 내딛다

고사카 지로, 양억관 옮김, 『바다의 가야금』, 인북스, 2001

루이스 프로이스, 정성화·양윤선 옮김, 『임진난의 기록: 루이스 프로이스가 본 임진왜란』, 살림, 2008

시바 료타로, 박이엽 옮김, 『한나라 기행』, 학고재, 1998

심경호, 『나는 어떤 사람인가』, 이가서, 2010

최관, 『일본과 임진왜란』, 고려대출판부, 2003

게이넨, 신용태 옮김, 『임진왜란 종군기』, 경서원, 1997

하세가와 쓰토무, 조여주 옮김, 『귀화한 침략병』, 현대문학, 1996

한명기, 『임진왜란과 한중관계』, 역사비평사, 1999

4장 36명 네덜란드인의 조선 생존기

강준식, 『다시 읽는 하멜 표류기』, 웅진닷컴, 2003

헨드릭 하멜, 이병도 옮김, 『난선제주도난파기』, 일조각, 1975

———, 김태진 옮김, 『하멜표류기』, 서해문집, 2003

———, 유동익 옮김, 『하멜보고서』, 중앙 M&B, 2003

5장 줄기에 매달린 오이 형상에서 근대의 정교한 지도까지

오상학, 「조선시대의 일본지도와 일본 인식」, 『대한지리학회지』 38, 2003

———, 『조선시대 세계지도와 세계인식』, 창비, 2011

이상태, 『사료가 증명하는 독도는 한국땅』, 경세원, 2007

이진명, 『독도, 지리상의 재발견』, 삼인, 1998

한상복, 「개항 이전까지 외국에서 출간된 조선도」, 『한국의 전통지리사상』, 민음사, 1991

Harbin Cartographic Publishing House, 1998, *Treasures of Maps -A Collection of Maps in Ancient China*

葛劍雄, 『中國古代的地圖測繪』, 北京: 商務印書館, 1998

王成組, 『中國地理學史』, 北京: 商務印書館, 1988

織田武雄, 『地圖の歷史』, 東京: 講談社, 1973

久武哲也, 長谷川孝治 編, 『地圖と文化』, 地人書房, 1989

陳正祥, 『中國地圖學史』, 商務印書館香港分館, 1979
曹婉如 外(編), 『中國古代地圖集: 戰國-元』, 北京: 文物出版社, 1990
———, 『中國古代地圖集: 明代』, 北京: 文物出版社, 1995
———, 『中國古代地圖集: 淸代』, 北京: 文物出版社, 1997
海野一隆, 『地圖の文化史-世界と日本—』, 八坂書房, 1996
三好唯義·小野田一幸, 『日本古地図コレクション』, 河出書房新社, 2004
三好唯義, 『世界古地図コレクション』, 河出書房新社, 1999

6장 프랑스 이방인의 조선 관찰기

샤를르 달레, 『한국천주교회사』(上·中·下), 한국교회사연구소, 1980
조현범, 『문명과 야만』, 책세상, 2002
———, 『조선의 선교사, 선교사의 조선』, 한국교회사연구소, 2007
최석우, 「파리외방전교회의 한국진출의 의의」, 『교회사연구』 5, 한국교회사연구소, 1987
프레데릭 불레스텍스, 『착한 미개인 동양의 현자』, 청년사, 2001
한국교회사연구소, 『한국천주교회사』(1~3), 한국교회사연구소, 2009~2010

7장 "나는 한국에서 살인충동을 느꼈다"

서기재, 『조선여행에 떠도는 제국』, 소명출판, 2011
잭 런던, 이성은 옮김, 『별 방랑자』, 궁리, 2010
———, 곽영미 옮김, 『야성이 부르는 소리』, 지식의풍경, 2002
토마스 아이크, 소병규 옮김, 『잭 런던-모순에 찬 삶과 문학』, 한울, 1992

8장 유럽 몰락 귀족이 조선 관료가 된 까닭

김재관 편저, 『묄렌도르프』, 현암사, 1984
김현숙, 『근대 한국의 서양인 고문관들』, 한국연구원, 2008
묄렌도르프 夫婦, 申福龍·金雲卿 옮김, 『묄렌도르프文書』, 평민사,

1987

박지향, 『일그러진 근대』, 푸른역사, 2003

발터 라이퍼, 『묄렌도르프』, 정민사, 1983

이배용, 『韓國近代鑛業侵奪史研究』, 일조각, 1989

이영관, 『조선과 독일』, 국학자료원, 2002

Mattina Deuchler, *Confucian Gentlemen and Barbarian Envoys. the Opening of Korea 1875-1885*, Univ. of Washington Press, 1977

Yur-Bok Lee, *West Goes to East: P.G. von Möllendorff and Great Power Imperialism in Late Yi Korea*, Honolulu: Univ. of Hawaii Press, 1988

9장 이탈리아인의 독특한 오리엔탈리즘

G.W. 길모어, 신복룡 옮김, 『서울풍물지』, 집문당, 1999

에드워드 사이드, 박홍규 옮김, 『오리엔탈리즘』, 교보문고, 2007

에밀 부르다레, 정진국 옮김, 『대한제국 최후의 숨결』, 글항아리, 2009

이사벨라 버드 비숍, 이인화 옮김, 『한국과 그 이웃나라들』, 살림출판, 1994

전우용, 『서울은 깊다』, 돌베개, 2008

한영우 외, 『대한제국은 근대국가인가』, 푸른역사, 2006

10장 나라를 잃어버린 조선에 대한 인상비평

김미란, 「20세기 초 독일여행문학에 나타난 한국문화-노르베르트 베버의 『고요한 아침의 나라에서』를 중심으로」, 『브레히트와 현대연극』 20, 2009

김학준, 『서양인들이 관찰한 후기 조선』, 서강대출판부, 2010

박일영, 「노르베르트 베버가 본 조선의 종교-전통종교와 민간신앙을 중심으로」, 『종교연구』 59, 2009

이유재, 「노르베르트 베버 신부가 본 식민지 조선: 가톨릭 선교의 근대성」, 『서양사연구』 32, 2005

최석우, 「한국 분도회의 초기 수도생활과 교육사업」, 『사학연구』 36, 1983

11장 일본 문화재학 대부의 '시선視線의 정치학'

關野貞, 심우성 옮김, 『朝鮮美術史』, 朝鮮史學會, 1932; 열화당, 2003
關野貞研究会 編, 『關野貞日記』, 中央公論美術出版, 2009
藤井惠介·早乙女雅博·角田眞弓·西秋良宏 編, 『關野貞アジア踏査』, 東京大學 出版會, 2005
朝鮮總督府 編, 『朝鮮古蹟圖譜』(전15권), 1916~1935
김용철, 「근대 일본인의 고구려 고분벽화 조사 및 모사, 그리고 활용」, 『美術史學硏究』 254, 2007
배형일, 「신화 속 고토 복원을 위한 유적 탐색」, 『'일본'의 발명과 근대』, 이산, 2006
우동선, 「세끼노 타다시(關野貞)의 한국 고건축 조사와 보존에 대한 연구-문제의 소재」, 『한국근현대미술사학』 11, 2003
정상우, 「1910~1915 조선총독부 촉탁囑託의 학술조사 사업」, 『역사와현실』 제68집, 2008
정인성, 「關野貞의 낙랑유적 조사·연구 재검토-일제강점기 고적조사의 기억 1」, 『湖南考古學報』 제24집, 2006
한국박물관 백년사 편찬위원회 편, 『한국박물관 100년사: 1909-2009』 (1·2), 국립중앙박물관, 2009

12장 스웨덴 동물학자의 조선생물 탐사기

로버트 헉슬리, 곽명단 옮김, 『위대한 박물학자』, 21세기북스, 2009
원병오, 『새들이 사는 세상은 아름답다』, 다움, 2002
이병철, 『석주명 평전』, 그물코, 2011
이종찬, 『파리식물원에서 데지마박물관까지』, 해나무, 2009
정태현, 「야책을 메고 50년」, 『숲과 문화』 11-3, 2002
조복성, 황의웅 엮음, 『조복성 곤충기』, 뜨인돌, 2001
베리만 기념사업 홈페이지: http://en.stenbergman.se/page3.

aspx?page=203

13장 사각형 종이 속에 담긴 욕망의 이미지

국사편찬위원회, 『여행과 관광으로 본 근대』, 두산동아, 2008
권행가, 「高宗皇帝의肖像: 近代 시각매체의 流入과御眞의 변용 과정」, 홍익대학교 대학원, 2005
유승훈, 「부산박물관 소장 사진엽서의 현황과 특징」, 부산박물관 편 『사진엽서로 보는 근대 풍경』, 민속원, 2009
이경민, 『경성, 사진에 박히다: 사진으로 읽는 한국 근대 문화사』, 웅진씽크빅, 2008
이광수, 『金剛山遊記』, 時文社, 1924(2008)
전수연, 「관광의 형성과정을 통해 본 근대 시각성 연구」, 홍익대학교 대학원, 2010
조계영·김수진·양윤정, 『조선을 그리다 조선을 만나다』(2011 서울대학교 규장각한국학연구원 대동여지도 간행 150주년 특별전), 규장각한국학연구원, 2011
최남선, 『金剛禮讚』, 漢城圖書株式會社, 1928
하세봉, 「근대, 관광을 시작하다」, 부산근대역사관 편 『근대, 관광을 시작하다』, 부산근대역사관, 2007

김수진 ＿＿＿ 서울대 여성연구소 책임연구원. 저서 『신여성, 근대의 과잉-식민지조선의 신여성 담론과 젠더정치, 1920-1934』, 공저 『전통의 국가적 창안과 문화변용』, 역서 『현대영화이론의 궤적』 외 다수.

김태웅 ＿＿＿ 서울대 역사교육과 교수. 저서 『뿌리깊은 한국사 샘이 깊은 이야기-근대-』 『우리 학생들이 나아가누나』, 공저 『고종시대 공문서 연구』 『한국 민중사의 새로운 모색과 역사쓰기』 외 다수.

김현숙 ＿＿＿ 서울시사편찬위원회 전임연구원. 저서 『근대 한국의 서양인 고문관들』 『예산 동서·상중리』, 공저 『충남지역 마을연구』 『여행의 발견 타자의 표상』 외 다수.

목수현 ＿＿＿ 서울대 규장각한국학연구원 연구교수. 공저 『시대의 눈』 『대한제국』, 논문 「망국과 국가 상징의 의미 변천: 태극기, 오얏꽃, 무궁화를 중심으로」 「조선미술전람회와 문명화의 선전」 외 다수.

문만용 ＿＿＿ 한국과학기술원 한국과학문명사연구소 연구교수. 저서 『한국의 현대적 연구체제의 형성』, 공저 『한국 근대과학 형성과정 자료』 『박정희시대와 한국현대사』 『과학이 세상을 바꾼다』 외 다수.

오상학 ______ 제주대 지리교육과 교수. 저서 『조선시대 세계지도와 세계인식』 『옛 삶터의 모습 고지도』, 공저 『한라산의 인문지리』 『하늘 시간 땅에 대한 전통적 사색』 외 다수.

전우용 ______ 전 서울대 병원역사문화센터 교수. 저서 『서울은 깊다』 『현대인의 탄생』 『한국 회사의 탄생』, 공저 『인문학콘서트』 『길 위의 인문학』 『서울 20세기-생활문화변천사』 외 다수.

정성일 ______ 광주여대 콜마케팅학과 교수. 저서 『조선후기 대일무역』 『한일 어민의 접촉과 마찰』 『역사 속 외교 선물과 명품의 세계』 외 다수.

정호훈 ______ 서울대 규장각한국학연구원 HK교수. 저서 『조선후기 정치사상 연구』, 공역 『朱書百選』 『朱子封事』, 논문 「16·7세기 《소학집주》의 성립과 간행」 외 다수.

조현범 ______ 한국교회사연구소 책임연구원. 저서 『조선의 선교사, 선교사의 조선』, 공저 『근대 한국 종교문화의 재구성』 『한국 근현대사와 종교문화』 외 다수.

조형근 ______ 서울대 규장각한국학연구원 객원연구원. 공저 『근대주체와 식민지규율권력』 『식민지의 일상: 지배와 균열』 『조선 사람의 세계여행』 외 다수.

한명기 ______ 명지대 사학과 교수. 저서 『임진왜란과 한중관계』 『정묘·병자호란과 동아시아』 『광해군』 외 다수.

황재문 ______ 서울대 규장각한국학연구원 HK교수. 저서 『안중근평전』, 논문 「'환구음초'의 성격과 표현방식」 「전통적 지식인의 망국 인식」 외 다수.

세상 사람의 조선여행

1판 1쇄 2012년 2월 13일
1판 4쇄 2014년 4월 16일

엮은이 규장각한국학연구원
펴낸이 강성민
기획 김수진 정긍식 권기석
편집 이은혜 박민수 이두루
편집보조 유지영 곽우정
일러스트 이재열
독자 모니터링 황치영
마케팅 이연실 정현민 지문희
온라인 마케팅 김희숙 김상만 한수진 이천희

펴낸곳 (주)글항아리 | 출판등록 2009년 1월 19일 제406-2009-000002호

주소 413-120 경기도 파주시 회동길 210
전자우편 bookpot@hanmail.net
전화번호 031-955-8891(마케팅) 031-955-1934(편집부)
팩스 031-955-2557

ISBN 978-89-93905-87-8 03900

글항아리는 (주)문학동네의 계열사입니다.

이 도서의 국립중앙도서관 출판시도서목록(CIP)은 e-CIP홈페이지(http://www.nl.go.kr/ecip)와
국가자료공동목록시스템(http://www.nl.go.kr/kolisnet)에서 이용하실 수 있습니다.
(CIP제어번호 : CIP2012000361)

*도판 자료 게재를 허락해주신 분들께 감사드립니다. 이 책에 실린 도판 중 저작권 협의를 거치지 못한 것이 있습니다. 연락이 닿는 대로 게재 허락 절차를 밟고 사용료를 지불하겠습니다.

合併後新調査
龍山合併 京城市街全圖
明治四十四年三月發行